短編復活

集英社文庫編集部 編

集英社文庫

短編復活

目次

回想電車

赤川次郎

それは終電車だったろうか。

彼にはよく分らない。――まあ、こんな時間になれば、終電車だって、その一本二本前だって、同じようなものだ。

たいていの客は忘年会かクリスマスパーティの流れで酔っていて、いささかだらしない格好で座ると、次の駅に着く前にもう眠り込んでいる。

中には空いている電車に乗ることなんかめったにないんだから、と、長々と座席に寝そべっていびきをかいている者もあった。

男だけじゃない。最近は女性もアルコールには強くなった。だらしなく眠ったりしないだけ、男よりも強いのかもしれない。

――そう、やっぱり終電車ではなかっただろう。終電車なら、もう少し混み合うものだ。ちゃんと終電の時間を憶《おぼ》えていて、どんなに酔っていても、それに間に合うように店を出るという……。どこか物哀しい特技を持つサラリーマンがいくらもいるからである。

彼はその口ではなかった。大体、彼は酔っていない。酒というものを断《た》って、ずいぶん長くなる。もう何年か……。何十年だろうか？

若いころ、ほんの何年間かだけは、結構無茶もしたものだが、ただ、「付合い」のためだけに胃や肝臓をだめにするのは馬鹿げた話だと、ある日思った。そして、一切のアルコールを断ったのだった。

別に体をこわしてやめた、というわけではないので、悪友たちは、おだてたりおどしたり、あの手この手で、彼にまた飲ませようとしたが、彼は拒み通した。

その当時は、よく課長や上司から注意されたり、同僚にそしられたりしたものだ。しかし今は……。

時代は変った。大酒飲みで、ヘビースモーカーだった社長が、アメリカで一流企業のトップたちと会って来てからだ。

禁酒禁煙が、トップたる者の条件。

社長のこの変りように、社内は大騒ぎになった。一人、平然としていられたのは、酒もタバコもやらない、彼だけだったのである。

こうして夜遅く帰宅するにしても、酔って日ごろのうさを晴らし、上役の悪口をくり返して、自己嫌悪に陥りながら、遥《はる》か郊外の自宅まで、気の遠くなりそうな数の駅を数えるのと、彼のように、深夜まで充実した仕事にエネルギーを費し、快い疲れと熱で、寒さをはね返しながら、明日の仕事に思いをはせているのとでは、大違いというものだろう。

大体、少しも眠くはない。――睡眠は毎日五、六時間だが、深く、ぐっすりやすむので、疲れを翌日へ持ち越すことはないのだ。

そろそろ、乗る客は少なくなって、一つ、駅に着く度に、二人、三人と車両から客が減って行く、その境目辺りに来ている……。

珍しいな、と思った。中年の女性が、フワッとした暖かそうな毛皮のコートを着て、乗って来た。どこにだって座れるのだが、たまたま彼の正面の席に……。

丸顔の、どこか子供のころの面影を残した面立ち。その目は、なぜか彼の方をいやにしつこく見ていた。

彼は膝《ひざ》の上のアタッシェケースから、英文の新聞を取り出し、読み始めた。

「あの――」

と、声がして、手もとに影が落ちる。

顔を上げると、向いに座っていた女性が、目の前に立っている。

「何か？」

「失礼ですけど――さんでは？」

どうして名前を知っているんだ？

「そうです。失礼ですが――」

「やっぱり――」

笑顔が、彼の記憶を呼びおこした。

「君……。驚いたな！――いや、笑うと昔のままだ」

「もうおばさんよ。座っても？」

「もちろん」

隣に座ったその女性を、彼は懐しい胸の痛みと共に眺めた。

「あなた、少しも変らないわ」

と、彼女は言った。「少し首のあたりが太ったけど」

「お互い、変ってないってことにしようじゃないか」

「そうね」

二人は軽く声をたてて笑う。

——まさか、二度と二人で笑うことがあろうとは思わなかったのに。しかし、本当に笑っている。

「君……。こんな時間に？」

「ええ。いつもじゃないわ。親しい奥さん同士の集まりがあって……。そのクリスマスパーティだったの」

「そうか」

「主人は主人で忘年会。どうせ、まだ帰らないわ」

彼は、その女性の毛皮のコートを見て、

「立派だね」

と、言った。

「プレゼント。主人からの。——誕生日だったから」

「十二月の三日だったね」

「憶えててくれたのね」

と、嬉《うれ》しそうに、微笑《ほほえ》む。

「忘れるもんか」

二人は、ちょっと黙った。言いたいこと、訊《き》きたいことは、どっちも分っていたのだ。

ちょうど電車が駅に着いて、何人かが降りて行った。

「次で降りるの」

と、彼女が言った。

「そうか。――あの子は、元気？」

「ええ。もう高校生」

「そんなになったか」

「私より背が高いのよ。この間、学校の文化祭で、ミス・文化祭に選ばれたわ」

「君に似たんだ」

「眉《まゆ》の形は、あなたそっくり」

と、彼女は言った。

――若い日の、熱に浮かされたような恋の日々。それは、彼女の妊娠と、同棲、そして生活費も稼げない暮しから来る当然の破局、というお決りの道を辿《たど》った。

「主人も、とてもあの子に優しいわ。他にも二人子供がいるけど、あの子が一番の自慢よ」

「そうか……」

目頭に熱いものが浮ぶ。

「――良かった」

「あなたは？　今は――」

「見た通りのサラリーマンだよ」

と、肩をすくめて見せる。

「でも、とても立派よ。昔の、あの頼りないあなたとは信じられないみたい」

「おいおい……。手きびしいね」

と、彼は笑った。

「もちろん、ご家族は――」

「うん。娘が二人。――女の子しかいないんだな、僕には」

「お似合いだわ」

電車のスピードが落ちた。「あ、降りなきゃ。――じゃ、これで」

「会えて嬉しかったよ」

「私もよ」

上品な手袋をはめた手が、彼の手に重なる。そのぬくもりは、遠い青春を思い起こさせた。

ハッとするほど、変らなかった。

電車が停って、扉が開いた。

「さよなら」

彼女はそう言って降りて行ったのに、彼はただ、ちょっと手を上げて見せただけだった。

言葉が出なかったのだ。

電車が動き出し、ホームを歩く彼女を追い越したが、もう彼女は彼のことを見ようとはせず、バッグから取り出した硬貨を手に、公衆電話へと歩み寄るところだった。家へ電話して、今から帰るわ、と娘に言うのだろう。

そっと息を吐き出して、彼は目を閉じた。――いい日だったな、今日は。

「おい」

自分が呼ばれていると思わなかったので、目を閉じたままでいると、「おい、寝てるのか？」

声に聞き憶えがあった。目を開いて、彼はびっくりした。

「お前……。もう大丈夫なのか？」

「見た通りさ。いや、びっくりしたぜ」

ドサッと勢いよく隣に座った、かつての同僚は、「疲れてるようだな。大丈夫か？」

「ああ、俺《おれ》は……。しかし、いつ退院したんだ？」

「もう二年も前だよ」

「そうか……。いや、気になってたんだ」

「俺もそうだろうと思って、知らせたかったんだが、仕事が忙しくてね。――ああ、今はこんなことをやってる」

名刺を受け取って、彼はびっくりした。

「社長だって？　じゃ、自分で？」

「小さな会社さ」

と、少し照れたように、「しかし、三人で始めて、一年半で社員十五人だ」

「凄《すご》いじゃないか」

「運が良かったのさ」

この友人が、「運が良かった」というのを聞いて、何ともいえない感慨が、彼の中に湧《わ》いて来た。不運といえば、こんなに不運な男もいない、と言われたほどだったからだ。

しかし——と彼は思った——今日は何て日だろう。懐しい人に二人も出くわすとは。

「しかし……」

と、彼は、ためらいがちに、「お前には恨まれてると思ってた」

「恨んださ、正直に言えばな」

当然だ。——彼は、ある仕事を、この同僚に押し付けてしまった。しかも理由は、といえば、その日が親しいバーのマダムの誕生日だったから、というつまらないことで。

同僚は渋々出かけて行った先で、工場火災に遭った。逃げ遅れて、大火傷《おおやけど》を負い、長い入院生活を送った挙句、神経をやられて、辞職して行ったのだ。

ずっと、その記憶は彼の中に、重苦しく淀《よど》んでいた。

「殴ってもいいぜ」

と、彼は言った。

と、その男は笑って、「工場から出た補償金をもとでに、会社を始めたんだ。そうしたら、これが楽しいんだな。思ってもみなかったが、俺はどうも経営の才があるらしい」

「成功してるんだから、そういうことになるか」

と、彼は笑って言った。

「そうなんだ。——人間、自分の不運を嘆いてばかりいちゃしょうがないんだな。不運ってものは確かにあるが、生きてさえいりゃ、それを幸運に転じることだってできる。教訓話は嫌いだが、こいつは俺の実感だよ」

「俺よりずっと太って、いい背広を着てるじゃないか」

と、つついてやる。

「ああ。何しろ社長だ。車もベンツだ。今夜は接待で飲んだから、電車にしたがね」

「大したもんじゃないか」

「これからさ」

と、肯《うなず》いて見せ、「毎日がスリリングで、手応えがある。こいつは、サラリーマンだったら味わえない気分だぜ。——ああ、もう降りなきゃ。一度遊びに来いよ。家を今年、新築したんだ。ちょっとしたもんだぜ。ぜひ一度——。おっと！　それじゃ！」

閉りかけた扉を、強引にこじ開けて、かつての同僚は降りて行った。

「あいつ……」

「馬鹿だな」

と、思わず呟《つぶや》く。

以前はおとなしい、口数の少ない男だったのだ。それが、あんなに派手にまくし立てて、口も挟ませない。顔がなきゃ（というのは妙な言い方だが）、同じ人間とはとても思えない。

しかし――良かった。

長い間の胸のつかえが、おりたような気がした。

いい夜だな、今夜は、と思った。

駅の名へ目をやる。――あと、三つか。

眠るほどの間もない。しかし、何となく幸せな気分で、目を閉じる……。

「――お母さん」

と、若い娘の声がした。「あの人よ」

目を開けて、彼は、中学生ぐらいの女の子が、じっとこっちを見ているのに気付いた。

誰《だれ》だろう？　思い当らなかったが、一緒にいる母親を見て、気が付いた。

「まあ、どうも――」

と、その母親は、揺れる電車に足を取られそうになりながら、やって来た。

「これはどうも」

彼は、ちょっと腰を浮かして、頭を下げた。

「その節は本当にありがとうございました」

と、母親は礼を言った。

「いやいや。もうあの時、充分におっしゃっていただきましたよ」

と、彼は、女の子の方へ目を向けて、「じゃ……このお嬢さん？」

「はい。十五歳になります」

「やあ、こんなに大きくなって！　見違えたよ」

心から、そう声を上げていた。――まだ、ついこの間のことのようなのに。

「ありがとうございました」

と、少女が、はっきりした声で礼を言う。

「あの後、主人が急に転勤になりまして、お礼も充分にいたしませんで……。気にしてはおりましたんですが」

「いや、そんなことはいいんですよ。ご主人、銀行員でしたね」

「はい。それで転勤が急なものですから。――今年、こちらへ戻って参りました」

「そうですか。じゃ、元のお宅に？」

「いいえ、あそこはもう……」

と、母親が顔をしかめると、少女が笑って、

「お母さん、今度は町の真中にマンション借りたんです。でも今度は車にはねられないかって気にしてます」

と、言った。

「そりゃ、親ってのは、そんなものさ」

「今日は、叔母の所へ泊りに。——この子が今日から学校、冬休みなものですから」

——この少女が、誘拐《ゆうかい》されて、身代金を要求されるという事件が起ったのは、五年——いや、六年前だったか。

たまたま、車で得意先に行った彼が、途中、ナンバープレートを隠した妙な車を見付け、中を覗《のぞ》いてみると、この少女が縛られて、毛布にくるまれていたのだった。

犯人がいつ戻るか分らない、緊迫した状況の中で、彼は少女を自分の車へ乗せ、猛スピードで、交番まで突っ走った。

後で考えると、その車の運転の方が、よほど恐ろしかった……。

「犯人も捕まったし、安心ですね」

と、彼は言った。「大分後になってからでしたか」

「はい。半年後でした。その間は、心配で、かたときも、この子から離れませんでしたわ」

「お母さん、学校の中までついて来て。トイレまでくっついて来るんだもの」

彼は笑った。

「犯人が捕まったと聞いて、三日寝込みましたわ」

と、母親も笑って言った。

「いや、自分の人生でも、あの時はまあ——言葉は悪いけど、ハイライトだったような気がしますよ。映画のヒーローにでもなった気分でね」

「この子にとっては、今でもあなたはヒーローですわ」

「こんな中年男が？　こりゃ嬉しいな」

「結婚するなら、あのおじさんみたいな人、って、いつも言ってますもの」

「お母さん！」

と、少女が頰《ほお》を染めて、母親をつつく。

「――あら、もう降りるんだわ。じゃ、これで失礼いたします」

「どうも、会えて良かったですよ」

「また、いずれ改めてお礼に――」

母と娘は、何度も頭を下げて、電車を降りて行った。

気が付くと、もうあまり客は乗っていない。――彼の降りる駅まで、あと一つだった。

「やれやれ……」

妙な晩だよ、全く。

三人も、長いこと会わなかった人たちに、それも忘れられない人ばかりに出会うなんて……。

こんなことってあるのかな。

ふと、思った。――これは俺へのクリスマスプレゼントかもしれない、と。

自分が不幸にしたかもしれなかった人も、危機から救った人も、誰もが元気で、幸せだ。

それを知らせてくれたのだろうか。

誰が？

彼は、あんまり「神」というものを信じていない。でも、今日ばかりは——今夜一晩ぐらいなら、神様ってやつを信じてやってもいいかな、と思ったりした。

本当に——本当に良かった。

ふと、目を閉じた。

おい、眠っちゃいけないんだよ。次の駅で降りるんだから。

乗り過したら、戻れなくなるかもしれない。

いや、眠るんじゃない。ただ、ちょっと目を閉じるだけさ。

こんなすてきな夜には、自分の幸せを確かめるために、「ふと目を閉じる」なんて、芝居がかった真似をしてみてもいいじゃないか。

そうだろう？

目を閉じていると、今会った人たちだけでなく、色んな顔が浮んで来る。会いに来る……。

彼は、じっと目を閉じて——。


「参ったな」

と、年長の車掌は、腕組みをして、不機嫌に、顔をしかめた。

「すみません」

若い車掌が、頭をかきながら、そばに立っている。

「——もう、連絡したのか？」

「はい。今、警察の人が……」

「冬は多いんだから。気を付けろと言ってるじゃないか」

「すみません」

と、若い車掌がもう一度謝る。

「でも――まさか回送電車に人が乗ってるとは思わなかったもんですから」

「こんな連中は、どこにだって入りこむんだよ。雨風さえしのげりゃいいんだからな」

と、渋い顔で、座席の隅の方に身を丸めて小さくなっている男を、見下ろす。

その男はもう、降りたくても降りられない。死んでいるのだった。凍死したのである。

「――いくつぐらいでしょうね」

「知らんな」

と、年長の車掌は肩をすくめて、「この様子じゃ、さっぱり分らんよ」

見るからに浮浪者、という様子。不精ひげは半ば白くなって、まるで霜でもおりたみたいだった。

しかし、髪は割合に豊かだったから、そう年齢《とし》でもないのかもしれない。

「よっぽど、酒が好きだったんですね」

その浮浪者は、空になったウイスキーのボトルを、まるで我が子か何かのように、しっかりと抱きしめていた。

「酒びたりのアル中さ。ここで死ななくても、どうせ体をこわして死ぬんだ」

「そうでしょうね。でも……」

「何だ？」

「よっぽどいい夢を見てたんでしょうね。ほら、にっこり笑ってますよ」

「そうか。——おい、行って、早くしてくれと言えよ。こっちは忙しいんだ」

「はい！」

若い車掌は、かじかんだ手に白い息を吐きかけながら、急いでホームへ出て行った。

もう五十歳近い年長の車掌は、一人になると、死んでいるその浮浪者の、びっくりするほど穏やかで、楽しげな笑顔から、目を離すことができなかった。

どうしてこんなに幸せそうなんだ？　こんな惨めな死に方をしてるのに。

何かを振り切るように、その車掌はホームへ出た。

冬の朝の厳しい寒さが、指先から、爪先からしみ込んで来る。

しかし、今、もっともっと冷たい風がこの車掌の胸の内側を吹き抜けていた。

俺は、と、いつか自分に問いかけてみる。俺は、あんなに幸せそうな顔で死ねるだろうか？

あんなに満ち足りた、安らかな顔で。

——若い車掌が、駆け足で戻って来る。

その足取りは、年長の車掌が、もう永久に失ったものだった。

角筈にて

浅田次郎

1

貫井恭一《ぬくいきょういち》の壮行会が開かれたのは、七月もなかばを過ぎた暑い晩のことだった。

会がことのほか盛況だったのは、本社営業部長の役職からリオデジャネイロ支店長への異動を、参会者たちが祝福したからではない。季節はずれの辞令であったことと、この急転直下の大左遷に対する同情、そして彼が責任を問われたプロジェクトの部下たちの、懸命の呼びかけによるものだった。

四十六歳。いわゆる団塊世代の末年である貫井恭一はライバルにはことかかない。商社マンとしてここで海外に出されてしまえば、出世の道は断たれたも同然である。しかもコーヒー豆の買付けを社命とするリオデジャネイロ支店は、いわば専門職で、歴代の支店長はみな任地に骨をうずめている。

ホテルのバンケット・ルームを借りて催されたこの壮行会を、ジョークの好きな若い社員たちは「貫井さんの葬式」と呼んで憚《はばか》らなかった。

むしろ東大出のこの出世頭の挫折《ざせつ》を、内心よろこばしく思っている者も多かった。壮行会に多くの人々が集まり、巨額の祝儀を供《そな》えたのも、裏を返せば手切金とか追い銭の意味があったのかも知れない。

その証拠に、二時間の立食パーティが終わると参会者たちはまるで潮の引くように帰ってしまい、ロビーに残ったのは貫井と、彼ひとりの断罪によって左遷をまぬがれた三人の元部下だけだった。

プロジェクトの解散から半年、貫井恭一は十歳も老けこみ、食品輸入のエキスパートとして商社の王道を歩んだ選良のおもかげはない。

心なしか小肥《こぶと》りの体は怠惰な中年に見え、薄い頭髪も貧相なばかりで、度の強いメガネは脂じみている。

できることならまっすぐ家に帰りたい、と貫井は思った。だが、責任を痛感している三人の部下を慰める必要もある。それに、すっかりとりかたづけられてしまったマンションに、子供のいない妻がぽつんと座っている姿を想像すると、やはり生酔いの気分で帰りたくはなかった。

「どうです、部長。久しぶりにゴールデン街にでも行きませんか」

三年後輩にあたる小田が誘った。若いころ、彼とはよくゴールデン街に行ったものだ。

商社マンとして年季が入るほどに高級クラブや料亭での接待が増え、夢を語り合った安酒場とは縁がなくなって久しい。

「ゴールデン街――ああ、角筈《つのはず》のゴールデン街だね」

「そう、ツノハズ。懐かしい呼び方ですなあ」

ロビーを歩き出しながら、若い部下が訊《たず》ねた。

「角筈って、何ですか。店の名前？」

「いやいや。今の歌舞伎町のあたりはな、昔は角筈と言っていたんだ。『角筈のゴールデン街』って言い方は、ひとつの成句だったね。なあ、小田君」

はあ、と小田次長は気の抜けた声を出した。彼がいきなりそんな提案をした意味が、貫井にはわかっていた。

参会者は百人以上もいて、それぞれ行きつけの酒場に流れたはずである。噂《うわさ》の念仏を唱えているような店で、彼らと出くわしたくはなかった。

ホテルの玄関から、新都心の夜空にそそり立つ本社ビルを見上げた。十年前に、手狭になった大手町の社屋からそこに移ってきた。

おそらく二度と帰ってはこないだろう超高層の砦《とりで》を見上げて、貫井恭一は年寄りくさい溜《ため》息《いき》をついた。

湿った熱気が腐れ藻《も》のように体にまとわりつく晩だった。ゴールデン街の酒場を出たとたん、饐《す》えた臭気に胸をつかれて、貫井は遊歩道の植込に吐いた。

珍しいことである。やはり気が張っていたのだろうと貫井は思った。代替わりをした見知らぬ店で、とうとう言い出せなかったことを、貫井は汚物とともに呟《つぶや》いた。

「おまえら、会社の中で俺の名前は、もう二度と口にするなよ」

背をさする小田の手が止まった。

「サラリーマンなんてのはな、調子合わせていればいいんだ。太鼓たたいて笛ふいて、手拍子打って、調子っぱずれの音さえ出さなければ、それでいいんだ。リオのロートル支店長のことなんか、まちがってても口にするんじゃないぞ。いいな、おまえらが約束してくれなけりゃ、俺は成仏できない」

部下たちを残して、貫井は遊歩道を歩き出した。

「じゃあな。明日の見送りはいいから。女房と二人で、ハネムーンみたいなものだ。邪魔はしないでくれ」

三人は追ってこようとはしなかった。

これでいいのだと、貫井は酔った頭の中で考えた。この二十三年間が、うまく行きすぎていただけだ。栄光があったから挫折があった。みじめな育ち方をした自分が、東大を出て、一流商社に入って、つかのまの栄光に身を置くことができただけでも、奇蹟《きせき》じゃないか。

靖国通り《やすくにどお》りから、妻に電話をした。

――もしもし、これから帰る。

――おなかは？　食べるもの、何もないんだけど。

――いいよ。酔っ払った。おまえ、メシは？

――さっき店屋物とったわ。お寿司屋《すしや》さんならまだあいてるけど、あなただめだもんね。

――寿司じゃしょうがないな。

――コンビニで何か買ってきておくわ。明日の朝ごはんも。

幼なじみの妻とは、喧嘩《けんか》というものをしたことがない。兄妹同然に育ったまたいとこで、気心が知れすぎていた。

今回の件にも妻はただ愕《おどろ》いただけで、夫婦の諍《いさか》いは何ひとつ起こらなかった。せめて愚痴のひとつも聞いてやりたいと思うのだが。

深夜だというのに、歌舞伎町と東口とを往還する人の波は絶えない。人々は風の動かぬ華やかな夜の中を、熱帯魚のように群れなしていた。

酔った瞳にネオンが爆《は》ぜた。

湿ったメガネの中に赤や青や黄色がにじんで、とっさに踏みこたえたとき、貫井は靖国通りの向こう岸にふしぎなものを見た。

「おとうさん……」

思わず駆け出そうとしてクラクションにはねのき、もういちど目を凝らす。

「おとうさん……おとうさん……」

白いパナマ帽をかぶり、開襟シャツに麻の背広を着た父が、シャッターを下ろした商店の前に立っていた。きょろきょろとあたりを見回し、行きかう人に物を尋ねている。

「おとうさん！　ここだよ、こっちだって！」

声は喧噪《けんそう》にかき消された。父は自分を探している。

おとうさん、ともういちど貫井が叫んだとき、父の姿は消えていた。

信号が変わった。人ごみをかき分けながら、貫井は通りを渡った。灯の消えた歌舞伎町のバス停。たしかに父はそのあたりにいた。

「いまここに、中年の男の人がいませんでしたか」

ガードレールに腰をおろした若者たちに向かって、貫井は訊ねた。鶏のとさかのような髪をかしげ、耳にぶら下げたピアスを振って、若者たちは笑い返した。

「行きちがいになったんだ。パナマをかぶって、白い背広を着た人。私を探していたようなんだが、見かけなかったかな」

「そんなの、知らねえよなあ」と、若者たちはにべもなく答えた。

「第一よ、中年のオヤジなんて珍しいもんなあ。ホームレスならほらそこに、大勢いるけど。にしたって、白い背広はいねえよな」

若者たちはシャッターの前に寝転ぶ浮浪者の群を指さして笑い、この時間には珍しい中年の貫井に目を戻して、二度笑った。

ホームレス——貫井はひやりとした。父がそういう生活に身を落としているのではないかと、考えたことはしばしばある。西口の地下通路に彼らが大挙して住みついていたころ、古い写真を持って聞き歩いたこともあった。

歌舞伎町のホームレスたちは、幸福な季節の中で眠りについていた。

「貫井一郎さんはいませんか。中野区出身の、貫井一郎さん。いらっしゃいませんか」

うるせえぞ酔っ払い、と段ボール箱の中から声が返ってきた。

今しがた、自分を探し回る父の姿をたしかに見た。いや――やはりおかしい。父は生き別れたときと同じ格好をしていた。それに、老人ではなかった。

やはり酔った目の錯覚だったのだろうか。貫井は路上を振り返った。

一本ずつがひどく間を置いて立つ、くすんだ銀杏《いちょう》並木。バス停の名前が「角筈」から「歌舞伎町」に変わったほかには、そのあたりの風景は存外昔のままだ。

あれは八歳の夏のことだったから、もう四十年ちかくもの時が流れたことになる。まるで昨日の出来事のように思い返されるのだが――。

2

「恭ちゃん、寿司でも食おうか」

角筈のバス停に降り立つと、父はパナマの庇《ひさし》を上げて夕空を仰ぎながらそう言った。

「ねえ、おとうさん。立教の長嶋は来年ジャイアンツに入るんだって、ほんと?」

「さあね。そんなこと、わからないよ」

手を引かれて信号を渡りながら、恭一は父との会話を探していた。父のもう片方の手に提げられたボストンバッグが、爆弾のように思えてならなかった。

通りを渡りきると、父は困惑しきった表情であたりを見回し、メガネをはずして汗を拭《ぬぐ》った。何かに躊躇《ちゅうちょ》しているふうだった。

中野からのバスの中で、ずっと考え続けていたせりふを、恭一は口にした。

「あのね、おとうさん。ぼく、新しいおかあさんがきてもいいよ。あのおねえさん、きれいじゃないか。おかあさんよりも、若くてきれいだよ——ねえ、そうしてよ」

それは、せりふだった。父が何度か家に連れてきた女を、きれいだなどと思ったことはなかった。狸《たぬき》のような目をした、唇の歪《ゆが》んだ女だった。恭一と目が合うと、女はきまってチェッと舌打ちをし、顔をそむけた。

おぞましいせりふを口にしたとたん、恭一は目をつむって、死んだ母に詫《わ》びた。

「そうかい。でも、あっちはおまえのことがあんまり好きじゃないらしい」

「どうしてさ。ぼく、何もしてないよ」

「いや、子供が好きじゃないんだ」

父は言いながら、東口の石造りの駅舎を振り返った。

「寿司でも、食おうか。おなかへったろう」

「へってないよ」

寿司を食うことが、最後の儀式のような気がしてならなかった。食べたらそれでおしまいなのだと思った。

「ねえ、おとうさん。あのおねえさん、どこかで待ってるの？」

父の目はメガネの奥で一瞬ぎょっとみひらかれたが、じきに哀しい色に変わった。

「どうして？」

「ううん、べつに。そんな気がしただけ」

父の麻の背広の肩には、汗がしみていた。


バス停の前の寿司屋に入ると、何でも好きなものを食えと父は言った。止まり木に座って寿司を注文する作法を、恭一は知らなかった。黙りこくっていると、父はは子供の好きそうなものを勝手に注文した。日ごろの様子とはちがうやさしさだった。

泣いてすがれば、父の決心は揺らぐかも知れないと思った。だが、少年にも矜持《きょうじ》はあった。

心とはうらはらに、頰《ほお》のとろけるような寿司の旨《うま》さが悲しかった。

「恭ちゃん、おまえ勉強だけはちゃんとしなけりゃだめだぞ」

と、ビールを飲みながら父は、とうとう言い置くようなことを口にした。

「おとうさんは勉強ができなかったからな。小僧に出されたし、兵隊にもとられたし、したくてもできなかった。だから今でも、みんなにばかにされる」

「おとうさんはばかじゃないよ」

本当は、子供を捨てるほどばかじゃないよね、と言おうとした。意味を汲《く》みとってくれたかどうかは、わからない。

「ばかさ。ばかだから会社もつぶしちまう。おとうさんは、ほんとは商売なんてしたくはなかったんだよ。気が小さいから、サラリーマンに向いてるんだ」

「だったら、サラリーマンになればいいじゃないか」

「サラリーマンは、大学を出なけりゃなれないんだよ。日曜は休みで、土曜は半ドンだ。おまけに銭金の苦労をしなくていい」

ラジオが物哀しい演歌を唄っていた。父は寿司を食わずに、ビールばかりを飲んだ。そして、いかにも思いきったように、こわいことを言った。

「恭ちゃん、おとうさんはちょっと用事があるから、淀橋《よどばし》のおじさんの家に行ってなさい。角筈からバスに乗って、二つ目。わかるよな」

そこは新宿からほど近い、父の従兄《いとこ》の家だった。

「ヤッちゃんもクミちゃんも夏休みだから、おとうさんが迎えに行くまで遊んでいればいい」

恭一は愕然《がくぜん》として嚙《か》むことを忘れていた寿司を、やっとの思いで呑《の》み下した。

「きょう、迎えにきてくれるの？」

父は明らかに答えを躊《ため》躇《ら》った。

「さあ……仕事のつごうだな。迎えに行けなかったなら泊まればいいじゃないか」

「いいよ。ぼく、うちに帰ってる。うちで待ってるから、おとうさん、帰ってきてよ」

おねがいします、と言いたかったが、声にはならなかった。

「だめだめ、おじさんの家に行っていなさい。おとうさん、電話しておくから」

それから父は、法外な額の小遣を都バスの回数券とともに恭一の手に握らせた。

父とは、角筈のバス停で別れた。

「なら、ここで待ってるよ。ずっと待ってるから、ここに戻ってきて」

「わからんやつだな。きょうは帰れるかどうかもわからないって、言ってるじゃないか」

「でも待ってるよ。最終のバスまで待ってるから、だから、なるたけ帰ってきて」

たぶん、意思は通じた。父は宵の路上に屈《かが》みこんで、恭一の肩を抱いた。

「やっぱりサラリーマンがいいな。恭ちゃんもしっかり勉強して、大きな会社に就職しなけりゃだめだよ」

サラリーマンになれば、子供を捨てなくてもすむのか、と恭一は叫びたかった。

父は行ってしまった。


戻るはずのない父を、恭一は角筈のバス停で待ち続けた。

街灯の白いあかりが、ぼんやりと赤や青のネオンを吸いこむほどの、湿った夜だった。はじめは行き交う車を眺め、そのうち半ズボンのポケットに蠟石《ろうせき》が入っているのに気付いて、舗道にゼロ戦の絵を描いた。

バス停のまわりにゼロ戦と戦艦大和《やまと》の壮大な戦隊が出現しても、父は帰ってこなかった。

食堂の店員に叱《しか》られた。店先にいたずら書きをしてしまったことを素直にあやまると、案外やさしげに、こんなところで何をしているのだと訊《き》かれた。

おとうさんを待っている、と言った。言いながら、言葉の苦さに唇を嚙んだ。父が戻るはずのないことはわかっていた。だが、もしそうなると自分はみなしごになってしまうのだから、待っているほかはないのだと思った。

夜が更けて店が閉まると、店員は裏声でロカビリーを唄いながら、恭一の汚した舗道をデッキブラシで洗い始めた。シャッターを下ろしかけてうんざりと恭一を見、いちど店に入ってから冷えたラムネを持ってきてくれた。

何台ものバスが過ぎた。乗客は次第に減って行った。一台をやりすごすたびに、恭一の心もうつろになって行った。からっぽのバスが来ると、胸もからっぽになった。

荻窪《おぎくぼ》行の最終が来た。わずかな乗客は、みな降りてしまった。

「最終でえす——ぼく、最終よ。いいの？」

折り畳みのドアを引きかけながら、車掌が身を乗り出して訊ねた。バスに乗る前に、恭一はもういちど角筈の街頭を振り返った。

店々の灯もあらかた消えた舗道には、野良猫が群れていた。


淀橋の親類の家は風呂桶《ふろおけ》の職人だった。

バス停には伯母《おば》が迎えにきていた。父の電話があってから、二時間もそこに待っていたのだと伯母は言った。

「ごめんなさい、おばさん」

「恭ちゃんがあやまることじゃないよ」

伯母はそれきり黙りこくってしまった。

自分の身の上にいったい何が起こったのか、恭一はほとんど正確に知っていた。ただ、知っていることを悟られまいと、無知な子供を装った。

「おばさん、立教の長嶋は、来年ジャイアンツに入るんだって。ほんとかな」

「さあ……おばちゃん、わかんないよ。うちでおじちゃんに聞いてみな」

伯母の手は母の温もりを思い出させた。

成子坂《なるこざか》を下って行くと、仕事場の前に縁台を出して、伯父《おじ》がビールを飲んでいた。またいとこにあたる保夫と久美子が、膝《ひざ》をかかえて線香花火をのぞいていた。

「あ、恭ちゃんがきた」

寝巻姿の久美子が下駄を鳴らして走ってきた。

「恭ちゃん、これからうちの子になるんだって」

「ばか言うんじゃない」と、伯母が強い声で叱った。

「だって、おとうさんが言ってたよ。恭ちゃんちはおばちゃんが死んじゃって、おじちゃんがどこかへ行っちゃったから、恭ちゃんはクミコのおにいちゃんになるんだって」

小さな久美子に腰を抱きしめられたとき、恭一は腕を瞼《まぶた》に当てて、初めて泣いた。

3

「そんなこと、あるわけないじゃないの。悪いお酒飲んだのよ。まあそれは……無理もないけどね」

殺風景なリビングルームの窓辺に肩を並べて、久美子は笑う。妻がビールにつき合うことは珍しい。年なりに老けはしたが、新宿そだちの久美子には窓いっぱいに拡がる摩天楼が良く似合った。

「そうかな。はっきり見たような気がしたんだが」

「考えてもみてよ。パナマに麻の背広なんて、そんな格好、今どきいるわけがないじゃない」

「だからさ、よけい変じゃないか。見まちがいじゃないわけだろう。それがおやじだかどうだかはともかくとして、俺、その格好の男が通りの向こうをウロウロしているのを、はっきり見たんだ」

「錯覚よ、錯覚。――何だか悲しいけどね。さて、ところでどうやって寝ましょうか、旦那《だんな》様《さま》」

振り返ると、開け放たれた寝室にはベッドもなかった。

「ごめんなさあい――私たちが出て行ったら、すぐに引越してきたいんですって。だから、ベッドもきょう捨てちゃった。粗大ゴミの集荷、今日しかなかったから」

このご時世に、中古のマンションが言い値で売れたのは幸運だった。妻はよほど買主に気をつかっているのだろう。

「何だかもったいないな。そのまま使ってもらえばよかった」

「あのねえ、恭ちゃん――」

と、久美子は夫の名を呼んだ。

「相手の身になって考えてごらんなさいな。ほかの家具ならいざ知らず、ベッドはねえ」

「ま、それもそうだな」

新婚のころ、月賦で買ったダブルベッドだった。もったいないと感じたのは、二十年間の思い出を捨ててしまうような気がしたからだった。

兄妹同然に育った二人が恋仲になるはずはない。久美子が短大を卒業したころ、伯父が冗談まじりに言い出したことがあれよあれよという間に実現してしまった。

捨ててしまったベッドの上で、二人は不器用に愛のありかを探し、時間をかけて育《はぐく》んだ。

「それにね、あそこは子供部屋にするんですって」

妻の口から「子供」という言葉が出るたびに、貫井はひやりとする。母とすることができなかった。そればかりは久美子に対する自分の罪である。

「蒲団《ふとん》は、どうしたんだよ」

と、貫井は話題を変えた。

「それがですねえ――怒らないでくれる？」

「ああ、怒らない」

「あにきがきょう、テレビと応接セットを取りにきたのよ。うっかりおふとんも積んじゃった。車が出てってから、アッと思ったんだけど。まぬけな話ね」

二人は肩を並べて笑った。

「クミちゃんもまぬけだけど、ヤッちゃんも似たものだな。昔とおんなじだ」

「似たものって、そりゃあ兄妹だもの」

言ってしまってから、久美子は言葉を取り戻そうとするように何かを言いかけ、膝を抱えて俯《うつむ》いた。

「ごめんね、恭ちゃん」

「え?――何が」

「私、おしゃべりだから、いつも変なこと言っちゃう。あなたを傷つけるようなこと。気を付けてはいるんだけど」

久美子のこまやかな気遣いは、子供のころから感じている。異国に渡ってからも、妻はずっと言葉を選びながら老いて行くのかと思うと、貫井はやりきれない気持になった。

「おじさん、どうして俺を籍に入れてくれなかったんだろうな」

「それは……恭ちゃんのおとうさんが帰ってくるって、信じてたからよ」

「帰って、こなかったじゃないか」

吐き棄《す》てるようにそう言ったとたん、胸がつまった。父の仕打ちに泣いたのは、捨てられたその晩だけだった。思わず目がしらを指で押さえながら、貫井は老いを感じた。

久美子が肩を抱き寄せてくれた。

「あらあら、ちょっとナーバスになってるね。でも、私のおにいちゃんになってたら、夫婦にはなれなかったのよ」

「俺、おじさんのことをおとうさんて呼びたかった。おばさんのことも、おかあさん、って。ヤッちゃんにクミちゃん。みんなをそう呼ぶたんびに、俺は厄介者なんだって思った」

「恭ちゃんはうちの厄介者なんかじゃないよ。おとうさんもおかあさんも、死ぬまで自慢してたじゃないの。恭ちゃんは私たちみんなの矜《ほこ》りだった」

東大の合格発表のとき、家族は総出で本郷《ほんごう》まできてくれた。そんな受験生はひとりもいなかった。泣いて喜ぶ家族の表情を見ながら、やっぱり俺は居候なのだと思ったものだ。

「ねえ、恭ちゃん。今さら変だけど、私のことクミコって呼んでよ。これからそうしてよ」

「照れるよ。そんなの」

「どうせ知らない人ばっかりのところへ行くんだから、そうしてよ。ね、そうしよう」

久美子のこのやさしさに対して、自分はいったい何を報いたのだろうと貫井は思った。

親ゆずりのやさしさだった。

中学のとき、名簿の住所が「堀内方」となっていることがいやで、いっそ苗字《みようじ》を変えて欲しいと伯父に頼みこんだことがある。養子にしてくれと言ったわけではないのだが、つまり同じことだ。

「知らなかったわ。そんなことあったの」

「そのとき、おじさん何て言ったと思う？」

「さあ——そうね、バッカヤロー、そんなしちめんどうくせえことできっか、かな？」

「ちがうちがう。おじさん、仕事場で風呂桶にカンナをかけながらね、小さな木屑《きくず》で表札をつくってくれた。マジックで『貫井恭一』って、へたくそな字を書いてくれてね、『どうでえ、これでカタサマはいらねえだろう』って」

「ああ、そうかあ。その表札、まだかかってるよ。あにき、気が付いてないのかな」

「気が付かないわけないだろう。はずさないだけさ。ヤッちゃんもやさしいからな」

「でもねえ――」と、久美子は思いついたように髪を解き落とした。頭を夫の肩に預ける。

静かな呼吸は、窓いっぱいに拡がる摩天楼の赤いランプの点滅と同じ速さだった。

「だったらおとうさん、どうして籍を入れなかったのかなあ。恭ちゃんがそうして欲しいって言ったのと同じでしょ」

「だから、俺のおやじが――」

おやじ、という言葉で、貫井はまた胸がつまった。

「帰ってくるって信じてたんだよ。そうとしか考えられない」

「私と一緒にさせたかったのかも知れないよ」

「ああ、そうか。そうかも知れないな」

「きっと恭ちゃんを手放したくなかったのよ。私と結婚させれば、息子でしょ。名案じゃないの。それでさ――」

久美子がふいに口をつぐんだ。そのさき何を言おうとしたのか、貫井にははっきりとわかった。

「ごめんなさい」

「いいよ。あやまるのは、俺のほうだ」

詫びねばならないと貫井は思った。今あやまらなければ、永久にその機会はやってこないような気がした。

(それでさ、おとうさん、私と恭ちゃんの子供を抱きたかったのよ)

妻はそう言おうとしたにちがいない。

詫びる言葉とともに、貫井は声をしぼって泣いた。

「俺、どうかしてたんだ。まだ若いからとか、転勤があるからとか、そんなのはみんなこじつけた理由だったんだ」

「いいよ、恭ちゃん。やめて」

「俺、父親になるのがこわかったんだよ。本当の理由はそれだけだった。毎日毎日、ふくれて行くクミちゃんのおなかが、こわくてこわくてたまらなかった」

「やめて、おねがい」

「子供をおろすっていうことが、そんなに危ないことだって知らなかった。俺、クミちゃんをこわしちゃった」

ごめんな、と貫井は少年のように、十回も言った。その先は言葉にならなかった。

慄《ふる》える背中を抱きとめる妻の手の、何とやさしいことだろう。

「もういいよ、恭ちゃん。私、ちゃんとわかってたんだから。恭ちゃんがどうしてそんなにムキになるのか、わかってたの。だって、私のこと叱りつけたの、初めてだったでしょ。あとにも先にも、あの一度だけ——ごめんなさい、もう泣かないで」

その夜、貫井と妻は番《つがい》の小鳥のように抱き合って眠った。

久美子のくちづけは二十年前の初めての夜と同じように、硬く、不器用だった。

4

角筈という地名がなくなってしまったように、淀橋、柏木《かしわぎ》、十二社《じゅうにそう》といった新宿界隈《かいわい》の古い町の名は、もう地図の上にも見当らない。

たかだかの便宜のために、生れ育ったふるさとの名が消されるのは、まったくもって理不尽な話だと、酒をくみながら保夫は言った。

「だけどよ恭ちゃん。考えてもみりゃ、その生れ育った土地を売りとばしてずらかるやつらばかりなんだから、役場がどうのなんて、えらそうなこと言えねえよなあ」

少し負け惜しみにも聞こえた。

新宿新都心に隣接するそのあたりは、地価高騰のピーク時には一坪一億円という値がついた。住人たちの多くがその時期に父祖の土地を手放したのも無理はない。

売り損じたうえに巨額の固定資産税と相続税を支払わねばならなくなった保夫の負け惜しみも、また無理はないと思う。

日本での最後の一日は淀橋の実家で過ごそうと、夫婦の意見は一致した。

久美子と兄嫁は子供らを連れて買物に行った。保夫と差し向かいで飲むのは何年ぶりのことだろう。

「クミコのやつ、とうとう子供ができずじまいで、すまなかったなあ。やっぱ、血が濃いっていうのは良くねえのかな」

「そんなことはないよ。俺が忙しすぎただけさ」

ゆうべ妻との寝物語に、リオで落ちついたら日系人の養子でも探そうかと話し合った。

やわらかな雨の降りかかる午後の坪庭に、貫井は目を向けた。朽ちた板塀の外にはコンクリートのビルがめぐってしまったが、この家のたたずまいだけは奇蹟のように変わらない。

「そう言やあ、長嶋が還暦だとよ。信じられっか」

「へえ。信じられないな。俺たちも齢とるわけだ。同じ背番号3としては、感慨ひとしおだね」

昼間の酒で上気した保夫の笑顔がまぶしかった。

小学生のころ、サードで四番バッターだった保夫は、その栄光の背番号をベンチの恭一に譲ってくれた。誰にも文句は言わせなかった。

「小学校が廃校になるってさ」

「へえ――」

「淋《さび》しいよなあ。俺たち三人して通ったんだから」

「俺は、二年生の二学期から」

「恭ちゃん、あのころからいつも一番だったもんな。血のつながったハトコなのに、何でまあこうもできがちがうんだろうって、みんなが呆《あき》れてた」

「プレッシャー、かかったか」

「それはねえなあ。はなっからできがちがうって思ってたから」

同い年の保夫は中学を出ると工業高校へ進み、家業を継いだ。恭一は都立の進学校に入学した。東大に合格して、駒場《こまば》の学生寮に移るまで、二人は四畳半の二段ベッドに十年も寝起きしたことになる。

手垢《てあか》にまみれた襖《ふすま》に目を向けた。四畳半の奥に、久美子の部屋だった三畳間。そしてこの六畳の居間。たったそれだけの手狭な家に自分を引きとることは、いかに貧しい時代とはいえ容易な話ではなかったろう。

たとえば——下世話な想像だが、まだ三十なかばであった伯父と伯母は、夫婦の営みさえそれきりやめてしまったのではないか、と思う。

上りかまちのガラス戸を開けて、仕事場を振り返る。かつては木屑にうもれていたそこは、整然とかたづけられ、真新しい手桶が積み上げられているきりだ。

「スーパーから返品くらっちまってよ。しょうがねえから店先で売ろうと思うんだけど、誰も買うわけねえよな、杉の手桶なんて」

保夫の自嘲《じちょう》は淋しげだった。ようやく話のきっかけを摑んだように、保夫は間を置かずに言った。

「あのなあ、恭ちゃん。とうとう今日まで言い出せずじまいだったんだが、怒らないで聞いてくれっか」

「え？——なんだよ、改まって」

グラスを置くと、保夫は神妙に背筋を伸ばした。

「家、売ろうと思うんだ」

膝の上に節くれ立った職人の指をそろえて、保夫は許しを乞《こ》うように続ける。

「税金を滞納しちまってるうえに、商売がこんな具合だろ。だったらいい時分に売っときゃ良かったんだけど、いよいよにっちもさっちも行かなくなった。差し押さえられて競売にかけられるよりは、安くたって売っちまおうと思って」

「金なら、少しはあるよ。マンション売れたから」

「いやいや」と、保夫は手を振った。

「恭ちゃんの気持は有難いけど、そんなのじゃないんだ。当座をしのいだって、この先どうともなることじゃないだろ。売っちまえばぜんぶ清算して、郊外にマンションぐらい買える。銀行もそうしろって言うし」

「ヤッちゃん、どうするの」

「材料屋で使ってくれるっていうから。この齢で給料とりになるっての、不安だけどよ」

「クミちゃん、知ってるのか？」

少し答えを躇って、保夫はビールを勧めた。

「言ってねえよ。あいつは嫁に出したんだから関係ねえだろう」

言い返そうとして恭一は言葉を呑んだ。ぶっきらぼうな言い方だが、筋は通っている。

「恭ちゃんにだけは許してもらわねえと。俺、親不孝かな」

親不孝だというのなら、自分も同じだと恭一は思った。仕事にかまけて、伯父や伯母には恩返しのひとつもできなかった。そして——久美子を不幸にした。

「恭ちゃんのこと、クミコからちょっと聞いてたから。大変なんだろうと思って言い出せなかった。勝手なまねしちまった」

ビルの壁にとり囲まれた居間には、陽が入らなかった。坪庭の軒先の、子供のころから吊《つ》り下がっている風鈴が、悲しげな音をたてた。

もしかしたら、保夫は郊外のマンションのドアにも、「貫井恭一」という古い表札をかけるのではないかと思った。

そのさまを想像すると、恭一は胸をえぐられたような気持になって頭を下げた。言わねばならないことは多すぎたが、口に出たものはひとつきりだった。

「ヤッちゃん、俺——クミちゃんを不幸にした」

道楽をしたことはない。付き合いの酒は飲むが、二十年の間、女は妻しか知らなかった。

それでも、自分は久美子を不幸な女にしてしまったのだと、恭一はしんそこ悔いた。

「なんだよ、それ」

保夫はふしぎそうに訊き返した。

「海外赴任なんて、商社マンの女房なら当り前じゃねえかよ」

そうじゃない、と恭一は心で叫んだ。

あの夜、路上で自分を迎えてくれた家族の姿が、ひとつひとつ胸に甦《よみがえ》った。

伯母の温かい掌。駆け寄ってすがりついた幼い久美子。縁台から笑いかけてくれた無口な伯父。両手を振って、保夫は自分を迎えてくれた。

家族はやさしい決意をしていた。不幸のかたまりを、鋼の球のように胸に抱いてやってきた遠縁の少年。彼らはそのとき彼らのすべてを賭《か》けて、恭一の苦しみを治癒しようと決心していたのだ。

東大を出て、商社に就職しても、伯父は恭一の傷が癒《いや》されてはいないことを知っていたのだろう。だから永遠に、その傷を癒し続ける使命を、久美子に与えた。

それでも俺はクミちゃんを不幸にした、と恭一は思った。

「クミコは幸せだよォ、恭ちゃん。なに言ってんだ」

そうじゃないよ、ヤッちゃん。俺は、あの晩に蒙《こうむ》った俺自身の傷のために、クミちゃんを不幸にした。母と呼ばれる権利を奪った。あげくにこのざまだ。

いつか保夫に、この罪のすべてを懺悔《ざんげ》する日はくるのだろうかと、恭一は思った。

思いがけぬ電話が入ったのは、出がけだった。

自分の所在を、小田はどうして知ったのだろう。まずまっさきにその疑問を言うと、小田は、マンションの電話が通じなかったから昔の社員名簿で調べた、と答えた。

そこまで考えをめぐらすのは、都内やベイ・エリアのすべてのホテルに問い合わせた後のことだろう。社内を聞き歩き、自分が最後に立ち寄りそうな場所を調べつくしたあげくに、実家を思いついたのだろうと思う。よくも探し当てたものだ。

あらかじめ所在は知っていたかのように平静を装って、小田は言った。

――やあ、間に合ってよかった。フライト、何時ですか。十九時のヴァリグ・ブラジルですか、それとも二十二時のJALですか。

――もういいって。そんなこと聞いて、どうするんだ。

――送らせて下さい。私ひとりで行きますから。

――やめとけ。もうプロジェクトの禊《みそぎ》は済んだんだ。往生ぎわが悪いぞ、おまえらもいいかげん成仏しろ。じゃあな。

受話器を置こうとすると、小田は声高に呼び止めた。

――きょう、内示が出たんです。私、九月の異動で貫井さんの後任になります。

――後任？　それはおめでとう。営業一部長は花形役者だぞ、がんばれ。よかったな、小田。これで俺も成仏できる。

ふいに、低い、押し殺すようなうなり声が耳に届いた。

――こんなことってありますか。貫井さんをとばせば、あとは何事もなかったって言うんですか。

――おいおい、そばに誰もいないんだろうな。

――いたってかまいませんよ。ねえ、何とか言って下さいよ、貫井さん。こんなばかな話ないでしょう。岡田は企画室長で、富山は秘書課長だっていうんです。貫井さんだけがとばされて、プロジェクトは全員ご栄転ですか。みんなここにいます。みんな、泣いてますよ。かわりますから。

――いいよ、やめとけ。俺の部下は優秀だったんだ。それだけだよ。

――ちがうって。そうじゃないって。わかるでしょう、俺たちみんな……すみません、興奮しちゃって。われわれはみんな、貫井さんに育てられたんです。新入社員のころから課長職になるまで、貫井さんがみんな引き上げてくれたんじゃないですか。

――ちがうよ、小田。おまえらが優秀だった。俺は優秀な部下に恵まれたんだ。

受話器の中に、かつての部下たちの憤る声が響いた。電話のスピーカーから聞いているのだろう。

――弔い合戦、やりますからね。今もみんなで話し合ってたんです。全員とばされたっていいから、もういちど貫井さんを本社に戻そうって。

――ばかなことを言うな！

と、貫井は怒鳴った。電話の向こう側は一瞬、沈黙した。

――それはな、あと十年たって、おまえが役員になってから考えることだ。いいな、これは俺の最後の命令だ。つまらんことを考えるな。小田も富山も岡田も、みんな役員になれ。取締役会でそうと決まれば、俺は本社に戻る。総意に基づく社命でなければ、俺は従わない。

小田は声をしぼってすすり泣いた。

十年——仮に彼らがその命令を実現させたとしても、リオから戻るその日には商社マンとしての余命はない。

——申しわけありません。がんばります。

小田の声がそう言うと、周囲から同じ言葉が続いた。

——見送りは、いらない。ハネムーンの邪魔はするな。

それだけを言って、貫井は受話器を置いた。

5

リオ。地球の裏側。日本から一番遠い場所。

成田からサンパウロまでは、ロスを経由して二十一時間のフライトだ。

なにしろ四半世紀も世界中を駆け回ったのに、その支店にだけは行ったことがない。

前任者は十何年も先輩のロートルで、まったく忘れ物のように、長いことそこに置き去られていた。人事部より先に電話を入れ、自分が後任だという旨を伝えたら、悪い冗談はやめろと言われた。

引き継ぎをおえればちょうど定年になるという。今さら日本に帰ってもするべきことは何もないから、永住権を取得して日系人の経営するコーヒー園で余生を送るつもりだそうだ。

そういう人生も悪くはないと思う。

タクシーの車窓を過ぎる祖国の風景がモノクロの古い映画のように見えるのは、凝り固まった失意のせいだろうか。怒りも、希望も、嘆きも、もう何ひとつ感じられなかった。保夫とくみ交わした日なかのビールが、ことのほか効いていた。手足ばかりが妙に熱く、快い。眠るでもなく、覚めるでもなく、恭一はぼんやりと過ぎ行く新宿の町を眺めていた。

夕方のラッシュ・アワーで、新都心からの上りインターチェンジは閉鎖されていた。午後十時のフライト時刻までには、まだ余裕がある。靖国通りに戻り、都心のインターから高速に乗ってくれるよう、運転手に告げた。

「クミちゃん。変なこと訊いていいかな」

「どうぞ。あんまりびっくりさせないでね」

なごりおしげにふるさとの風景を見つめながら、妻は答えた。

「俺のおやじを、覚えてるか」

「中野のおじさん？――うっすらね。メガネかけてたでしょう。いつもネクタイしめて、背広を着てた。それから、ポマードの匂い」

「おしゃれだったのかな。たしかにいつもそんなふうだった。帽子も必ずかぶっていたし」

本社ビルは、中層から上を雨雲の中に隠していた。

「このあたり、昔は浄水場だったのよね。魚捕りに行ったの、覚えてる」

「警備員に追いかけられて、クミちゃんが捕まった」

「おにいちゃんは逃げちゃったのに、恭ちゃんは戻ってきてくれた。私ね、あのときからあなたのこと、ちょっと好きになったの」

「べつにクミちゃんを助けに戻ったわけじゃないよ」

「あら、そうだったの。ガッカリ」

「卑怯者《ひきょうもの》になりたくなかったからな。いつだってそう思ってきたんだけど」

自分の人生を誇ったつもりだったが、妻に向かって言える言葉ではあるまい。

新宿にはやわらかな雨が降り続いていた。たそがれの歌舞伎町を望む大ガードのあたりまできて、妻はようやく気付いたように訊ねた。

「恭ちゃん、きのうのこと考えてるんでしょう」

恭一は答えずに、往来の傘の波を見つめた。

「錯覚よ。そんなことをいつまでも思いつめてると、頭が変になっちゃうわよ。ボケって四十から始まるんだって、テレビでやってた」

錯覚だと思う。まぼろしも幽霊も、タイムスリップも信じはしない。ただひとつ、信じたかった。

自分が最終バスで伯父の家に向かったあと、父は女と別れて角筈に戻ってきてくれたのだ、と。そして、夜更けの街路を走り回って、通行人や浮浪者や店じまいをする店員たちに、このあたりで八歳ぐらいの男の子を見かけませんでしたかと、尋ね歩いたのだ、と。

探しあぐねて、また女のもとに帰ってしまったとしても、それはそれでいい。子供を捨てる意思に変わりがなかったとしてもそれでいい。ただ、はっきりと別れを告げるために、父は自分を探しに戻ったと信じたかった。

それなりの事情はあったのだと思う。自分だって親の勝手な事情で子供を殺してしまったのだから、今さら父を責めはしない。しかし男ならば、嘘はつかずにきっぱりと捨てて欲しかった。

ネオンのともり始めた歌舞伎町の大通りを、タクシーは走る。バス停の人ごみに目を凝らして、恭一は父の姿を探した。

どうしても会いたい。見も知らぬ流刑地でのくらしと、科《とが》なくてともに流されねばならぬ妻のために、すべてを恢復《かいふく》せねばならなかった。

車は角筈の雑踏を過ぎてしまった。

息を抜いてシートに沈みこもうとしたとき、恭一は花園神社の暗い参道の奥に、白い夏背広を見たように思った。

「すまん、ちょっと止めてくれないか」

車は信号の手前で急停止した。

「どうしたの？」

「いや、たいしたことじゃない。花園神社のお札を買って行こうと思って。すぐ戻るから、待っていてくれ」

また錯覚かも知れない。通りの先は霧雨に翳《かげ》っていた。

花園神社の参道は銀杏と桜の木叢《こむら》に被《おお》われていた。鳥居をくぐる前に、恭一はネクタイを直し、背広の前ボタンを留めた。

「おとうさん？……」

隧道《ずいどう》のように暗い石畳の、街灯の丸い輪の中に、父はぼんやりと佇《たたず》んでいた。白いパナマに麻の夏背広。別れたあの日のままだった。

「やあ、恭ちゃん。探したんだぞ。こんなところにいたのか」

メガネが靖国通りの灯を映しこんでいた。

「戻ってきて、くれたんだね」

父は答えを躇って、ゆっくりと恭一に歩み寄った。懐かしいポマードの匂いが、鼻をついた。

いったい何を話せば良いのだろう。

「おとうさん……長嶋はやっぱりジャイアンツに入ったよ」

「へえ、そうか。おまえとは、キャッチボールもしてやれなかったな」

「いいよ。毎日ヤッちゃんとしてるから。おじさんにユニホームも買ってもらった。背番号は3番なんだよ」

父は聞きながら俯いてしまった。しばらく黙りこくってからメガネのフレームを押し上げ、父は思い切ったように言った。

「おまえに、話があるんだが。聞いてくれるか」

「うん。聞かせてよ。ぼく、ぜったいに泣いたり怒ったりしないから、おとうさんの考えていること、みんな聞かせてよ」

手の届くほどに近寄って、父は肯《うなず》いた。背丈はちょうど同じほどだ。

「おとうさんはいま、大変なんだ」

「うん。わかってる」

「おかあさんに死なれて、会社もだめになって、もう東京にはいられなくなった。遠くに行かなければならないんだが、小さなおまえを連れて行くわけにはいかない。それに――あのおねえちゃんも、おまえと一緒じゃいやだって言うし」

父は、子供と女とを秤《はかり》にかけたのだろうか。いや、それはちがうだろう。子供の幸福のために、父はその方法を選んだにちがいない。表情は苦渋に満ちていたが、瞳はやさしかった。

父はきっぱりと言った。

「恭ちゃん。すまないけど、おとうさんはおまえを捨てる」

この一言だけを聞きたかった。恭一は背広の袖《そで》を目がしらに当てて泣いた。

父の手が肩に触れた。声を上げて泣きながら、恭一は生れて初めて愚痴を言った。

「おとうさん、ぼく、ちゃんとサラリーマンになったよ。おとうさんに言われたとおりにしっかり勉強して、大学に行って、おとうさんのなりたかったサラリーマンになった」

父はしげしげと恭一の身なりを見つめた。

「そうか。たいしたもんだ。えらいぞ」

「誰にも負けなかったよ。小学校でも中学でも高校でも、ずっと一番で、誰にも負けたことはなかったんだ。会社に入ってからもね、ずっと一番だった」

「がんばったんだな、恭ちゃん」

「うん、がんばったよ。本当のことをいうと、ぼくはおとうさんの子供だから頭なんて良くはないんだ」

「おいおい。ひどいな、それは」

「それに、気も小さいし、体だってそう強くはないし。だからその分、ものすごくがんばった。だってそうだろ、ぼくはみなしごだから、誰にも負けるわけにはいかないんだ。もし負けたら、みなしごだからって、おとうさんに捨てられた子供だからって言われるだろ。それは、おとうさんとおかあさんに罪を作ることだから、できるわけないんだ。たとえ二番だって、一番のやつからはそう言われるにきまってるから、誰にも負けちゃいけなかったんだ」

聞きながら父は、溢《あふ》れ出る感情をこらえるように口を押さえ、パナマの庇を上げて街灯を仰ぎ見た。

本当はもっと辛いことがあった。立派なサラリーマンにはなったがひとりの父親にはなれなかったのだと、恭一は言いかけて唇を嚙んだ。父を苦しませたくはなかった。

頭の隅のさめた部分で、これは父の亡霊なのだろうと思った。だとすると、父はすでにこの世の人ではないということになる。父と再会した喜びは、たちまち深い悲しみに変わった。

「おとうさん」

「なんだよ」

「おとうさんは、もう死んじゃったの？」

答えるかわりに、父はパナマの庇で顔を隠した。唇が慄えていた。

「ねえ。どこで、いつ、どうして死んじゃったの」

死者にとって、それは最も辛い問いなのだろう。父は何度も苦しげに息をついた。

「九州で死んだ。おまえと別れて、いくらもたたないころだよ。酒と薬とで、肝臓がかちかちになっちゃったんだ」

「じゃあ、それでぼくのことを迎えにこれなかったんだね」

肯く父の細い顎《あご》から、涙が滴り落ちた。

「病院から電話をしたんだが。死ぬ前に、どうしてもおまえと会いたかった」

「そんなの、知らなかったよ」

「おじさんが黙っていたんだろう。会わせるわけにはいかねえって、叱られた。だが、そのとき頼んだことは、してくれたと思う」

「頼んだこと、って？」

風が木々の枝をたわませて渡った。大粒の滴が、ぱらぱらと音立ててパナマに降りかかった。父は静かに顔を上げた。

「必ずおまえを迎えに行くから、苗字は変えないでいてくれ、って頼んだんだよ。姓が変わるのは不憫《ふびん》だから」

「そんなの、勝手だよ。ぼくは、おじさんちの子になりたかった」

「もう迎えに行けないことはわかっていた。自分の体だからな。でもな、おとうさんはおまえをよその子にはしたくなかった。ずっと二人きりでくらしたんだから」

母が死んだあとの、二人きりの淋しいくらしが胸に甦った。父は二年の間、母の代りをしてくれた。

「ごめんね、おとうさん。ぼく、今やっとわかった。おとうさんは疲れてたんだ。ねえ、そうだよね。会社もだめになって、毎日ごはんを炊いて、洗濯をして、おとうさんはもうくたくただったんだ。ごめんね、ぼく、知らなかった」

「そんなことは、子供を捨てる理由にはならないよ。おとうさんは、いくじがなかった。卑怯者だったよ。そのうえ体をこわして、おまえを迎えにも行けなかった。だから——おじさんに、もうひとつだけお願いした」

「なにを？」

そこで初めて、父は泣きながらほほえんだ。

「わかるだろう、それは」

「……わからない。何を頼んだの」

「もし迎えに行けなくても、恭ちゃんをひとりにしないでくれって。おまえ、淋しがりだからな。できたらクミちゃんを嫁にして、ずっと親類でいてやってくれって。そうしてくれたんだろう？」

父をまっすぐに見据えて、恭一は肯いた。親にしか予見のできないたしかな未来を、父は置いて行ってくれた。

「うまくやってるのか？」

おそらく、自分の人格を保証できる女は、自分に幸福を授けてくれる女は、世界中で久美子ひとりしかいなかったはずだ。

ほほえみながら、父の姿はおぼろに霞《かす》んで行った。恭一は気を付けをして、深々とこうべを垂れた。

「ありがとう、おとうさん。ありがとうございました」

父の声だけが答えた。

「苦労をかけてすまなかった。ごめんな、恭ちゃん――」

頭を上げると、そこには雨にしおたれた暗い木立ちのあるばかりだった。

妻が背中から傘をさしかけた。

「あれ、お札は？」

「お札――ああ、もう社務所が閉まってた。行こう」

「変な人。こんなところでお参りなんかして」

鳥居をくぐるとき、恭一はもういちど雨の石畳を振り返った。

「久美子――」

「え?……はい。何よいきなり。いま何て言った?」

「クミコ。まずいか」

「え、いいわよ。いいけど、何だか照れるわね、その呼び方」

角筈は雨に煙っていた。父がその街角に現れることは、もうないだろう。

妻の肩を傘の下で抱きながら、成田についたら、フライトまでの間に寿司でも食おうと、恭一は思った。

ふるさとには何の未練もなかった。

特別料理

綾辻行人

1

店の名は《YUI》という。

神無坂《かんなざか》の外れ――繁華街から住宅街へと次第に風景が切り替わり、大通りの喧噪がふと遠ざかろうとしはじめた辺りにある。周囲の家々とはちょっとたたずまいの異なる洒落た洋風三階建ての建物なのだが、レストランと云うには必要以上に愛想のない構えだった。てっぺんに半球形のランプが付いた石造りの門柱があって、看板と呼べるような大きさでもない白い札がそこに出ている。控えめな文字で《YUI》という店の名前が、その下に、さらに控えめな文字で「特別料理」と記されている。

ここが実は、その筋ではなかなか有名な店なのだという。日本広しといえども、これほど充実した内容を誇るレストランは他にありますまい――と、そもそも私に《YUI》の存在を教えてくれた咲谷《さきたに》氏は云っていた。

咲谷氏と出会ったのは、この四月のことである。

私が勤めるR＊＊大学文学部の研究室で、四月下旬にいわゆる新入生歓迎のコンパが開かれたのだが、その二次会で流れた居酒屋でフジツボの料理が出された。岩礁や船底にびっしりと着生する、あのフジツボである。

たくさんのフジツボが、お互い複雑にくっつき合って岩のようになっていた。それが大きな皿の上にごろりと置かれて出てきたのだから、これは異様なことこの上ない。

学生も院生も、同じテーブルにいたみんなは気味悪がって食べようとしなかったのだけれど、私は独り嬉々としてそれに箸を伸ばした。迂闊《うかつ》にもこれまで、フジツボというものを一度も食べてみたことがなかったからだ。磯の香りと蟹《かに》に似た味がして、ごく普通の意味でまずまずの美味だった。

その様子を、咲谷氏は隣のテーブルから見ていたのだという。そうしてすぐ、ここに同好の士がいると判断したらしいのである。

「変わった食べ物がお好きなようですな」

いきなりそんなふうに声をかけられた。彼は五十代後半の恰幅の良い紳士で、もう春だというのに、そして店の中だというのに、両手に黒い手袋を嵌めていた。

「神無坂の《YUI》という店はご存じですかな。ぜひ一度行ってごらんになるとよろしい。きっと満足されますよ。ふりの客は断わられることもありますが、私の紹介だと云えばまず大丈夫でしょう。名刺をお渡ししておきましょうか。ついでに地図も描いてさしあげましょう」

手渡された名刺を見て、私は彼が咲谷辰之介《しんのすけ》という名前であることを知った。肩書きには「医学博士」とだけあった。

考えてみればどうにも胡散臭《うさんくさ》い話だが、にこやかに微笑む相手の丸顔を見ていると、よけいな疑念を抱く気にはなれなかった。こんな場所で期せずして趣味を同じくする人間と出会ったことが、何となく嬉しかったというのもある。

それから一カ月後、五月下旬のある日のこと——。

妻の可菜《かな》と二人で、久しぶりに神無坂方面へ出かける機会があった。その際にたまたま、私たちは《YUI》の前を通りかかったのだった。

うっかりしていると見過ごしてしまいそうな門柱の札に目を留めて、私は「ああ、ここか」と呟いた。思わず立ち止まり、上着の内ポケットから札入れを引っ張り出した。一カ月前に咲谷氏から貰った名刺が、まだその中に入っているはずだったからである。

名刺の裏に描かれていた地図を確認する。間違いなかった。これが彼の云っていたあの店なのだ。

「ここ、入ってみよう」

衝動を抑えることができず、私は可菜に向かって云った。

「有名な店なんだ。前から一度来てみたいと思っていたんだ」

結婚して、この夏でまる二年になる。可菜は私よりも六つ年下の二十五歳である。

私はR＊＊大の文学部哲学科で研究室の助手をやっている。我が学部の助手職は一名「救済助手」——つまり、就職先が見つからないオーバードクターに何年かの期限付きで職を与えるという意味での地位なので、そろそろ本腰を入れて専任講師の口でも探さねばならないのだが、残念ながら今のところあまり明るい見通しはない。

可菜はというと、ありがたいことにけっこうな金持ちの娘で、親に出資してもらって自分のカットハウスを経営している。大学助手の給料など高が知れたものだから、経済的には私の方がおんぶにだっこの現状である。子供はまだいないし当面作る予定もないが、髪結いの亭主とはまったくよく云ったものだと近頃とみに思う。

「ユイ？」

可菜は門柱に目をやり、何となく不安そうに小首を傾げた。

「何のお店なの。『特別料理』って書いてあるけど、どんな。フランス料理？　イタリア料理？」

「変わったものばかり食べさせるところらしい。『特別』っていうのはそういう意味だろう」

「変わったものって……たとえば？」

「僕も入るのは初めてだから何とも云えないが。しかしそうだな、たとえばほら、本場の中華料理なんかだと、いろいろ変わったものがあるだろ。ニシキヘビだとか冬虫夏草だとか」

「ニシキヘビ？　トウチュウカソウ？」

と、可菜はびっくりしたように目を丸くする。

「フランス料理でも、ヒツジや何かの脳味噌を食べたりするだろう。オーストラリアじゃあカンガルーも食べる」

「脳味噌？　カンガルー？」

可菜はぶるぶると首を振った。

「まさか。マジ？　そんなのあたし、食べられないわ」

「まあまあ、そう云わずに」

「やーよ。だってそんなの、ゲテモノ喰いじゃない」

ゲテモノ喰い。イカモノ喰い。悪食《あくじき》。

ありていに云えば、まさにそのとおりなのだが。

可菜は露骨に嫌そうな顔をしている。それも当然だろう。知り合ってから今日に至るまで、私はまだ一度も、「食」に関する自分のそのような嗜好を彼女に見せたことがなかったのだから。

「僕にそういう趣味があると知って驚いているわけかな」

まっすぐに可菜の目を見つめ、柔らかな威厳を含んだ口調で云った。ここはもう、教育的指導に打って出るしかない。

「いいかい。つまらない先入観はまず捨てなさい。そもそも君には『ものを食べる』という行為をきちんと相対化して捉える視座が欠けている。これは悲しいことだよ。非常に悲しいことだ」

「そんなこと云っても」

「じゃあ訊くが、君はタコやイカは何の抵抗もなく口に入れるだろ。ナマコやシャコも好きだったね。魚の生け造りだって喜んで食べる。納豆だって食べる。たとえばテキサスの田舎町に住んでいる人々の目には、それがどれほど気色の悪い行為に見えるか、想像するのは簡単だろう。彼らにしてみれば、日本人はとんでもないイカモノ喰いの集まりってことになる」

「そりゃあそうかもしれないけど……でも、ヘビは嫌。脳味噌も嫌よ。スズメの姿焼きだってあたし、怖くて食べられないのに」

「ああ、可哀想に。ほんっとに君は、ありがちなことに捉われてるんだねえ」

私はわざと大袈裟に溜息をついた。

「『ものを食べる』という、本来動物の本能的な行為でしかなかったものを、人間は長い歴史の中で文化の域にまで高めた。なんて云うと聞こえは良いが、つまるところ文化というのは当該社会の〝制度〟の一つに他ならない。制度とはつまり、一定以上の規則性をもって事実的に反復される行動様式だね。それは僕たちのモータルな欲求を有効に充足させるものであると同時に、行為者の間で共有された価値によって正当化されたものでなければならない。そして当然のことながら、いったん形成された制度はおのずと強い支配力・拘束力を持つようになる。当該社会の成員として僕たちは、不断に有形無形の制度的圧力を受けつづけなければならない宿命にあるわけだ。ところで、いいかな？　真に芸術的なるものを考えてみる時、それは極論すれば、この圧力にぎりぎりの抵抗を試み、突き破るところからしか生み出されえないものなのだよ。もちろん君も、そのくらいのことは承知しているよね」

「――そ、そうね」

こわばっていた可菜の表情が微妙に和らぎつつあるのを見て取って、私はここぞとばかりに大きく頷いてみせた。

なかなかの美人で、カットハウスの経営も無難にこなしている彼女なのだが、はっきり云って頭はあまり良くない。そしてその裏返しとして、哲学とか文学とか芸術とかいう言葉にめっぽう弱いことを、私は十二分に心得ていた。たとえばこのような特殊な局面であっても、曲がりなりにも「研究者」の肩書きを持つ私が少し分かったような分からぬような講釈を垂れれば、それですっかり「分かった」気になって態度を変化させてしまうことが多いわけである。

「さて、そこでだ」

私はいかにももっともらしい調子で続ける。

「ゲテモノ喰い、イカモノ喰いといった行為は従って、僕たちがこの社会の制度的圧力下で実現しうる真の芸術の一形態であるとも云えるわけだよ。分かるね、可菜」

「あ……うん」

「現代のこの国は、至るところに食べ物が溢れ返っている。飢えを凌ぐために仕方なく普通は食べないようなものを食べる、というのとは根本的に意味が違うわけだ。こんな豊かな時代、豊かな世の中にいて、なおかつあえて、常識すなわち制度的な思考からは逸脱するようなものを食べる。どうかな。これはまさに、芸術を生み出す精神から敷衍《ふえん》されることだとは思わないかな」

「うう……芸術。そうかもね」

「絵画や彫刻といったアートは人間の視覚に訴えかける。音楽は聴覚に訴えかける。そしてそれぞれの芸術には、その最先端を行く前衛芸術がある。まったく同様に、味覚においても僕たちはアヴァンギャルドを目指すべきなのではないか。そうだ。アヴァンギャルドだ。世紀末が目前に迫った今の時代であるからこそ、僕たちはより積極的にそれを志向せねばならないのであって……」

何とも子供じみた、そしてでたらめな言葉を連ねているものだとだんだん卑屈な気分にもなってきた。しかし、耳を傾ける可菜は真剣そのものである。私の口許を見つめる眼差しはいよいよ熱っぽい。

「……だから可菜、君もここで一度、本格的なイカモノ喰いを体験してみるべきだと僕は考えるわけなんだがね。どうだろう。むろんどうしても嫌だと云うのなら、無理じいしたりはしないが」

「そうね、そうね」

幾度も頷きを繰り返すと、彼女は私の腕に手をまわした。

「味覚の芸術ねアヴァンギャルドね。さああなた早く入りましょ」

かくして私たちは《YUI》の入口へと向かったのだった。

2

私がいわゆるイカモノ喰いを好むのはしかし、可菜に云って聞かせたようなことを真面目に考えているからではない。七面倒臭い理屈抜きの、もっと生理的なレヴェルの欲求のためである。

ただ食べたいから食べる。突き詰めて云ってしまえば、それだけのことなのだ。

一つのきっかけが、あった。

私がまだ大学生の時の話である。

学生向けの安アパートで独り暮らしをしていた当時、仕送りが少なく経済的に苦しかったという事情もあって、私はまめに自炊生活を続けていた。食費をなるべく抑えて、その分を専門書の購入に使おうという、我れながら涙ぐましい意図もあった。自分で云うのも何だけれど、つまり私は、当時としてはもはや珍しかった「苦学生」の一人だったというわけである。

何日かごとに大学の生協で手頃な食材を仕入れてきては、適当に煮るなり焼くなりして食べていた。いま思うと、まことに侘《わび》しい食生活だった。

そんなある日——二年生の夏だったと思う——の夕食で、私はカレーライスを作って食べた。「作って」と云っても、実際に材料を買ってきて調理したのはそれよりも幾日か前のことだった。大きな鍋いっぱいに大量のカレーを作っておいて、毎食火を入れ直して食べていたのだ。いま思い出すと、これも相当に侘しい話である。

薄暗い四畳半の部屋で独り、読みかけの本を開きながらカレーライスを食べた。空腹を満たす、そのことのみを目的として、機械的にスプーンを口に運んでいた。ところが、その何口目かで——。

かりっ、という何だか変わった歯応えを感じたのだった。妙な味がじわりと口に広がったようにも思ったが、あまり気にするでもなく飲み込んだ。

読んでいた本から視線を上げて、スプーンを皿に戻した。そうしてそこで私は、何やら異様なものがカレーの中から姿を覗かせているのに気がついたのだった。

真っ黒なちりめんじゃこのようなものが何本か。そして、それらがくっついた濃い茶色の物体。——脚と胴体、であった。胴体の方はまっぷたつにちょん切れている。

今さっきの歯応えが何だったのか、私はようやく悟った。

ゴキブリが一匹、作り置きのカレーの鍋に紛れ込んでいたらしい。大きさや形、色から見て、クロゴキブリの成虫である。それに気づかず、食べてしまったのだ。

不思議なことだけれど、普通に考えれば何ともおぞましいその事実に対して私は、口に手を当てたり呻いたり、水を飲んだり食べたものを吐き出そうとしたり……といった反応を起こすことはなかった。ショックがなかったとは云わないが、それよりもむしろ、

いま俺はゴキブリを食べたのだ

という変に醒《さ》めた、客観的な認識の方が先に立って頭を支配し、やがてそれは次第に「感激」と云ってもいいような奇妙な感情に変わっていった。

私は恐る恐るスプーンを握り直すと、皿に残っているゴキブリの下半身（だったように思

う）をカレーライスと一緒に掬い取り、口に入れた。目を瞑り、ゆっくりと嚙んだ。くちゅ、と胴体の潰《つぶ》れるのが分かった。カレーの味に何とも云えぬ微妙な苦みが混じった。すかさず飲み込んだ。おぞましいという気持ちも確かに抱いたが、それよりも大きな満足感めいたものがあった。自分の作った料理を食べて、これほど「うまい」と感じたことは一度もなかった。

以来である。

ひたすら味気なく侘しかった食生活が一変したのだった。

私はゴキブリだけではなく、もっといろいろな、普通なら誰も食べそうにないようなものを次々に試してみた。カタツムリやナメクジの類からバッタやトンボ、カエルにオタマジャクシ、クモにミミズにネズミなどなど。ちょっと目先を変えて、各種練り歯磨きをライスにかけて食べてみたりもした。単純に「うまい」と感じるものもあったし、そうではないものも多くあった。

だが、その夏が終わる頃にはもう、「うまい」「まずい」はさしたる問題ではなくなっていたのである。

たとえば、アパートの廊下で捕まえたヤモリを醤油煮《しょうゆに》にして食べたとする。肝心なのはその味の良し悪しではない。

いま俺はヤモリを食べているのだ

という生々しい実感こそが、私の飢えた心に何物にも代えがたい充足をもたらすようになったのである。

3

予約を入れていなかったのでだめかなという危惧もあったのだが、存外にすんなりと店内へ通された。「この方の紹介で」と云って示した咲谷氏の名刺が、大きな効力を発揮してくれたようである。

他にも幾組かの客がいた。熟年のカップルに若い女性のグループ、一人で来ているサラリーマン風の中年男性……と、意外に客層はさまざまである。予想していたよりもずっと広いフロアに、テーブル同士の間隔もゆったりしているので、彼らの話し声はかすかなざわめきのようにしか聞こえてこない。

メニューを持ってきてくれた店員は五十がらみの禿げた小男で、黒いスリーピースに臙脂《えんじ》色《いろ》の蝶ネクタイ、両手には何故か白い手袋を嵌めていた。血色の良い卵形の顔に、何となくあの咲谷氏を思い出させるにこやかな微笑をたたえながら、

「ご注文は基本的に単品でお伺いしておりますので、ご了承くださいませ」

と慇懃《いんぎん》に告げた。

「赤い☆印のシールが貼ってありますのが、本日ご用意できるものでございます。お値段が『時価』となっている品が少なからずございますが、ご遠慮なくお尋ねください。調理法や

味付けについてのご要望がございましたら、どうぞご相談を。――では、ごゆっくり」

胸を高鳴らせつつ、私は分厚いメニューを開いた。そしてそれは、決して私の期待を裏切るものではなかったと云える。

ざっと見たところ、料理は〔肉〕〔魚〕〔虫〕の三つの項目に大別されている。たとえばフランス料理風に、オードブルからポタージュ、ポアソン、アントレといったような形式を踏まえた構成ではまったくない。

その点がまず、気に入った。

店の前で可菜を相手に喋った理屈ではないが、「人が食べないようなものを食べる」というのはとりもなおさず、「食文化」という制度からの確信犯的な逸脱行為なのである。それが、既存の制度以外の何物でもない「○○料理風の食事形式」に組み込まれてしまうのは、どうにも寂しいと云うか、興醒めな話ではないか。――そんな思いを漠然と抱いていたものだから。

もう一つ、私が多少なりとも気に懸けていたのは、この店の「特別料理」の名の下に集められた食材が、いわゆる「珍味」の方向へと必要以上に偏ってはいないか、という問題だった。そうであってほしくはないのだが、と懸念していたのである。

可菜などにしてみれば同じようなものなのかもしれないけれども、「珍味」と「イカモノ」「ゲテモノ」とでは、その意味内容はずいぶんと異なってくる。

分かりやすい例を挙げるなら、チョウザメの卵の塩漬け、すなわちキャビアを海産の珍味として喜ぶ人は多かろうが、同じものを指してイカモノとは決して云わない。海燕《うみつばめ》の巣やフグの白子、カラスミなんかにしても同様である。中国で古来「八珍《パアツェン》」と呼ばれて珍重されているツキノワグマの足やフタコブラクダの瘤《こぶ》なども、イカモノではなくやはり珍味の部類に属する素材だろう。

そもそも珍味とは「めったに味わえない美味な食べ物」なのであり、これは美食の対象となる。一方、イカモノあるいはゲテモノは漢字で「如何物」「下手物」と書くのを見ても明らかなように、「まがいもの」「こんなものはどうかと思われるような風変わりなもの」を示すわけで、これを食する行為は悪食と呼ばれることになる。

もっとも、実際には珍味であってもイカモノ感の強いものや、その逆も多く存在するだろうから、話はそうそう単純ではない。「味」の代わりに「薬効」という価値が基準に持ち出されたりすると、話はますますややこしくなってくる。

ところで、私の個人的なこだわりはあくまでもイカモノ喰いにある。高価な山海の珍味をどれだけ豊富に集めてあっても、さほどありがたくはないのである。その点、この店のメニューは私のような客にとってはまことに嬉しいバランスで食材が取り揃えられているのだった。

自分のメニューに視線を落として「ああ」とか「うう」とか声を洩らしている可菜を後目《しりめ》に、私はずらりと並んだ料理の数々を順に追っていく。

それぞれの品目には「ムニエル」だの「空揚げ」だの「ソテー」だの「照り焼き」だのと

雑多な調理法が付記されているが、私の目はもっぱらそこに並んだ食材の名前のみを拾い上げる。方法ではなくて素材こそが、私にしてみれば第一の問題なのだから。

まずは［肉］料理――。

ここには基本的に哺乳類、鳥類、爬虫類、両生類が含まれるようだった。哺乳類であるイルカや爬虫類であるカメが次の［魚］の方に入っていたりするが、別に動物学的な分類をしようというわけではないので構わない。

ウシやブタ、ウマ、ウサギといった食用として一般的な動物であっても、使われているのは脳や睾丸、ペニスなど特殊な部位ばかりだ。イヌ肉ネコ肉ネズミ肉、これらは「常時各種取り揃えております」とある。中国産のハクビシンもある。☆印は付いていないけれど、イタチやモグラ、コウモリにムササビなんかも載っている。サルの肉も入ることがあるようだが、はて、どのような種類のものをどのようなルートで仕入れているのか、興味深いところである。

鳥ではカラスとトンビが目についた。これは立派なゲテモノである。ニワトリやウズラの半成雛、というのもなかなかそそられる。半成雛とはつまり、なかば孵化《ふか》しつつある有精卵のことだ。蒸して殻を剝き、中の汁を飲む。それから産毛の生えかけたヒヨコの半成品を頭からばりばりと食べるのが良い。中国南部や東南アジアでは、とりたてて珍しくもない食べ物だそうな。

爬虫類のメインはやはりヘビだろう。マムシから始まってシマヘビ、アオダイショウ、ヤマカガシにハブと、国産のものはひととおり並んでいる。ボアやコブラ、ガラガラヘビといった輸入物の名も見られる。

ワニにトカゲ、ヤモリにイモリにサンショウウオ。カエルもウシガエル（いわゆる食用蛙）だけではなく、トノサマガエル、アマガエル、アカガエルにヒキガエルと多くの種類を用意しているところが嬉しい。ヒキガエルについては、耳腺から分泌される毒液の刺激を楽しむという手もある。決して美味ではないが、フグの肝を喰うのに比べたら遥かに安全だろう。

次の［魚］についてはおのずと、正しくは魚類に含まれないようなものが多くなる。水産動物一般、とでも云うのが適当か。

正真正銘の魚料理では、「ランチュウの姿造り」というのが目を惹いた。かなり値の張る代物である。他に趣向として面白いのは、「ドジョウとメダカのミックス柳川《やながわ》」。オプションでオタマジャクシも入れられます、とあるのがなかなか心憎い。

エビ・カニの類では、アメリカザリガニやヤドカリといった小物のあとに、カブトガニという大物が控えている。二億三千万年前の昔から現在の形で生息しつづけているというこの「生きた化石」は、日本では確か天然記念物の指定を受けているので、きっと大陸からの輸入品だろう。中国やタイの市場なんかでは普通に売られているらしいから。

各種カメ料理。咲谷氏との出会いのきっかけとなったフジツボもあるし、同じ甲殻類のカメノテもある。その他にも、イソギンチャクにヒトデの類、ウミウシ、タツノオトシゴなんていうのもある。

圧巻なのは「仔イルカの兜焼《かぶとや》き」。イルカ・クジラ大好きの欧米人が見たら、それこそ目を剝いて卒倒しかねない過激な一品。

さて、あと残るは［虫］料理である。イカモノ喰いの王道はやはり何と云ってもこれだろう、と私は思う。

ハチの子やイナゴといった無難なところから始まって、さまざまな昆虫の名前が列記されている。すでに自分で試してみたことのあるものも多いが、これだけの種類が一堂に取り揃えられているとなると壮観だった。☆印の付いている品は全体の何分の一かしかないけれども、季節の問題や仕入れのルートなんかを考えるとそれも無理はあるまい。

各種セミの空揚げ。広東《カントン》料理で「蚱蜢《ツアーツアーモー》」と呼ばれているのは有名だが、羽化寸前のものを使うのが一番うまいらしい。中国では同様にサソリを空揚げにして食べるが、これもここでは［虫］の項に含まれている。コオロギの空揚げというのも、あちらではポピュラーな料理だと聞く。

カミキリムシの幼虫は俗にテッポウムシと呼ばれ、生で食べると甘くて美味だ。カブトムシをはじめとする甲虫類は概して、幼虫成虫ともに焼くと香ばしい香りがしていける。

バッタ類各種。アゲハチョウの幼虫（あるいは芋虫）を筆頭に、毛虫類も各種ある。サクラケムシは中でも優れもので、天ぷらにすると絶品である。マツケムシは生焼けが良い。カイコは蛹《さなぎ》の段階が食べ頃だ。スズメガは鱗粉を黄粉《きなこ》に見立てて食べる。

「各種ハエの寄せ揚げ」というのがある。ウジもなかなかいける。ほんの少しだけ火を通して半生で飲むのが通のやり方だろう。ムカデ、ヤスデにゲジゲジ。ジョロウグモは苦みの強いチョコレートといった味がする。ちょっとマニアックなところで、フナムシやマダラカマドウマというのもある。

ゴキブリ料理も種類が豊富だった。お馴染みのクロゴキブリ、ヤマトゴキブリをはじめとして、小型のチャバネゴキブリ、太っちょのワモンゴキブリ、羽根が退化して鱗状になったサツマゴキブリ。「どれも当店で五代養殖したものです」という注釈が付いている。衛生上の問題はないとアピールしたいわけだろう。

なるほどなかなか良心的なものだな、とも思うが、個人的には別にそれが偽りであったとしても構わない。むしろ、わざわざこんなふうに気遣いをされてしまうと、何となく鼻白んだ気分になってしまうのがイカモノ喰いの人情というものである。

私が舐めるようにしてメニューの隅々にまで目を通している間、可菜の方はずっと「ああ」「うう」と声を洩らしつづけていたのだが、そのうち大きく一つ溜息を落とした。見ると、すっかり表情がこわばり、顔色も蒼ざめてしまっている。

「ねえあなた、あたしあんまり食欲がないから、何か普通の飲み物だけ貰うわ」

弱々しくそう訴える彼女を、私は鋭い眼差しで見据え、

「それはないだろう」

と諭《さと》した。

「せっかくなんだから、せめて酒のつまみにイトミミズの味醂煮《みりんに》くらいは試してみてはどうかな」

「ミ、ミミズ……」

「もちろん強制はしないがね。結局のところこれは、君自身が果たして『ものを食べる』という普遍的な行為をいかに自由な芸術的発想・感性でもって捉え直せるかという問題なんだから」

「………」

「あくまでも君が、凡庸な社会の制度的圧力の下で、自らの周囲に硬直した壁を巡らせ、その中で満足しようというのならばそれでも構わないさ。ただ、この飽食の時代における味覚のアヴァンギャルドの、現代哲学をも包み込んだ価値に自覚的であるのなら……」

口から出任せにそれらしき文句を連ねていくと、可菜の反応は顕著である。蒼ざめていた頬をにわかに紅潮させ、感きわまったかのように目を潤ませる。

「ああ、そうね。そうよね。やっぱりあたしおなか減ってきたわ。食べるわあたし頑張って食べるわ」

そう云って、彼女は自分のメニューを私に渡した。オーダーは任せる、という意思表示だろう。テーブルの上からグラスを取って中の水を一気に飲み干すと、芸術よ芸術だわああ何て芸術なのかしらなどと独り呟きはじめる。

少しく迷った末、私は☆印の付いた品の中から、「ハツカネズミとハムスターとモルモットのミックスグリル」と「チャバネゴキブリ入り特製チャーハン・ミジンコ風味」を、可菜には「ウシガエルとそのオタマジャクシとその卵の親子三代シチュー」を注文した。飲み物は、珍しいところで「イグアナ酒」というのを選んでみた。

「それからもう一つ、このカマキリのガーリック炒めもいただこうかな」

注文は先ほどの禿げた小男が取りにきた。

「ハリガネムシを持ったやつだったら、それを別にしてさっと湯通しして、できれば酢の物にして出してもらえますか」

「承知いたしました」

男の顔にふと、「できるな」とでも云いたげな笑みが滲んだような気がした。

初めてカマキリを食べた時のことは、いまだに忘れられない。雌のオオカマキリだった。羽根と脚をむしり取ったあと、丸々と太った緑色の腹を嚙み破ると、中からハリガネムシが蠢《うごめ》き出てきたのである。細くて黒い、あのぐねぐねしたやつである。

長いものだと一メートルにもなるという。ユスリカやフタバカゲロウの幼虫を移動宿主《しゅくしゅ》として、カマキリやキリギリスの体腔に棲みつく寄生虫だ。もよもよと舌にまとわりついてくるあの感触は、ちょっと他では得がたいものだと思う。

食前に出されたテキーラ・ベースのイグアナ酒は意外に飲みやすかった。可菜は思い詰めた顔でそれを喉に流し込んだが、何やらそこで一つ吹っ切れてしまったようである。もともとアルコールにはあまり強くないものだから、その一杯ですっかりハイになってしまったのかもしれない。

やがて料理が運ばれてくると、あれあれという間に自分の分をたいらげてしまった。そうして充血した目をとろんとさせながら、

「デザートは何にしようかしら」

などと云いだす。私の方がびっくりしてしまうほど、完全にその気になっている。

「あ、これがいいな、あたし。『トノサマガエルの卵入り杏仁豆腐《あんにんどうふ》』。きっと卵をタピオカに見立てるのね」

夫婦水入らずの、実に満ち足りた夕食であった。

4

その日以来、私たちはしばしば神無坂の《ＹＵＩ》へ足を運ぶようになった。

嘘のような話だけれど、可菜はたった一度の経験ですっかりあの店の「特別料理」が気に入ってしまったらしい。むやみに他人に云いふらしたりはしないが、たとえばカットハウスの客やアルバイトの女の子なんかと話していて食べ物の話題になった時など、言葉や表情の端々に「あたしはあなたたちとは違うのよ」とでもいった優越感めいた含みが窺えたりもする。そして、私と二人で《ＹＵＩ》へ向かう時には、

「さあさ、今夜は何を食べてアヴァンギャルドしようかしら」

大真面目な顔でそんなふうに云うのだ。

私は今さらながら、自分の言動が彼女に与える影響力の強さを思い知り、満足する一方で何やら空恐ろしくもなるのだった。

二カ月も経った頃には、私たち夫婦は《ＹＵＩ》の常連客として店員たちともすっかり馴染みになっていた。そうすると向こうも心得たもので、珍しい食材や旬の品の入荷状況・予定などを細やかに教えてくれる。これは非常にありがたかった。

七月も終わりが近づいたある夜、私たちは初めてこの店のオーナーなる人物を見た。意外なことにこれが、まだ三十歳前後にしか見えない女性で、しかも思わず息を呑んでしまうような美人なのだった。真っ白なスーツをすらりとした身にまとい、その時店に来ていた客たちにたおやかな笑みを振りまいていた。

店員から聞いた話によれば、彼女の名前は「由伊《ゆい》」といって、ここしばらく海外へ行っていて店には顔を出せなかったのだとか。苗字は聞かなかった。店の名は、彼女のその名前から取ったということである。

この店はそもそも彼女が創業したわけなのだろうか。それとも、たとえば彼女の父親か母親が始めた店に、娘の名前を付けたということなのか。

考えだせばいろいろと興味は尽きなかったけれど、別に深く追及しようとも思わなかった。店主が美人であるのは歓迎だが、それよりも何よりもまず、私の目的はこの店の料理にこそあるのだから。

夏休みで研究室の雑用が少なくなったということもあって、八月は週に一、二度の割合で《YUI》に通った。その間にも幾度か由伊という名の女店主の姿を見かける機会があったのだが、いつも彼女は両手に白い手袋をしていた。他の店員たちにしても、そういえばみんな同じように手袋を嵌めている。ひょっとすると、何だか妙な話ではあるが、あれは店のユニフォームの一部分なのかもしれない。

さて、そうこうしてもう九月になろうかという、ある日のことである。

その夜《YUI》を訪れた私たちは、いつもとは違って建物の二階へと案内された。通されたのは、黒檀の丸い食卓が中央に据えられた個室だった。

「店主がご挨拶をしたいと申しておりますので」

例の禿げた小男が、相変わらずの慇懃な口調でそう告げるのを聞いて、私と可菜は思わず顔を見合わせた。私たちがすでにこの店にとって、相当な得意客であることは確かだろう。だからわざわざ……?

「いらっしゃいませ。店主の由伊です」

まもなく部屋に現われた彼女は、そう云って丁寧に会釈した。

「いつもお揃いでご来店いただきまして、どうもありがとうございます。今後ともどうか、よろしくご贔屓《ひいき》くださいますよう」

「ああいえ、こちらこそ」

私は柄にもなく緊張してしまい、普段は食前には吸わないことにしている煙草に火を点けた。

　こうして間近に見ても、やはり大した美人である。つい一緒にいる自分の妻と比較してみたくなるのが男の性《さが》というものだが、何となく苛立たしげな眼差しをちらちらとこちらに向ける可菜の様子に気づいて、私は「判断保留」と心の中で呟いた。

「ところで」

　女店主はおもむろにその話を切り出した。

「お客様方のようなお得意様のために、当店では、普通はお見せすることのないスペシャル・メニューが用意してあるのです。本日はそれをご紹介したくてこちらの個室にお通ししたわけなのですが、いかがなものでしょうか」

　なるほど、そういうことなのか。

　納得すると同時に私は、今さっきまで目の前の彼女の美貌に気を取られていたことなどどこへやら、その「スペシャル・メニュー」というのがどんなものなのか、興味と期待で胸が詰まりそうになった。

「見せていただきます」

　可菜の意見を聞きもせず、私は答えた。値段もそれなりに高くなるに違いないが、そんな問題は二の次なのである。

「では」と微笑んでから、店主はこう付け加えた。

「ただし、くれぐれもこのことはご他言なさらないようお願いします。どなたにでもお出ししていわけではありませんので。それに、これでけっこう保健所の方がうるさいもので。約束していただけますか」

「もちろん」

私は一も二もなく頷いた。

「もちろんですとも」

「ありがとうございます。それでは——」

彼女から手渡されたメニューを見て、私は思わず「ほう」と唸った。

「いやあ、こいつはなかなか……」

それは確かに、これまで一度として目にしたこともないような料理であった。

回虫に蟯虫《ぎょうちゅう》、鉤虫《こうちゅう》に条虫（いわゆるサナダムシ）、ランブリア、双口吸虫などなどなど。

ずらりと並んだこれらの寄生虫が、メインとなる食材なのである。調理法はそれぞれの材料について、煮物に焼き物、フライにグラタン、テリーヌ、焼売《シューマイ》……と複数が用意されている。

「中でも本日のお奨めはサナダムシです。長さ六・五メートルの、それはそれは立派な品が入荷したばかりですので。衛生上の処理には万全を期しておりますから、その点はご安心ください」

サナダムシについては、川魚の腹腔に棲むその幼虫（リグラと呼ばれる）を使ったイタリア料理が存在するという話を聞いた憶えがある。しかし、長さ六・五メートルというからには当然、終宿主である人間の腸内に寄生していたものなのだろう。

興奮のあまり返す言葉に詰まる私の反応を見て、女店主は満足げな微笑を浮かべた。

「なお、お客様のご希望がございましたら、排泄物・吐瀉物《としゃぶつ》関係のお料理もご用意できます。ただしこれは、原則としてお客様ご自身のものを材料として使わせていただくことになっております」

己の大便を詰めたロールキャベツだの、ゲロを具に使った餃子《ギョーザ》だのが皿に盛りつけられたさまを想像しながら、私は「ははあ」と相槌を打つ。さすがにちょっと目眩《めまい》がした。スカトロの趣味はあまりないのだが……。

「いやいや、凄いもんですね」

私はメニューから目を上げて云った。

「僕もこれまでいろいろと食べてきましたが、この手のものはハリガネムシ以外には経験がありません。正直云って、感涙ものです」

「恐縮です」

店主はしとやかに頭を下げた。

「もっとも、実を申しますと、これはまだ当店のスペシャル・メニューのうちの〈ランクC〉にすぎないのです。いずれ機会がありましたら、〈ランクB〉〈ランクA〉のメニューもご紹介できると思います。どうぞお楽しみに」

その後、私は初めて口に運ぶいくつかの寄生虫料理に胸をときめかせ、例の**ああ、いま俺は蟯虫のスープを飲んでいるのだサナダムシのスパゲッティーを喰っているのだ**という快感を満喫した。可菜は可菜で、寄生虫ですってまあ素晴らしいわ進歩的だわ哲学だわ芸術だわと騒々しく口走りながら、「回虫と鉤虫のミックスグラタン」を食べていた。

5

秋も深まり、学園祭の準備でキャンパスが賑やかになりはじめた頃――。

八月終わりのあの夜以来、毎回のように通されるようになった《YUI》の二階の個室で、私たちは〈ランクB〉のスペシャル・メニューに出遭った。今年一番の大型台風がこの地方を通過した明くる日――すっかり冷たくなった空気に妖しい三日月の光が冴える夜のことだった。

美貌の女店主、由伊がまた部屋に姿を現わした。「このことは決して口外しないよう」と前以上に強く念を押され、私も可菜も迷わずそれを約束した。そして――。

「ああ、これは」

受け取ったそのメニューを、私は息が詰まる思いで見つめた。心臓の鼓動が速くなるのが分かった。知らず、額に汗が滲んだ。

「素材はいくつかの特別なルートで手に入れております」

店主はそう云い添えた。

「たとえば何か、凶悪な犯罪行為と関係しているのではないかというようなご心配は無用です。ただ、完全に合法的な手段で、とまでは申せませんし、万が一にも世間に知られた場合には激しい非難が集まることが予想されます。ですから絶対に、秘密は守っていただかなければならないのです」

「——でしょうね」

いったいその「特別なルート」とはどういうものなのか。店主の顔とメニューとの間に視線を往復させながら、私は考える。病院、大学の解剖学教室、火葬場……ざっとそういったところだろうか。

大きく一つ肩で息をして、私は手許で開いたメニューをまた見つめる。

肩肉と腰肉（ウシやブタで云うならロースとヒレか）、胸肉に腿肉に腕肉。

例によって、いくつかの品目の頭には赤い☆印のシールが貼られている。現時点で在庫があるもの、という意味である。

舌《タン》に肝臓《レバー》、腎臓、心臓、胃、大腸、小腸、骨髄、脳、眼球、卵巣……。

各種器官および臓器の名も洩れなく並んでいる。今夜☆印が付いているのはしかし、このうち数種類の品だけだった。

もはや説明する必要もあるまい。店主が云った「素材」とはすなわち、ヒトの身体なのである。人体各所のこれらを使った料理が、この店のスペシャル・メニュー〈ランクB〉なのだ。

「もちろん、保健・衛生面での配慮に抜かりはありません。お客様のご希望が特にない限り、原則として伝染性の疾病を持っていたものや、その他顕著な病的異常が認められた部位——たとえば癌化した肝臓など——は使用いたしませんので……」

静かに言葉を連ねる彼女の声は、窓から射す月光さながらに鋭く、透きとおっていた。美しいその顔に浮かんだ微笑は、いつになく妖しく、蠱惑的《こわくてき》にすら見えた。

私は可菜の様子を窺った。さすがに頰からいくぶん血の気が失せている。メニューを持った手がかすかに震えている。

こんなことをして許されるものだろうか。

私は考えあぐねた。

許されるのだろうか。

思考回路に組み込まれた「人肉食」「共喰い」への禁忌は、思いのほか強固なものだった。だが一方で、それが理性に強く働きかければ働きかけるほど、その反作用でもあるかのように、一度でいいからヒトの肉や内臓を食べたい食べてみたい、という欲求が高まってくるのも確かな事実なのである。今や私と同じ嗜好を持ってしまっている可菜の心中もきっと、よく似たような状態なのだろうと想像できる。

「迷ってらっしゃるのですか」

と、女店主が訊いた。

「あ、いやその……」

返答に詰まる私の顔を涼やかな目で見据えて、彼女は云った。

「世間一般の良識はさておき、『ヒトを食べる』という行為それ自体は決して罪深いことではないと、私どもは考えております」

「…………」

「この地球上のすべての動物は、自分が生きるために他の生き物を食べなければなりません。どうしても逃れることのできない、これは私たちの宿命なのです。家畜や魚を食べるのも野菜や果物を食べるのも、ヘビや昆虫や寄生虫を食べるのも、つまるところ意味はどれも同じでしょう。たとえばキリスト教圏の人々はこんなふうに考えるといいます。ウシやブタといった動物はそもそも、人に食べられるために神が創造したものだ、だから食べても良いのだ、と。『他の生命を食べる』という行為を基本的に罪悪だと見なしているから、そういった宗教的な意味づけによって正当化する必要が出てくるわけでしょうか。何とも面倒臭い話です」

「――確かに」

「『食べる』という行為の根本的な意味をもっとポジティヴに捉え直しさえすれば、こういったわずらわしい問題は一挙に解消されるのではないかと私どもは思うのです。『食べる』とはつまり究極の『愛』の表現である、というふうに。どんな生き物であろうと命の価値は同じだ、大切にしなければならない。ならば、どんな生き物であろうと分け隔てなく、大切に食べてやれば良いのです。ウシもイルカもゴキブリもサナダムシも、そしてヒトもです」

正直云って、罪だの愛だの、そんなありがちな議論にはさしたる興味もなかった。けれどこの時、彼女の言葉は不思議な浸透力をもって心に響き込んでき、結果として私の迷いをやんわりと断ち切ってくれたのだった。

「食べさせていただきましょう」

そわそわしている可菜にちらりと目配せしてから、私は云った。

「どうせならまず、この『特選焼肉コース』というのでお願いします」

料理の値段は「時価」とある。食材調達の困難性からして、おそらくはその辺の高級レストランが及びもつかぬほど高価であるに違いない。しかし、よもやそれを理由に思いとどまることなど考えられはしなかった。

独特の濃厚なタレで味付けされた肉や臓物を、そして私たちは食べた。文字どおり無我夢中になって、ひとかけらも残すことなく食べた。

あああああ、俺はいま人肉を喰っている人間の腸を喰っている肝臓を喰っている

というその時の感激は、想像を遥かに超えて巨大なものだった。これまで食べたどんなイカモノ料理もまったく比較の対象にならない、とすら思えるほどに。

恐ろしくも甘美な、まさに目眩《めくるめ》くようなひとときであった。

6

こうして私たちは、すっかり《YUI》の人肉料理の虜《とりこ》になってしまった。

もっとも〈ランクB〉のスペシャル・メニューは、店を訪れれば必ず食べられる代物ではない。材料の仕入れが不定期で、かつ量的にも限られているからだという。私たちの他にも「お得意様」はいるはずだから、なおのことである。

それでもしかし、私のささやかな給料と可菜のカットハウスの売上——我が家の収入のうちの相当に多くの部分が、今やあの店において散財されるためにあると云って良い。当然の結果として、普段の生活はだんだんと切り詰められていったが、私たちはとりたててそれを気に病むでもなかった。

私の場合、気懸かりはむしろ別のところにあった。ヒトというある意味で究極の食材を使ったあの料理が、まだ〈ランクB〉だというのである。残る〈ランクA〉のメニューとはいったいどのようなものなのかと、それを考えだすと、職場でもつい気もそぞろになってしまう。

可菜は最近、以前のように芸術だアヴァンギャルドだとは云わなくなった。これはとりもなおさず、ああいった特殊な料理を食べることに対して、彼女がそれだけ純粋に喜びを感じるようになった証《あかし》だと思うのだが、どうだろうか。

冬はすぐにやって来た。研究室に顔を出す学生の数が徐々に減りはじめ、街には軽やかなジングル・ベルのメロディーが流れだした。

大学が正式に冬休みに入った。その次の日がクリスマス・イヴだった。実を云うとこの日は、私と可菜が初めてデートをした記念の日でもある。もう四年も前の話で、私の方はうっかり失念していたのだけれど、可菜はちゃんとそれを憶えていて、

「今夜は神無坂へ行って、イグアナ酒で乾杯しようね」

と云いだした。今日は人肉の入荷があるだろうか、などと考えながら、私は喜んで彼女の提案に賛成した。

そして、その夜――。

《YUI》のスペシャル・メニュー、その〈ランクA〉が何であるのかを、ついに私たちは知らされることとなったのである。

「こんばんは、お客様」

部屋に現われた女店主由伊は、イヴの夜というのを意識してだろうか、目にも鮮やかな深紅のドレスをまとっていた。両手にはしかし、いつもと同じような白い手袋を嵌めている。

「今宵は〈ランクA〉のお料理をご紹介することにいたします」

私はごくりと唾を呑み込んだ。ああいよいよ来たか、という感慨に、我れ知らず身が震えた。ところが――。

「紹介する」と告げたきり、店主は静かに私たちを見据えたまま、その先を続けようとしな

い。メニューらしきものも持ってきてはいないし、持ってこようとする様子もない。何なんだろうかと私が首を傾げると、その反応を待っていたかのようなタイミングで、

「申し上げましょう」

とロを開いた。

「これは非常に限られた材料を用いる、きわめて特殊なお料理です。どのような方であっても、普通は一生に幾度かしか召し上がることのできないような。ですから、よくよくお考えの上お決めください」

「お金ならば何とかします」

私は思わず口を挟んだ。可菜の方を振り向いて、「な?」と同意を求める。すると、

「そういう問題ではないのです」

店主はたおやかな微笑を浮かべ、ゆっくりと左右に首を振った。そうしておもむろに両手を胸許に上げ、嵌めていた手袋を片方ずつ外しはじめるのだった。

「実は私自身、すでに三回にわたってこのお料理を楽しんでおります。ですが、せいぜいあと一、二回が限度だろうなと。残念なことですけれども、こればかりは致し方ありません」

彼女は私たちに向かって、手袋を外した自分の手を差し出す。私は息を止め、目を見張った。両手合わせて十本あるはずの指が、右に四本、左に三本しかないのである。

「よそから仕入れてくる食材は、ものがものであるだけにどうしても鮮度が落ちてしまいます。と云って、私どもで生きた人間をしめるわけにも参りませんし、たとえ一部分といえど

も、なかなか提供者がいるものではありません。そうするとおのずから、最も新鮮な素材として、なおかつ〝愛〟の対象としても本来的に特別な意味を含み持った素材として、自分自身の身体というものに目を向けざるをえなくなってくるわけです」

「ああ……」

「適当なのはやはり、指でしょう。どうしても他の部分をというご要望があれば、可能な対処はいたしますが……。手順としましては、まず同意書にサインをしていただきます。そのあと別室で、当店専属の医師による切断手術を。ごく簡単に短時間で済む手術で、出血や痛みへの対策も万全です。術後のケアももちろん、当店が責任を持って行ないますのでご安心ください。切り取った指は、お客様のお好みに従って、当店のシェフが腕によりをかけて調理いたします」

自らの指を切断して、それを使った料理を自ら食べる！　――驚きと、肺の中の空気圧が倍にも跳ね上がったような異様な興奮を覚えながら私は、彼女が元どおり手袋を嵌める様子を見つめる。

今さらのようにそこで、四月の下旬に居酒屋で出会ったあの老紳士――咲谷氏のことが思い出された。春だというのに、店の中だというのに、両手に黒い手袋を嵌めていた彼。そして、そう、この店の店員たち。みんな同じように手袋をしている。あれは……。

私はぶるりと頭を振る。ぞわぞわと腕や背中が粟立つ一方で、顔は火照ったように熱かった。

指を失ってしまうことには、当然それなりのデメリットが伴うだろう。だが、今まさに
俺は俺の指を食べているのだ
という生々しい実感——それがいかに恐るべき、不条理に満ちた快楽となるか、なりうるか。想像するともう、居ても立ってもいられない心地になった。畢竟《ひっきょう》この世で最も愛おしい（同時に忌まわしい）存在である自分自身の肉体の一部を喰らい、消化し、養分として取り込む。その行為の、何という馬鹿馬鹿しさ。何という理不尽さ、無意味さ。しかしだからこそ、他では決して得られない何物かがそこにはあるように思えてもくる……。

これ一度きりだけ。

私は強く己に云い聞かせた。

指が一本なくなったところで、研究室の連中には何とでも云ってごまかせる。が、二本三本となるとこれは問題である。

一本だけ。そうだ。一本だけだ。

心の中で何度も繰り返しながら、私は女店主の顔に目を上げた。

「左手の小指をお願いします」

そう申し出てから、可菜の方を見やる。彼女はぎょっとして、何か云いたげに口を開きかけた。私はそれを遮って、

「君はやめておいた方がいいね。美容師の仕事に差し障りがありすぎる。それに、夫婦揃っ

て指が一本ないというのもちょっと滑稽《こっけい》だから」

可菜はほっと息をついた。けれどもその時の彼女の表情には、寂しさと羨望が入り交じったような複雑な色が窺えた。

私はその夜、自分の小指を食べた。皮も肉も爪も骨もすべてを丸ごと、とろとろに煮込んだシチューにしてもらって、皿に付いた汁の一滴まで舐め尽くした。

7

帰りはタクシーに乗った。今にも雪の降りだしそうな寒空の下、クリスマス・イヴの街は大勢の見知らぬ人間たちで賑わっていた。

「痛くない？」

包帯を巻いた私の左手に目をやり、可菜が心配そうに訊く。

「大丈夫」

答えるが、きっと上の空といった声だったに違いない。薄暗い車内で、私はしきりに口の中を舐めまわしながら、先ほどシチューを食べた時の感覚を呼び起こしてはそれに浸っていたのである。

「ねえ、可菜」

隣に坐った妻の肉感的な身体を横目で捉え、私はそこでふと思いついたことをそのまま口に出した。

「そろそろ子供を作ろうか」

何とも云えず嬉しそうな笑みを口許に浮かべて、可菜はこくりと頷いた。

螢ぶくろ

伊集院静

靴音だけで、あの人だとわかる。せわしなく行き過ぎる朝方でも、疲れた靴音が重なる夕暮れ時でも、私には、あの人の足音だけはわかる。

顔なんか見なくても、足音から、どんな人柄なのかがわかる。やさしいとか、思いやりがあるとか、こころ根の良い人だとか、そんなありきたりな言い方ではなく、あの人がどんなふうに生きてきたのかが伝わってくる。

居丈高《いたけだか》なとこなんかは、少しもない。

歩調《リズム》も、ラバーソールのバックスキンの靴で地面をやわらかく歩く足音《トーン》も……、そうして私に近づいて急にゆっくりと通り過ぎて行くあの人の気配の中に、私を見つめてくれている視線を感じる。

——ここ二日ばかり、あの人がこの道を通らない。どうしたのだろうか……、どこか身体でも悪くなさったのではないかしら。

神経質そうに、地面を擦るサンダルの音がした。

——あの婆さんだ。

サンダルが目の前で止まった。今日はまた派手な黄色の靴下を履いている。さあ小言をはじめるよ。

「まったく、懲《こ》りない女だね。こんなところに居座るなって言ったのに。ちょっと、あんた。鬱陶《うっとう》しいからそこにいるなって言ってるでしょう。ねぇ、あんた。ちょっと聞こえてんの？　とっととここから出てお行きったら」

——この婆さんはひとり者に違いない。亭主は先立って、あの世でさぞひと安心をしているんだろう。

「聞いてんの？　図太い女だね。派出所の警官たちは何をしてんだろう。あっ、お嬢ちゃん、その女に近寄っちゃ駄目よ。なんの病気を持ってるか、わかったもんじゃないからね。あんたね、去年の暮れに町内で決めたんだからね。ここは昔っから、町が綺麗《きれい》で通してきたとこなんだから」

——誰かしら、急に立ち止まった人がいる。

「あら、岩本屋さん、今年もよろしく願いますよ。いえね、暮れにはご返金にうかがおうと思ってたんですけど、うちの息子夫婦が急に温泉に連れて行ってくれると言うもんですから、ばたばたとしているうちに、松の内が過ぎちゃいまして。でも鬼怒川温泉っていうところもずいぶんと昔と変わってしまいましたね。はい、よくわかってますよ。来週にはうかがいますから、お孫さんお元気で？　これから逢《あ》いに行かれるところですか。はい、来週の初めにはご返金にあがりますから、ではお気をつけて……。まったくこの女は疫病神だよ」

婆さんはぶつぶつと言いながら、毘沙門《びしゃもん》様の方へ去って行った。

「何をそんなところで見てるの。カヨちゃん。早くこっちに来なさい。気持ちの悪いことしないで、ママ怒りますよ」

「だって、ママ。このおばさん、ずっと動かないんだもの」

「カヨ、早く来なさい」

「はーい、ねぇ、死んでるんじゃない、あのおばさん」

手を叩《たた》いた音がした。母親に腕を無理矢理引かれて行ってるのだろう、ちいさな靴音が不規則に遠ざかる。

クシュン、鼻水がこぼれちゃった。

それにしても昨日から、なんだか冷えてきた。風邪を引いたのかしら……。あの季節外れの台風からおかしくなった気がする。十二月になって、台風がやって来るなんて四十七年も生きてきて初めてだったもの。

鐘の音が聞こえた。

朝方より風が強くなっているのだろう。鐘の音が千切れるように聞こえる。

今夜は寒くなりそうだわ。

――それにしてもあの人はどうしたのかしら。今日もこの時刻までここを通らない……。

固い靴音が近づいて来る。

――あの靴は若い方の警官だ。

「おばちゃん、ココに居てはいけないって言ったでしょう。困るんだよ、ココに座ってられると。さっきも苦情を言ってくる人がいたし。第一、ココだと大通りからの風がまともに吹き抜けて寒いでしょう……。ほら、霙《みぞれ》が降って来デッガラ」

——この警官の声は誰かに似てるわ。

若くて張りがあって、それでいてどこか愛嬌《あいきょう》のあるぼんやりした口調は聞き覚えがあるような気がする。

「おばちゃん、巡回して戻って来るまでには、ココをどいてなきゃ駄目ダガラナ」

——〝なきゃ駄目ダガラナ〟おんなじ言い方だわ、この訛《なま》り。誰だったかしら。


「兼子《かねこ》様、ロブに勝手に餌をあげてはいけないと、お父上に言われてるでしょう。グレートデーンという犬は躾《しつけ》を誤ると、ただの木偶《でく》の坊《ぼう》になってしまうんだから。私が調教をまガされているんですから、ちゃんと守んなガッたら駄目ダガラナッス」

父の田舎の山形・尾花沢から、一年前に屋敷に来た木野内正吾が犬の鎖を回しながら言った。

「だってロブは、私がビスケットをポケットに仕舞い込んでいても、ちゃんとかぎつけて来るんだもの」

正吾は兼子の言葉にため息をつきながら、庭の芝生で蝶に飛びついているグレートデーンにむかって指笛を吹いた。

表玄関の方で、車のクラクションが聞こえた。箱根に遊びに出かけていた父の寛治と後妻の由梨子が帰って来たのだろう。新しい母のあの媚《こ》びたような笑い声と目つきが浮かんだ。

——顔も見たくない。

兼子はそうつぶやいて、縁側の東の軒をなでるように咲いている木瓜《ぼけ》の花を見上げた。淡い赤の花が春風にわずかに揺れて、懐かしいささやきと重なった。

「いいこと兼子さん、木瓜の花を摘もうとしては駄目よ。木瓜の枝の棘《とげ》は一度刺さると、ずっと傷になって残ってしまいますからね」

甘いミルクの匂《にお》いとともによみがえったのは、二年前に亡くなった母の田津子の声であった。

——母さんが死んだのは、あの女のせいだ。

あの女が初めてこの家へやって来た夜、母さんが居間の隅で灯りも点けずに泣いていたのを兼子は忘れない。

庭先から兼子の名前を呼ぶ男の声がした。

龍造さんだ。龍造さんはあの女の息子だというのに、何ひとつあの女に似ているところがない。

兼子が九歳の誕生日を迎えた今年の二月の終りに、龍造さんは丸善から綺麗《きれい》なスケッチブックと画板を買ってきてくれた。

「ありがとう、義兄さま」

兼子が礼を言うと、龍造さんはいきなり頰《ほお》にくちづけをしてくれた。

その時石鹼の匂いが、テニスをする龍造さんの白いユニホーム姿と合わさって、兼子は気が遠くなりそうになった。

ふりむくと龍造はすぐうしろにいた。

「兼子さん、日向《ひなた》ぼこですか」

「はい、今日はとてもいい天気なものですから」

「どうして箱根には来なかったの？」

「風邪を引いていたの」

「そう、それはいけないね、大丈夫なの」

義母の由梨子と旅行に行きたくないのが本当の理由で、風邪など引いてはいないのだけど、龍造に心配そうな顔でじっと見つめられると、兼子は罪なことをしているような気がした。

「箱根はどうだったの、龍造さん」

「僕は最後の夜に、富士屋ホテルへ寄っただけだから、別にどうってことはなかったよ。アメリカの将校ばかり多くて、日本人は皆ちいさくなって遊んでいたよ」

「芦の湖でボートには乗ったの？」

「いや、風がずいぶんと強くて……、あっそうだ。テニス大会で優勝をしたよ」

「本当に？　なら応援に行けばよかった」

居間の方から由梨子の笑い声が聞こえた。

——あの女はどうしてあんな大声でいつも笑うのだろう……。

「母さんがダンスを披露して、可笑《おか》しかったよ」

龍造の言葉に、兼子は眉根《まゆね》にしわを寄せた。

――またあの腰をくねらせるような下品な踊りをしたのだろう。

「あら、兼子さん、風邪のお具合いはどうなの？　良くなったかしら」

派手な水玉のワンピースに赤いつば広の帽子をかぶって義母があらわれた。栃木の田舎町の訛りを隠そうとしているのだろうが、うわべだけの東京弁は語尾がやたらと上ってしまって、陳腐にしか聞こえない。

「どうだ兼子、風邪はいいのか」

父の声に兼子はふりむいた。

お手伝いの妙子の渡すおしぼりを受け取りながら、父が笑って立っていた。

縦縞《たてじま》の大きなストライプのズボンに赤いシャツ。白いハンチング帽子。

――どうしてこんなけばけばしい色を父は身につけるようになったのだろう……。

そう思って、義母の帽子の赤と父のシャツの赤がお揃《そろ》いなのに気づき、兼子はまた木瓜の花の方に目をやった。

〝なきゃ駄目ダガラナ〟は木野内正吾の口癖で、あの警官の声は正吾の声に似ていたのだ。

毘沙門様の方角から数人のハイヒールのまばらな音が耳に届いた。

靴音で若い女たちだということがわかる。若い女たちは急ぎ足で歩く。行き着く場所に、誰かが待っているような、そんな歩き方だ。女たちが通り過ぎたあと鼻をつくように匂う体臭で、彼女たちが目指している場所が、男たちの屯《たむろ》しているところだとわかる。香水でかくしていても、女たちの身体の芯《しん》から発散しているような、どうしようもない匂いが残る。

こうして路上に暮しはじめて、いろんなことがわかるようになった。さして驚くようなことではないのだけど、その日、その時の人間の胸の中にあるものが足音にあらわれて伝わってくる。楽しくて仕方ない人は弾んだような足音に聞こえるし、思い悩んでいる人はとまどっているような足音がする。跳ねる足音、弾む足音、陽気な足音、楽しげな足音、軽やかな足音、浮かれた足音……、しかしそんな足音が目立つのは、ほとんどの人の足音が、迷う足音、悩む足音、とまどう足音、沈む足音、哀《かな》しげな足音……とどこか重い時間を背負っているような足音ばかりだからだ。きっとその人も気づかないうちに胸の中に洩《も》らしたため息のようなものが足音には出てしまうのかもしれない。

私は静かな足音が好きだ。

——あの人の足音が好きだ。

あの人の足音を初めて聞いた時、めったにそんなことをしない私が思わず顔を上げてしまった。

その瞬間、あの人も私を見ていた。

——美しい目をした人だ……。

私はじっとその目を見つめた。口を半開きにして、驚いたような顔をしていた私はさぞ馬鹿げた女に映ったに違いない。

あの人は私を誰かと見まちがえたかのようにしばらく見つめてから、ちいさなまたたきをしてかすかにうなずいた。

うなずいたことの意味など私にはわからないが、たしかに私を見つけてくれたようなやさしいまたたきだった。

通り過ぎたあとに見た少し右肩を下げたような歩き方は、昔結核でも患ったせいかもしれない。それがまたよく似合っている。

趣味の良いグレーのジャンパーに、片手に持った新聞紙の包みからわずかにかすみ草の花と葉をのぞかせて、人混みの中をゆっくりと消えて行った。

私はしばらく頬が赤くなっているのにも気づかず、あの人の消えた交差点を見つめていた。あんな人がこの界隈《かいわい》にいたことを今までちっともしらなかった。すると大きなため息が出て、それから胸の動悸《どうき》が乳房を弾ませるほど高鳴ったのを覚えている。

こんな年頃になって、また胸がときめくとは思ってもいなかった。あの人を待つようになって、私は自分のこれまでの人生にまともな恋愛なんか一度だってなかったことがわかった。

——そう、一度だって恋愛なんかしなかったのだ……。

「どうです、素敵でしょう。叔母が和光で見たててこしらえさせたものです」

瀬戸口正彦は、手の上に乗せた紫の小箱から指輪を取り出して、兼子の胸元に差し出した。赤いルビーが周囲を花びらのようにかこんだ真ん中に花芯《かしん》のようにダイヤモンドがひとつかがやいていた。

「綺麗な指輪ね」

「気に入ってもらえましたか。嬉《うれ》しいな」

瀬戸口は自慢のMGのコンバーチブルのボディーに腰を下ろして、海から吹く風に丁寧に仕上げた髪がくずれるのを気にしながら笑っていた。

「でもこんな高価なものをいただく理由が私にはありませんわ」

「兼子さん、もうそんなふうにつれない言い方をなさるのはやめて下さい。あなたのお父さまにもお母さまにも、ちゃんと交際のお許しを得て、僕たちはこうしてデートをしてるんじゃないですか。兼子さんがF学園を卒業される二年先には、僕たちはウェディングを迎えるのでしょう」

細いライトブルーのズボンにピンクのシャツ、瀬戸口の通う大学のイニシャルの縫い込まれた紺のカーディガンは、〝みゆき族〟と呼ばれる若い男女の典型のようなファッションだった。彼の自慢の愛車のブルーとその服装は、兼子にはつまらない雑誌の中のひとコマのように映った。

「ほら埠頭《ふとう》に外国航路の客船が停まってます。船旅も素敵でしょうね」

瀬戸口が指さす山下埠頭の方角を兼子は見ていなかった。

彼女はじっと磯子の高台を眺めていた。

先週の初めに瀬戸口から電話で誘いがあった。

「来週の日曜日ドライブに行きませんか」

「来週は学園祭の準備が……」

「横浜まで行きましょうよ。新しい車が届いたんです」

デートの申し出に応じたのは、彼に対する好意ではなく、横浜という場所のせいだった。

横浜にはその春結婚をして家を出て行った義兄の龍造がいたからである。

――磯子はあの辺りだろうか……。

一年前、兼子は龍造の婚約者が家に遊びに来た時挨拶《あいさつ》にも出なかった。

庭を龍造と歩く若い女の姿を、二階の窓からカーテン越しに覗《のぞ》いて、気安く龍造の肩を叩いた婚約者に、

――造船会社社長の令嬢と言っていたけど、品のない女だわ……。

と兼子は窓の戸を音がするほど強く閉じた。

日比谷のホテルで龍造が華やかな結婚式を挙げた時、兼子は身体の不調を訴えて当日の朝になって式場に行くことを拒んだ。

半年して、新妻の妊娠の報告に龍造は訪れた。

応接間で照れ笑いをしている龍造と、ふてぶてしい顔になったように思える新妻を見て、兼子は胸がむかつき、洗面所で嘔吐《おうと》した。

——龍造さんがあの女を抱擁したなんて信じられない。

洗面所の鏡に映った兼子の目から涙がとめどもなくこぼれた。

シルクホテルのむかいにある北欧料理のレストランのテーブルに、瀬戸口と兼子はいた。

フォークとナイフを使いながら、兼子は横浜へ来たことを後悔していた。龍造に対する思いばかりが募り、そんな自分がむなしく思えた。

父も義母も瀬戸口との結婚に乗り気だった。父の経営する建設会社は瀬戸口家の経営する銀行に大きな融資を受けようとしていた。

——町銀行からのし上ってきた成金でしょう。あの家柄は……。

F学園の同級生が兼子にそう告げた。

肉を噛《か》む時に粘《ねば》り気《け》のある音を立てる瀬戸口の口元は内臓までが見える気がした。

「兼子さん、あなたはフリーセックスをどう思われますか」

兼子の手元からナイフが落ちて、乾いた音を立てた。

「いえ、勿論僕は純潔主義者ですよ。ただスウェーデンなんかでは、結婚後の性の不一致による離婚を防ぐために同棲期間というか、準備期間を置くそうです」

兼子には瀬戸口が何を言いたいのかわかっていたが、素知らぬふりでナイフを置いて紅茶を注文した。

「やはり反対でしょうね」

瀬戸口は上目遣いに兼子を見た。

「そうでもありませんわ」

兼子は届いた紅茶に目を落として言った。

「そ、そうですか」

「ええ、処女性に男性がこだわるのも可笑《おか》しなことのように思えますし……」

「じゃ兼子さんはフリーセックスを認めてらっしゃるんだ」

「そうではありませんが、セックスに過大な評価を与えるのは盲信的だと思います」

「そうですよね」

兼子は数日前に読んだ雑誌の文章をそのまま口にしただけだったが、彼女自体はすでに処女ではなかった。

性に対する興味は人一倍強かったが、彼女のプライドがその類いの本を開いたり、同級生たちの性の話に参加して積極的に知識を求めようとしなかった。

それでも性衝動はむこうからやって来た。

十九歳の夏、軽井沢でのテニスの合宿を終えて家に戻った日だった。皆外出していたのか家の中は静まりかえっていた。

兼子は二階の自室に上り疲れのせいかベッドでうとうととしていた。

かすかに聞こえる声に、彼女は目覚めた。奇妙な声だった。窓を開けて声のする方角に顔をむけた。

そこは庭の南端にある別棟になった木野内正吾の部屋だった。開け放った窓から彼のベッドが見えた。

全裸の男女が重なり合っていた。

あっ、と思わず身体が硬直した。男は正吾であったが、女は義母の由梨子だった。醜いものを目にしたと顔を伏せようとしたが、耳に入って来る義母の声はなまめかしく、艶《つや》やかであった。

兼子が正吾の部屋へ行ったのは、数日後の夜半だった。

正吾は兼子の姿に驚きながらも、突然の訪問の意味を解したように、彼女の衣服をはぎ取って情交をはじめた。

呆気《あっけ》ないような始まりと終りであった。その夜から兼子は正吾の部屋へ通った。数度続いた深夜の兼子たちの行為が由梨子に発覚した。それでも兼子は正吾との関係を続けた。

「あの女より私の方がいいと言いなさい」

兼子の命令口調に、鈍な肉の塊のような正吾はうなずきながら彼女をむさぼっていた。

その夜、兼子は横浜の古いホテルの一室で瀬戸口に抱かれた。瀬戸口のように小賢しい男とのセックスは卑小であるだけだと思った。

大学を卒業すると同時に、兼子は瀬戸口家へ嫁いで行った。

人は年老いることで足音がこころもとなく、かよわくなっていくのではない。

老人のようにあやうい足音で歩く若者もいる。ジーンズの下のスニーカーがそのまま石畳に沈んでしまいそうな青年の足音もあるし、白いソックスに黒の革靴はあきらかに近所の女子中学校の生徒であるはずなのに、歩くことすら拒絶している老婆のようにくたびれて、もの哀しい足音もある。そんな足音はしばらくすると通りから消えていく。

逆に若者のようにはつらつとした足音の老人もいる。それはどこか無理をした空元気《から》なのかもわからない。

しかしほとんどの人は無理をして歩いているようにも思える。

「おい、ありゃ女の浮浪者じゃないか」

「まさか、違うだろう。あの連中は皆髪なんか切らないからそう見えるのさ」

通り過ぎたばかりのサラリーマン風の靴音の立ち話が聞こえた。

もう何度耳にした会話だろうか。

――女の私がこんなふうにしていてはおかしいのかしら……。

「男には許されて、女には許されないものがあるって言うの」

兼子が語気を強めた時、夫の正彦は唇を震わせて彼女を見返した。

「貴様よくこの俺に恥をかかせたな」

夫がサイドテーブルの上の花瓶を兼子に投げつけた。花瓶は兼子の腰かけたダイニングテーブルの上でこなごなになった。その破片が兼子の額に当って、ひとすじの血が目元にかかりながら頬を伝わった。

「たいした家柄でもないくせに、五年もの間俺を見下したように振舞いやがって。おまえのやったことは犬畜生にも劣ることだ。出て行け。すぐにこの家から出て行け。あの没落した家へとっとと帰れ。いいことを教えておいてやる。おまえが嫌っていたあの義母《おんな》はとっくにおまえのおやじを見捨てているんだ。今はな、成金のホテル王の妾《めかけ》になって牝豚《めすぶた》のように鼻を鳴らしてかしずいているんだ」

夫が逆上したのは、彼の友人である男と兼子が関係を持ったからであった。

その男を見たのは夫の会社の主催するパーティの会場だった。

遠目で見た時、男は龍造に似ていた。じっと目を離さずにいたら、男も視線に気づいて兼子たちのところへ近寄って来た。近くで見ると、龍造とまるで違う顔をしていた。

「こいつは俺の大学の友人で上杉という男だよ。女房の兼子だ、上杉」

「初めまして兼子です」

「初めてじゃありませんよ。結婚式で花嫁姿を拝見している」

「そうだったな。兼子、こいつは名うてのプレーボーイだから、こんなパーティには招待したくなかったんだ。ほら有閑マダムがこっちに歩いて来たぞ」

兼子もよく見知っているある大手銀行の頭取夫人が派手なドレスで三人のいる場所に来た。挨拶は夫と兼子に交わしているのだけど、頭取夫人の関心は上杉だけにむいていた。

その瞬間にこんな年増女に上杉を奪われたくないと思う感情が兼子にわいた。

パーティの間、兼子はずっと上杉を見続けた。人の群れの中で彼だけが浮き上ったように目立って見えた。兼子の視線に上杉はとっくに気づいていて、パーティの最中に誘惑してきた。

旧財閥系のクラブに使われていた会場から二人は中庭に出て、暗がりの桜の下でくちづけた。

セックスに溺《おぼ》れるはずはないと思っていた兼子が上杉とのセックスに没頭した。夫とは比べものにならないほど上杉のセックスは巧みだった。その上情交していて龍造や正吾の気配が重なり合って、大勢の男に一度に犯されているような錯覚をおこさせた。

兼子は平気で家をあけるようになった。

上杉も兼子を連れて、赤坂や六本木の酒場に行った。二人は大胆に人前でダンスを踊り、ホテルへ行って情交を重ねた。

噂《うわさ》はほどなくひろまった。しかし兼子は夫に愛人がいることを知っていたから、お互いの立場がフィフティー、フィフティーと思っていた。夫が自分を責めることなどできないと信じていた。

上杉との関係を夫に暴露したのは、義母の由梨子であった。隠し撮りされた数枚の写真を並べられて、正彦は逆上した。

兼子は自室に戻って荷物を整理しはじめた。何も持ち去るようなものはなかった。彼女は上杉に電話を入れた。

「こっちに来てもらっても迷惑だよ。もう奥さんも僕も充分に楽しんだはずだよ。フィナーレですよ、奥さん。まあしっかり慰謝料をとることですね。奥さんに僕をけしかけたのは瀬戸口なんですから……」

電話機のむこうで女の笑い声がした。

兼子はバスルームに入ってシャワーを浴びた。全裸のまま鏡の前に立つと、傷口がふさがっていたはずの額から血が流れ出し、首すじから胸元をすべり乳房に止まった。彼女はその血をそっと指でぬぐった。

全裸のまま夫のいる寝室へ行った。うしろ手にカミソリを握っていた。

「どうしたんだ。俺に捨てないでくれと頼みに来たのか。そんな豚のような身体に興味はない、とっとと出て行け」

兼子は夫にむかって行った。あおむけになっていた夫が身をひるがえした。カミソリは夫の肩口を切りつけていた。手をはらわれて、カミソリは床に落ちた。血を見た夫は、「貴様、よくもこんなことを」と叫んで、彼女を床にねじ伏せ、両手で首を締め上げた。

鬼のような形相が少しずつ目の前から意識とともに薄れていった。

——殺そうとしている……、殺される。

それだけのことしか頭に浮かんでこなかった。

目覚めたのは病院のベッドで、かたわらには麻布の家にいたお手伝いの妙子が小椅子《こいす》にかけていた。

記憶は空白になっていた。

それがよみがえったのは、病室へ訪ねて来た刑事の質問からだった。

「カミソリを握って寝室に入ったのはあなたなんですね」

カミソリ？　と言われても、そこに記憶がたどり着くまでには、ひどく時間がかかった。

その原因は夫の都合の良い証言にあった。そんな経緯はどうでもよかった。

「もうお帰りになればよろしいのです」

妙子は兼子に言った。

「どうしてらっしゃるの、お父さまは」

「…………」

妙子は無言だった。

退院して戻ってみると、麻布の家はとうに人手に渡って、父の寛治は蒲田のちいさなアパートで寝込んでいた。

兼子が言うことにも反応を示さず、訳のわからないことを口走っては、寝間着のまま外に出て交番に世話になることがしばしばあった。

交番の片隅に寝間着の胸元をはだけたままほうけた目をして椅子に座っている男はすでに兼子の父ではなくなっていた。

「公園で少女をつかまえていたんですよ。通報で駆けつけるとこんな状態でしたから……、もう少し家族の方がしっかり見ておいて下さらないと困ります。あの……」

警官が声を落とした。

「何か？」

「お子さんか、お孫さんを亡くされたのでしょうか？」

「どうしてですか？」

「お父さんはこの交番に補導した時、女性の名前を呼んでらっしゃいましたから」

「何と呼んでましたか」

「たしかユリコと……」

警官のユリコという声に、かたわらにいた父が、

「ユリコ」

と大声を出した。

兼子はそんな父の顔を見て、目を閉じた。

父はそれから半年後に死んだ。葬式の間も、区の共同墓地へ納骨する時も、兼子は涙ひとつ見せなかった。

「なんだまだいたんダか、おばさん。困るんだな。そこをどいてもらわなきゃ駄目ダガラナッス。また交番へ来てもらわなきゃならなグなッガラ……」

若い警官の固そうな靴の先が、これからどちらへ行けばいいのだろうかと何度かむきをかえている。

「あれまあ、雪になっちゃったよ。スんな気がしたんだ。こんな場所だと凍え死んじゃうよ」

先刻から石畳の上をビーズの玉のように転がっては吹き流されていた霙《みぞれ》が、少しずつやわらかな雪にかわっている。

——本当だ、初雪になるわ。

かたわらの紙袋を膝《ひざ》の前に引き寄せた。いきなり足早に走り過ぎようとした男の靴にそれが引っ掛かった。

「バカヤロー、気をつけろババア」

罵声《ばせい》が聞こえた。

「こら君、なんだ注意しないか」

路上に破れた紙袋からこぼれ出した小物が散乱した。

靴下、石鹼箱、ボロ布に数本のヘアーピン、半欠けのヘアーブラシに、もうくすんで細工もわからないブローチ。ゆっくりとひとつひとつを拾おうとしている時、あの人の足音が隅田川の方から聞こえた。

——いけない、こんなとこ見られては。

素早く手でかき集めるようにした。

「大丈夫だよ、何もスないから。手伝ってるだけだよ」

警官の言葉も耳に入らなかった。

近づいてくる。目を閉じたまま、両手で小物を隠した。

その足音が目の前で止まった。

「浜町のビデオセンターに行きたいんですが、どっちになるんでしょうか」

人違いだ。

靴をまじまじと見ると、なるほどあの人と同じ靴のように思える。それにしても歩き方まで似ていた。

「浜町のビデオセンターは、次の交差点を左に折れて、八十メートル行けば広い道に出ますから、そこを隅田川の方へ左折して、……」

「どうもすみません」

——今日はもう逢えないかもしれない。

この警官の言うように、ここはそろそろ引き揚げた方がいいだろう。

起き上ろうとすると、寒さのせいか膝がやけに固くなってしまっている。

——いやだ。まだ若いのに……。

そう思った時に、身体が少し左によろけて、バランスを失いそうになった。

「あっ、大丈夫？」

警官の太い手が脇《わき》を抜けて乳房に当った。

——何をするの。

手を払いのけると、その拍子に紙袋の持ち手が片方外れて、ドサッと地面に底がついた。

——破れちゃったじゃないか。

紐《ひも》でしばりつけて歩き出した。公園へ行くよりは、浜町のビルの間に入った方がいいかも知れない。歩いているうちに、急にあの人のことが気になった。引き揚げる前にあの人が本当に居ないかどうか、あの店を覗いてみよう。

——そうだ、それがいい。

そう思うとなんだか背すじもしゃんとしてきた気がする。

——でも迷惑にならないようにしないと。あの人の店の手前にあるうどん屋の犬はやたらめったら私に吠えるから……。遠回りをしてもいいから、通りのむかいからちらっと店を覗くだけにしよう。

霙はすっかり雪にかわっていた。商店街のアーケードの屋根が切れると、一月の風が雪とともに足元を攫《さら》った。

——今夜は冷えそうだわ……。

そうつぶやくと、

「ようやく暖かくなって、よかったですね」

とあの人が初めて私にかけてくれた言葉が耳の奥に聞こえた。

男らしい、低い声だった。あんなにやさしくて甘い声は、そうあるもんじゃない。

ほんのつかの間だったけど、一度だけ私はあの人とふたりっきりで過ごしたことがあった。ちょうど一年と十ヶ月前。隅田川の土手でぼんやりと川面を眺めていたら、あの靴音が聞こえてきた。高速道路から降りてくる騒音や、船のエンジン音にまぎれてしまいそうな足音だったけど、私にはちゃんと聞き取れた。なんだか胸がどぎまぎしてしまって、膝の上に置いていた手が震えているのがわかった。足音が背後で止まった時、川へ飛び込んでしまいたい気がして、早くどこかへ歩いて行ってくれないかしらと思った。

「うん、いいなあ」

そう聞こえたのだけど、耳がふくらんだようになって、そんな言葉だったかよくはたしかには覚えていない。誰に話しかけているのかしらと、周囲をうかがったら、川岸は私ひとりだけだった。あの人が急に声をかけてくるなんて思いもしなかった。

むこう岸の早咲きの桜が、弥生《やよい》の風に吹かれて紙吹雪を落とすように散っていた。

私はどうしようもないほど緊張してしまい、あの人が私の背中にぽつりと言ってくれた、

「ようやく暖かくなって、よかったですね」

という声に、こくりと首が折れた人形のようにうなずくことしかできなかった。

そうしてあの人の足音が遠ざかるまで、膝の上に置いた手袋の穴からのぞいた指先をじっと見つめていた。もうとっくにあの人はいないはずなのに、私はなかなか顔を上げることができなかった。

なんだか夢のような時間だった。

しばらくは目の前の往き交う船も、むこう岸の桜も、川面を遊ぶように飛ぶ水鳥たちも……皆まぶしく見えて、春がいっぺんに私のそばにやってきた気がした。

その日は一日どこへも行かないで、その土手にずっと腰かけていた。

――お店はやっているのに、やっぱりあの人はいない。

いつもならカウンターの隅の柱に背をもたれて、煙草をふかしながら隅田川を眺めていたりする人なのだけど。

女の人がいる。

――誰かしら？

去年までは若いアルバイト風の男の子だけだったのに……。

お店もどこか淋《さび》しいように見える。女が口に手を当てて笑っている。何が可笑しいのだろうか。ガラス越しに見る人の姿は嫌なものだわ。人が皆口だけをパクパクと開いて、気味が悪い。

三人の子供をはさんで、若い両親が楽し気に食事をしていた。休日の黄昏《たそがれ》、レストランのガラス越しに映る家族の顔は皆しあわせそうな表情をしている。

母親が笑った。つられて父親も笑った。ウェイトレスが蠟燭《ろうそく》のついたケーキを運んで来た。子供が手を叩いている。子供は背伸びして父親の頰にくちづけをした。

その父親は龍造である。

兼子は通りをへだてた舗道に立って、ガラス越しに映る光景を見つめていた。

どうしても龍造に逢いたかった。

父が死んでからしばらくして、兼子は龍造に手紙を書いた。簡単な葉書が返って来た。嬉しかった。その文字を何度も読み返した。

前略　兼子様

どうしているのか僕も心配をしてました。父さんのことは後になって母さんから聞いて驚きました。一度ゆっくり逢って近況など話して聞かせて下さい。僕にできることがあれば遠慮なく言って下さい。

龍造

兼子は龍造の勤める造船会社を訪ねた。

「兼子さん、元気にしてるの？」

「ええ」

「お父さんのこと何もできなくて悪かったね。今はどこに住んでるの……」

そこにいるのは青年時代の龍造だった。

「私、おばあさんになったでしょう」

「そんなことはないさ。何歳になったのかな、兼子さんは」

「兼子さんなんてやめて、兼子でいいわ。もう三十歳になりそうなんだもの」

その夜、兼子は龍造と銀座で食事をして、ちいさなバーで酒を飲んだ。

「恋人みたいね、私たち」

兼子の言葉に龍造がグラスを持ったまま彼女を見返した。

週に一度、龍造に逢うことだけが、兼子の生活のすべてになっていた。身体の関係がはじまったのも、ごく自然な成り行きだった。

「君とこうなることを、昔想像したことがあったよ」

龍造は昔のままの目をして言った。

兼子は龍造を自分のものにしたかった。

ラブホテルをいつも先にひとりで出て行く龍造のうしろ姿を見ながら、兼子は彼の帰って行く場所を憎んだ。

——あの家庭をこわしてしまえばいいんだ。

彼女はそう考えるようになった。

「ねぇ、どこか旅行に行きたいわね」

「うん」

「ほら昔みたいに、箱根へ行きましょうよ」

「う、うん……」

龍造が口をにごす理由も、兼子にはあの女と子供たちのせいだとしか考えられなかった。

兼子は龍造が留守の間に、彼の妻に無言電話をかけはじめた。一日に何十回とダイヤルを回した。罪悪感は少しも感じなかった。龍造と自分以外の女が暮していることがおかしいことだと思い込みはじめていた。

ある夜、セックスの後で龍造が言った。

「君、まさかと思うが僕の家にいたずら電話なんかしてないよね」

洋服を着る音を背中で聞きながら、

「私があなたの家に電話を？　どうして」

「いや、いいんだ。君であるはずがない。近頃妻がノイローゼ気味で困ってるんだ。なんだか君とのことも勘づいているみたいで」

「つまらない女の人ね」

「いや、あれでいいとこもあるんだ」

「どこが？」

「どこって、暮してみると見えるものもあるんだよ」

龍造の言葉に兼子は憮然《ぶぜん》とした。

兼子は龍造の家を観察するようになった。それも決まって、龍造と逢った週末に彼等を覗き見するように観察した。やがて龍造が家にいる時にも無言電話をかけるようになった。龍造が逢うことを拒みはじめた。

「もう逢うのはよそう」

龍造の口からそう言われた時、兼子は黙ってホテルの小窓からネオンの灯りを見ていた。

「どうして逢えないの」

「君が怖いんだよ」

「私が？　どうして。ずっと一緒にいるって言ったじゃないの。あなたと別れるくらいなら死んだ方がましよ」

「冗談を言うなよ」

「冗談じゃないわ。ここで死んで見せるわ」

「もういい、わかったよ」

「わかってなんかいないわ、龍造さんは。あんな女と暮しては駄目よ」

「僕の妻をあんな女呼ばわりするのはよしてくれ」

兼子が龍造と逢っていたホテルで睡眠薬を飲んだのは、数日後のことだった。彼女は自分がそうすることを龍造に電話で伝えた。

兼子が死ねなかったのは、木野内正吾のせいだった。自分の身に災いがふりかかることをおそれて、龍造は正吾に助けを求めた。

ビルとビルの間には、人間がひとり入れるすき間がある。そこはたいがい両方のビルの物置場になっている。

水道のホース、シャッターの引き棒、箒《ほうき》、塵取《ちりと》り、……、自転車がしまってあるところもある。そんなすき間にも表から闖入者《ちんにゆうしや》が入れないように木戸が設けてある。しかしその木戸はどこも簡単に開く場合が多い。

——今夜はここにしよう。

手にしたダンボールの紙を敷いた。そうして紙袋から新聞紙を出すと、胸の中、背中、腰に丁寧に詰めた。タオルを首に巻いた。

——もう何度目の冬になるだろう。

初めの三年くらいまでは覚えていたけれど、いつからかそんな面倒なことを考えることも億劫《おつくう》になってしまった。

この場所は去年も何度か眠ったところだから、少々の雪だって安心ができる。

——凍死。

別に死ぬことなんか怖くはありはしない。そんなに簡単に人間は死んでしまうものじゃない。

閉じた木戸の下方の板が欠けている。そこから通りを歩く人の靴が見える。奇妙なもので朝の足音と昼の足音、夕暮れの足音と真夜中の足音は違う。夜明けの足音はふたつある。たっぷり眠って起き出した足音と、寝座《ねぐら》に戻ろうとしている足音。ふたつの足音は響きが違う。眠っていた人の足音が力強いのは、あれはたぶん夢をたっぷり吸い込んだせいじゃないかしら。寝座にむかう人の足音がかぼそいのは、夢を皆吐き出してしまったせいのような気がする。でもどっちの足音も聞いていて、危なっかしい。それに比べて真昼の足音は安心できる。なんなのかしらね。たぶん半分重いものが取れて、ちょうどいい感じなのかしら。夕暮れの足音が、この暮しをはじめた時、一番嫌だった。どこか他人を置いてけぼりにしてしまうような残酷さがあった。

自転車のブレーキの音がした。

突然、木戸が開いた。懐中電灯が光った。年寄りの方の警官だ。

「やっぱり、ここにいたか。ばあさん。ここはいちゃいかんぞ。不法侵入だぞ」

――おや、新品の靴になってる。もう定年かと思ったのに……。

「ばあさん、出て来なさい。通報があったんだ」

――そんなふうに電灯をこっちにむけないで欲しいね。

「今夜はずっと雪だぞ。そこじゃ死んでしまうぞ」

――おおきなお世話だよ。

「派出所に来るか」

――誰があんなところに……。

「さあ行った行った。公園の方にでも行ったらどうだ」

――そうするしかないようだね。

通りを歩いて行くと、遠くであの人の店の灯りが見えた。

――おや、今夜はずいぶんと遅くまでやってるね。もう一度のぞいてみようかしら……。よそう、いるはずないもの。

公園に行くと、先客がいた。

――嫌だ、あいつだ。あの男は癖が悪いから。

以前、あの男にもう少しで襲われそうになった。あんなふうに寝入っているふりをしてるけど、あれで神経はちゃんと起きてるんだから。犬みたいに鼻のきく男だからね。

――毘沙門様へ行こうかしら。

通りを渡ろうとすると、黄色の信号なのにトラックが一台猛スピードで交差点に入って来た。

トラックはあわててブレーキをかけながら方向を変えた。

足がすくんだ。目の前を車が行き過ぎて、風圧が頬を叩いた。

トラックは雪にタイヤをとられたのか、鈍い音を立ててガードレールにぶつかった。

――ああ、驚いた。

トラックのドアが開いて、運転手が降りて来た。じっとこっちを見ている。

――いけない。

あわてて路地に入った。狭い路地の突き当りにぽつんと街路灯が点っていた。

――おやっ、こんなところにいつの間に街路灯ができたんだろう。

去年はなかったような気がする。ぼんやりと見つめていると、街路灯の光の中に雪があざやかに舞い降りているのが遠目にわかった。

――綺麗だわ。

近寄ると、街路灯はまだ真新しく、長方形の光の帯を路地に降り注いでいた。なにやらその光の中だけが、雪も風も暖かく思えた。

街路灯の光が軒下から吊された鍼《はり》・灸《きゅう》の看板に当り、その軒下の盆栽に降る雪を浮かび上らせていた。

首に巻いたタオルの間から雪が入ってきて、首すじがひんやりした。震えが来た。

――おお、寒いこと。

毘沙門様まで歩いて、境内を抜けて御堂の裏手に入った。

犬避《いぬよ》けの柵《さく》が邪魔になって、奥までは行けない。雪が肩口に吹き寄せる。少しずつ身体をよじって、おさまりのよい恰好《かっこう》をこしらえた。

――こんなところだろう。

それにしても寒さがこたえるようになった気がする。

「寒くない、寒くないと思うから、逆に寒さが気になるんだぞ。寒い、寒いって思ってしまうほうがしのぎ易い。生きなきゃ生きなきゃと思うから、死んでしまう。生きてる生きてると、なんでもないようにしてたほうがいい」

コゾと自分のことを呼んでいた老人の口癖を思い出した。こそ泥と呼んでた連中もいたし、小僧爺さんと呼んでいた人もいた。

こんな暮しをはじめてから唯一口をきいた男だった。年齢はわからなかったが、私にはよくしてくれた。残飯の出る場所も、安心できる寝座も教えてくれた。

――品がある。

と私はコゾを初めて見た時に思った。こうして暮しはじめると、男同士の醜い争いがしばしば起こる。それも卑怯《ひきょう》な制裁だったりすることが多い。眠っているところを殴りつけたりする。その争いの原因はほとんどが縄張りのことだ。

コゾはそんな時、びっくりするほど大声で諍《いさか》う者を叱《しか》りつけた。コゾの言うことを聞く者はほとんどいなかったが、それでも彼の声の大きさで、争いがいっときおさまることがあった。

こんな暮しの者同士が仲良くなることはあり得ない。ほんの少しの間仲睦《なかむつ》まじく見える時があるが、すぐに赤の他人のようになる。いっときでも寝座を同じにしていた者ほど、冷たい関係になる。

元々他人の情を求めて、こうして暮しはじめたのではないからだろう。

コゾが死んだのは、去年の春である。

〝春の雪が一番危ない〟と言っていたコゾが春の大雪にやられた。

「コゾが堤の下で死んでるぞ」

と誰かが言った時、私はそれを見に行かなかった。死体になったコゾは、もう生きていた時のコゾとはまるで違うものだと思ったからだ。

「生きてる生きてる」

と言っていたコゾが、それを口にできなくなったら、それはコゾとは違うものだ。

他人のことなんかどうでもよかったのだけど、コゾは妙に気になった。

「おまえな、男も女も恋をせにゃだめだ」

ちょうどあの人を見初《みそ》めた頃だったから、コゾのその言葉は胸の中に真っ直ぐに入って来た。

アル中だったから、話が少しくどくなることがあったが、それでも時々ふぅーんと思えるようなことを言う男だった。

「人は自分が捨て切れないんだ。下から他人を見てりゃよくわかる。他人を見ると自分が映るもんだ」

——嫌だ。なんで急にコゾを思い出したんだろう。

雪を見てるうちに、コゾの死んだことが今夜の私と重なったのだろうか。

——死んでしまうのかしら、私も今夜？　死ぬことは怖くはないけど……。別にすんで死ぬことはないもの。

「死《ス》んでやる」

そう言えば木野内正吾は酔っ払うと、決まってそう口走っていた。

「死んでやる」

正吾は酒が入ると、何度もその言葉をくり返した。

「どいつもこいつも俺を馬鹿《バカ》にして、兼子、貴様が一番俺を馬鹿にしてるんだ」

彼は酔っ払うと暴力をふるった。兼子の髪を摑《つか》んで、狭いアパートの中を引きずり回すのはまだましな方で、庖丁《ほうちょう》で兼子の髪を切ったこともあった。

散切《ざんぎ》り頭になった兼子は、それでも正吾の元から去ろうとしなかった。どこへ行っても自分の人生はさして変わらない気がした。まだ酒に酔っていない時の正吾と二人でいる方がいいと思った。

最初の一年、正吾は兼子につくした。

兼子も正吾が自分につくすのは半分当り前のように思っていた。

「あんたが私を、こんなふうにしたんだから」

兼子は働いて帰って来た正吾にそう毒づいた。

どんな仕事をしても上手《うま》くいかない男だった。人前でホラを吹くところが正吾にはあった。そのホラに愛嬌があればいいが、彼のホラは見栄《みえ》ばかりが目立って、周りの人間を不愉快にさせるようだった。

家の中で兼子に服従させられていることが余計に彼をそうさせたのかもしれない。

「あんたとは家柄が違うんだから」

兼子に言われると、正吾は黙った。

サラ金の取り立てが家に来るようになったのは、兼子が棲《す》みついて一年経った頃だった。

毎晩のように男たちはアパートに来て、水屋《みずや》をひっくり返して正吾を待っていた。引っ越しをくり返すことが多くなった。そんな男を見切ってしまえばいいのだが、兼子にとって正吾はただひとり優越感を味わえる男であったから、離れがたかった。それに正吾自身も兼子に見捨てられることをおそれているようなところがあった。

「抱かして下さいと言いなさい」

もう半分はアル中になって、性的能力のなくなっていた正吾を兼子はいたぶるようにして、身体を重ねた。

そんな時の正吾は、三十年前の書生に入っていた時と同じ顔をした。他人から見れば悲惨に映る日々の中で、兼子と正吾の関係だけが守られていた。

ある夜、二人の立場が逆転した。

その夜正吾は外で取り立ての男から袋叩きにされて帰って来た。

「死《ス》んでやる」

そう叫んだかと思うと、兼子を殴りはじめた。容赦のない力だった。

「やってみなさい。どこまでやれるか」

兼子の言葉に正吾はさらに狂暴になった。

その夜から正吾は兼子をいたぶることに夢中になった。顔のかたちが変わるほど殴りつけ、衣服を引き裂いて、髪を鷲掴《わしづか》みにして流しの水の中におさえつけた。

「殺スてやる」

「殺してみなさい」

殴打の音や会話を聞いた近所の人には、二人は異様な男と女にしか見えなかった。

不思議なもので、いつの間にか他人の軽蔑《けいべつ》したような目が気にならなくなった。身なりも同じものでかまわなくなったし、こまかいことはどうでもいいように思えてきた。

たまに取り立ての男がアパートを見つけて来て、

「旦那《だんな》に保険金をかけないかね」

ともちかけたりした。

それを正吾に話すと、彼は逆上して庖丁を持ち出して、兼子の身体を切りつけた。致命傷は負わせないものの、二人とも血を見ることなど平気になった。

正吾が兼子の首を締めはじめた。兼子は恐怖を感じた。瀬戸口正彦にそうされたことがその度によみがえった。

一時的に意識を失うことが多くなった。意識が遠ざかる寸前に見る正吾の顔が妙に可愛く思えた。どこか今にも泣き出しそうな赤児に似ていて、いじらしくて抱き寄せたくなることがあった。

窓辺の柱に肩をあずけて外を眺めている正吾を、兼子はぼんやりと見上げていた。夕陽に包まれたような赤い背中だった。先刻まで首を締められていた記憶がよみがえった。正吾は身体をくの字にして外を見ていた。じっと動かなかった。窓の鴨居《かもい》から寝間着の紐が正吾の首元につながっていた。縊死《いし》であった。

それから一年くらい、いろんな街へ行ったのだけど、どこでどう暮していたのかは兼子の記憶の中には、はっきりしたものは残っていない。

気がついた時は、目の前をいろんな靴が通り過ぎるようになっていた。

「死んでるのかね」

「いや、手足はかなり冷たくなってるけど、胸はまだぬくもりがありますよ」

「救急車を呼んだ方がいいんだろうね」

「今呼びにやりましたよ」

「派出所へ知らせに行って来ようか」

「それもたぶん、うちの子が行ってると思いますよ」

「それにしても、またよくここにいるのを見つけたもんだね」

「いや、ちょうど店が終って、ここに寄ったら出くわしたもんですから」

「うまいこと寄ったもんだね」

「ええ、ちょっと願掛けをしてるもんですから……」

——どこかで聞いたような声だわ……。

兼子は、遠くからかすかに聞こえてくる男の声を聞いた。

「修ちゃんが願掛けをかい」

「ええ、ちょっと……」

——修ちゃんて人なんだ、この声の主は、やさしそうな声……。

境内の石畳を駆けて来る足音がした。

——あれは若い男の子の長靴の音だわ。

兼子はそこまで聞き取ってから、また夢の中に戻っていった。


初夏の野辺の小径《こみち》だった。

兼子は手を引かれて、その小径を歩いていた。やや勾配《こうばい》のある径の遥《はる》か前方にきらきらとかがやく群青の水面が見える。

芦の湖じゃないかしら……。

背後の山のかたちを見るとそんな気がする。

「お嬢さま、気をつけて下さいませ。水たまりがございますから」

声に顔を上げると、お手伝いの妙子である。兼子は片手に花籠《はなかご》を持っていた。箱根に花摘みに来ているに違いない。

「妙、見つけましたよ」

径の脇から声がした。澄んだ声だ。

兼子は声のする方角を見回した。

「妙、兼子さん、こっちよ」

見ると着物姿の女性が径にしゃがんで、兼子の方を笑って手招いている。

母の田津子である。

兼子は母の名前を呼びながら駆け寄った。

「あっ、いけません。転んでしまいますよ」

母の声も気にせず兼子は夢中で走って行く。

「ほら、花籠の花があんなに落ちて」

ふりむくと、径に兼子の足跡のように花がこぼれていた。

「兼子さん、ごらんなさい。つりがね草よ。紅色のつりがね草はいいことがある兆《きざ》しだって……」

「あら、ほんとでございますね」

妙子が言った。母は白い指先で、径のかたわらに咲いた小指ほどの帽子のような花を撫《な》でている。

「これがつりがね草なの？」

「そう、釣鐘みたいに下をむいてるでしょう」

「ほたるぶくろとも言うんですよ」

妙子が母の隣に腰をかがめながら言った。

「ほたるぶくろ？　夏のあの螢のこと」

兼子が小首をかしげて聞いた。

「そう、この中に螢が入ると、ぼんぼりみたいで似合うでしょう」

「この花の中に螢が住んでるの？」

「さあ、どうかしらね」

母が微笑みながら、そのちいさな薄紅色の花にそっと息を吹きかけた。花が揺れた。

「本当に螢が住んでるの？」

「どうでございましょうか」

妙子が笑って兼子を見た。

兼子は花先を五つに分けた花びらを見つめながら、麻布の家に前年の夏、誰かが持って来てくれた螢の光を思い出した。その光と目の前の花が重なった。何かとても秘密めいて妖《あや》しいものを三人だけで見つめているように思った。

――螢はこの花の中で眠るのに違いない。私もこの花の中で眠りたい。

兼子はこの夢をもう何度も見た。自分が甘い花の香りの中でうたた寝している夢だった。

彼女の一生で、つりがね草を見つけたあの初夏の箱根の小径での出来事だけが、ささやかで、いとおしい記憶のようにも思う。

長靴の音が近づくと、追い駆けるように固い靴音とジャラジャラと何かを鳴らして走る足音がした。

「いや、どうもご苦労さんです」

――あの警官だ。

兼子の頭の中に白髪の警官の顔が浮かんだ。

――私はどうしてしまったのかしら。

「かなり冷たくなってるな」

警官が兼子の手足に触れているのだろうが、まったくさわられた感覚がない。

「まだ胸は温かい。すぐに救急車が来ますから大丈夫でしょう。いや、しかしよく見つけてもらえて、この人も運がいいや」

「ちょうどここに立ち寄ったものですから」

――この声はひょっとして……。

兼子は急に息を止めた。

「願かけで、人助けなんて、マスターも相変わらずやさしいね」

――マスター……、やはり間違いない。あの人に違いない。起きなくちゃ。

しかし兼子の意思とは別に、身体が重くてどうしようもない。

「さて、救急車の来るところまで運ばなくちゃいかんな」

「戸板でも探してきましょうか」

「死人じゃないんですから、戸板は可哀相でしょう」

「どうしたもんかな」

「山下君、救急車はどこに来るの？」

「二丁目の路地の前って言いました」

「ここまで救急隊員が来て運んでくれるでしょう」

「早く病院へ運んだ方がいいでしょう。山下君、これを頼むよ」

——やっぱりいい人だ。こんなに近くで声を聞けるなんて、いい夜だわ。

兼子は目を開けようとした。すると急に身体が浮き上ったように感じた。

「大丈夫ですか？」

「平気ですよ」

「よっ、色男、力持ち」

「からかわないで下さいよ」

「転ばないで下さいよ。マスター」

——私、ひょっとしてあの人に抱かれてるのかしら。

兼子の胸に妙な痛みが走った。あの人の腕の中に私は抱かれてる……、そう思った途端に胸がつまるような気がしてきた。

——どうしたらいいのだろう。

それでも身体が、あの人が一歩進むたびに腕の中に埋もれてしまいそうになる。

「よく降るよね」

「本当ですね。一月の雪はひさしぶりですものね」

「しかしマスターも親切だね」

「いや、ちょっとこの人似てるんですよ」

「この女がかい？」

「ええ」

「誰にだい？　昔の彼女にかい」

「おふくろですよ。田舎の私のおふくろに似てるんです」

「本当かい？」

「ええ、ちょっと今おふくろの加減が悪くて、寝込んでるんですよ」

——私が、この人のお母さんに似てる？　本当かしら……、なら嬉しいわ。ああ、それでこの人初めて逢った時、私をじっと見ていたんだわ。

「まだ来てませんね」

「山下君、ここはなんだから、私は按摩屋《あんまや》の軒にいるよ」

「本官が替りましょうか」

「いいえ、平気です」

会話が途絶えると、まぶたの外側がぼんやりと明るくなった。

——きっとあの街路灯の下にいるんだわ。私とあの人が、二人だけで……。

兼子は今目を開ければ、あの美しい目が間近に見えるような予感がした。でもそうすると、このしあわせが逃げ出してしまいそうに思えた。

自分の身体がどうなっているのかはわからないけど、耳元にふれるかすかなぬくもりはあの人の吐息のように思えるし、閉じたまぶたのむこうに揺れているのは、真新しい光とあの人の横顔のように思う。

何かに包まれたようなこの感覚は、今しがた見た夢と似ている気がする。

——何かに似ている。何だろう?

よくはわからないが、微笑んでしまいそうなやわらかな感触だ。誰かが私にやさしい吐息をかけてくれている。花びらの中で眠っているみたい。しばらく目を閉じたままこうして抱かれていよう。

遠くから、サイレンの音が聞こえた。

兼子は風の中に近づく音に耳を塞《ふさ》ぐようにして、やわらかい胸の中に頬をうずめた。

岩

北方謙三

1

防潮堤の真下が、雨をしのぐのには恰好《かっこう》の場所だった。

私は砂が乾《かわ》いたところを選んで、ぶらさげていたバッグを放り出し、腰を降ろした。それほど激しい雨ではないが、海面は煙《けむ》ったように見える。

砂に突き刺さるような雨滴《うてき》が靴《くつ》のそばにいくつか落ちてきたが、服は濡《ぬ》れなかった。防潮堤のコンクリートに寄りかかり、膝《ひざ》を立てて引き寄せ、私は煙草《たばこ》に火をつけた。

街へは、午後三時四十分の列車で着いた。駅から海岸まで、歩いて十分という程度だろうか。商店街の下り坂になっていて、その坂の底に海が見えるという感じだった。雨は商店街の途中で降りはじめ、すぐに雨脚《あまあし》が強くなったのだった。

すでに台風のシーズンで、浜辺に海水浴客の姿などなかった。黒々と見える藻《も》や、板きれなどが打ちあげられている浜があるだけだ。いくらか荒れ気味の海だろうが、雨のせいかそれほど激しい波とも感じられなかった。

私はくわえ煙草のまま、眼を閉じた。そうしていると、雨の音と波の音がはっきりと聞き分けられる。雨が、やみかかってはまた強く降り出すのもわかる。しばらくそうしていた。唇《くちびる》が熱い。くわえたままの煙草が、短くなってきたようだ。両切りのピースだから、フィルターのところで火が消えるということはない。私は、煙草を息で吹き飛ばした。

もうしばらく待っても雨がやまなければ、商店街の方に引き返そうと、私は考えはじめていた。のんびりした姿勢を一応はとってみるが、十五分とじっとしていられない。気が短い自分の性格は、知り尽していた。

それでも、もう一本煙草を喫《す》おうと思うぐらいの、心の余裕はあった。

眼を閉じて煙《けむり》を吐《は》く。それが、あまり煙草をうまくしないことはわかっていた。見えない煙というやつは、暗闇《くらやみ》の食事と同じだ。

いまは、波の音と雨の音の方が大事だ。それに風の音が混じれば、もっといい。眼を閉じ続けていた。混じってきたのは、別の音だった。

砂を踏む音。雨の音は小さくなってはいない。

私は眼を開けた。

ちょうど私の四メートルほど前を、青年が歩いていくところだった。Tシャツは濡れて張りつき、肌の色が透けたようになっている。ジーンズも濡れて、濃いブルーに見えた。表情はよくわからない。

歩きながら、青年はTシャツを脱ぎ捨てた。靴も脱いだようだ。上半身裸のジーンズ姿のまま、青年は海に入っていった。しばらく海の中を歩き、腰のあたりまでの深みに達すると、躰《からだ》を投げ出して泳ぎはじめた。

物好きなことをする、という気持のまま、私は煙を吐き続けていた。

三、四百メートルほどさきに、小さな岩礁《がんしょう》が見える。目指しているのはそこらしかった。我武者羅《がむしゃら》な感じはあるが、泳ぎは達者そうだった。沖に溺者《できしゃ》がいて救助にむかっている、と見えなくもない。

私が目測して感じているより、岩礁は遠いようだった。半分も進んでいないうちに、青年の頭はひどく小さくしか見えなくなった。波というより、うねりに隠されて、その頭もしばしば見えなくなる。

防潮堤から、人が飛び降りてくる気配《けはい》があった。赤いポロシャツを着た青年だった。閉じているが片手に傘《かさ》を持っていて、それほど濡れてもいない。その青年は私の姿に気づいたが、眼が合うと顔をそむけ、もう私の方を見ようとはしなかった。

赤いポロシャツを脱ぎ、雨が当たらないように防潮堤の下に丁寧《ていねい》に置くと、ズボンも脱いだ。濡れたブルージーンのような色の、水泳パンツを穿《は》いている。

波打際まで歩く間に、青年は二、三度体操をするような素ぶりを見せた。それから海へ入っていく。別に慌《あわ》てているようには見えなかった。陽《ひ》ざしが強ければ、季節遅れの海水浴と見えなくもない。もうちょっと波の荒い海岸なら、サーファーと言ってもいい。

ジーンズを穿いたまま泳いでいる青年と同じように、やはり沖の岩礁を目指しているようだった。ただ、追いかけているようには見えない。水泳パンツの方が、ずっと穏やかな泳ぎ方をしていた。

私は、三本目の煙草に火をつけた。

泳ぎが不得手《ふえて》というわけではないが、夏の盛りであっても、私はあの岩礁まで泳ごうと思いそうではなかった。あそこまで泳げば、さらに沖まで泳ぎたくなる。そして、決して戻ることができないところまで、泳いでしまう。

三本目の煙草を喫い終えても、二人はまだ泳いでいた。二人の間の距離が縮まったのかどうか、私のいるところから見きわめることはできない。

どちらかが岩礁に到達するのを、待つような気分になった。

雨の中で、なんとか小さな人影が見てとれた。岩礁を這《は》い登っている。ジーンズを穿いた方だった。歩いて登れそうな岩礁に見えるが、そばへ行けば意外にてこずるのかもしれない。青年の動きに、泳いでいた時のような我武者羅なものはなかった。

水泳パンツの方が、岩礁に到達するのを、私は待った。岩礁の周《まわ》りの海面は、白く泡立っているようだ。波が寄せては引き、岩礁にとりつくのさえ危険なのかもしれない。

四本目の煙草に、私は火をつけた。水泳パンツの方の姿を見失った。眼をこらして海面を舐《な》めるように眺《なが》め、ようやく波間に小さな頭を見つけた。進んでいるようには見えなかった。といって、溺《おぼ》れかかっている切迫さもない。

煙草を喫い終え、かなりの時間が経《た》っても、水泳パンツの方は岩礁に到着しなかった。どれほどの時間、泳ぎ続けているのだろうか。私は、ほんの小さく見えていた頭が、少しずつ大きくなってくるのに気づいた。岩礁まで行かず、途中で引き返しはじめたようだ。ジーンズを穿いた方は、岩礁に腰を降ろしてそれを眺めている。

どちらに賭《か》けたというわけでもないのに、馬券がはずれたような気分に私は襲われた。風はあまりないが、雲の動きが激しい。西の端の空は明るくなりはじめ、雨は小降りになっていた。

打ちあげられた藻の臭《にお》いが漂ってくる。いままで、雨が臭いを消していたのか。それとも、気づかなかったのか。海水浴の季節を過ぎた浜は、湿って、傷だらけで、死んだ巨大な動物の腸《はらわた》さながらの腐臭《ふしゅう》を放《はな》っているようにさえ思えた。

水泳パンツの青年が、波の中に立った。膝で海水を蹴《け》りながら、波打際にあがってくる。それを確かめたように、岩礁にいた青年も海に飛びこんだ。

浜にあがってきた青年の肩は、激しく上下していた。私と眼を合わせようとはしない。そのまま赤いポロシャツを着こみ、ズボンを穿いた。濡れないように置いたのが、まったく無《む》駄《だ》になったようだ。シャツにもズボンにも、点々と海水のしみが出てきた。

傘を持ってから、青年は空を見あげ、雨があがっていることにはじめて気づいたようだった。濡れた髪を、何度か掌《てのひら》で撫《な》でつけた。滴《したた》った水滴が、またシャツに濃いしみを作った。

青年は、盗むような感じで私を一度見ると、そのまま歩きはじめた。肩は、まだ上下している。私は、青年の後ろ姿を眺めていた。藻に足をからませたのか、一度転びそうになり、上体を立て直すと、またゆっくりと歩きはじめた。自分に舌打ちをしている。ことさらゆっくりした青年の歩調を見ながら、私はそう思った。

ジーンズの青年が戻ってきた。夏の間によく灼《や》いたのか、肌は褐色《かっしょく》だった。大胸筋がぐっと張り出している。私も、二十代のはじめのころは、そんな筋肉をしていた。

「よほど、泳ぎが好きらしいな」

雨で濡れたTシャツを搾《しぼ》りはじめた青年に、私はそう声をかけた。青年は、波打際近くまで戻ってきた時に、私の姿には気づいていた。

「いつから、見てたんだよ？」

「君が、俺《おれ》の前を通りすぎた時からさ」

「ずっとそこにいたってのか。じゃ、勝負を見てたわけだ」

岩礁まで行けるかどうか。そういう勝負をしたのだろうか。どちらが先に着けるかという勝負ではなかった。

「六戦六勝。軽いもんだね。四月からはじめた勝負だけどよ」

「金でも賭けてるのか？」

「もっといいもんさ」

「相手も、岩礁に泳ぎ着いてきたら？」

「それからまた沖へ泳ぐんだ。沖にゃもう岩礁もねえしさ。どこまでも沖へ泳ぐ。だけど、岩礁から百メートルも泳がねえうちに、みんな引き返すよ。先になんにもねえってのは、怕《こわ》いもんだからよ。引き返したら負けさ」

「君は、怕くないのか？」

「死ぬのは、怕くねえ。怕くて、こんな勝負がやれるかよ」

青年はまだ息を弾《はず》ませていたが、表情は明るかった。光が強くなったせいかもしれない。雲が割れ、陽が射《さ》しはじめている。

「いつも、荒れた海でやるのか？」

「いや。前の晩に勝負の約束をする。翌日の天気がどうだかわからねえ。あいつはましな方さ。荒れてても逃げなかったからよ」

「死ぬのは、怕いだろう？」

「怕くねえな」

「そんな人間が、いるのかな」

「ここに、ひとりだけな」

青年が笑い、搾って皺《しわ》だらけになったTシャツを着こんだ。

「あんな岩に、大事なものを賭けるのか？」

「なにを賭けてるかも、知らねえくせに。それに、あんな岩だからいいんだ。あんな岩だから、誰《だれ》だって勝負してみようかと思う。海のそばの街じゃ、泳げねえやつはいねえし」

「ジーパンじゃ、かなりハンディがあるだろう？」

「下に、水泳パンツ穿いてんのさ。岩礁からさらに沖へ泳ぐ時は、ジーパンを脱ぐ。はじめから水泳パンツ穿いてたやつは、それで焦《あせ》るしな」

「ただの命知らずってだけじゃなく、いろいろ計算もしているわけだ」

私が言うと、青年は鼻で笑った。

「煙草、一本くれねえか？」

私はピースを出してやった。くわえ、火をつけ、鼻から煙を吐きながら、青年がにやりと笑う。

「おかしいのか？」

「あんたじゃねえ。野郎さ。でかい口利《き》きながら、岩礁までも来れやしねえ。あれじゃ、女は惚《ほ》れやしねえやな」

「女を、賭けてるのか？」

「女が、この勝負をやらせたがるんだ。三度目ぐらいから、熱中しはじめたね。といって、見物に来るわけじゃねえんだが」

私は、青年の顔をじっと見つめた。どこにでもいそうな、ちょっと逞《たくま》しいサーファーといったところだ。眼に、それほど真剣な光はない。泳ぎには、充分自信を持っているのだろう。

「なんだよ？」

「別に。また会いそうだ」

「どういうことだよ？」

「いま、なんとなくそんな気がしただけさ」

私は腰をあげ、ズボンの砂を掌で払った。

バッグをぶらさげ、もう一度青年の顔を見ると、砂の上を歩きはじめた。やはり、藻が強い臭いを放っている。腐臭としか、私には思えなかった。

2

一泊二食付きの、小さなペンションに泊《とま》った。季節はずれのせいか、若い三人の女の子のグループがいるだけだ。それでも、食堂は充分に賑《にぎや》かだった。

私がペンションを出たのは、十時過ぎだった。街のはずれにあり、人気《ひとけ》のない通りを二十分ほど歩いた。

ようやく、明るい場所へ出た。酒場の看板が並んだ通りだ。屋台も三、四軒あった。人の姿はそれほど多くないが、東京から列車で三時間も離れた地方都市なら、こんなものだろう。

私は、目的の店をすぐに見つけ、扉を押した。カウベルの音がする。

「また、会ったな」

カウンターに腰を降ろし、私は赤いベストを着こんだ青年に言った。

「俺がここのバーテンだって、あんた最初から知ってたのかよ」

「いや、はじめての街だし。話しながら、また会うとなんとなく思っただけだよ。そういうカンは、はずれたことがなくてね」

客はカウンターにもうひとり。ボックス席に二組の五人。女の子は二人だ。

「バーテンの腕は、どうなのかな？」

「なんにしましょう？」

青年の口調が、客に対するものになった。どこにでもいそうなバーテンだ。女は、ひとりが二十七、八。もうひとりは少女のようにあどけなかった。歳上《としうえ》の女の方は、格別に美人というわけではないが、受け口と細い眼がそそるようで、躰全体から淫《みだ》らな雰囲気《ふんいき》が滲《にじ》み出していた。それは色気というには暗く、湿っていて、どこか病的な感じさえあった。

「ビールだな」

「なんだ。それじゃバーテンの腕の見せどころは、泡をどれぐらいに注《つ》ぐかってことだけだな」

「それも、難しいもんだろう」

「まあね。冷え具合にもよるし」

青年が、グラスにビールを注いだ。泡の具合はちょうどよかった。

「お客さん、仕事ですか？」

「違うように見えるか？」

「ネクタイしてないじゃないですか。シャツだって、柄《がら》ものだし」

「ネクタイを締《し》めて、やるような仕事じゃないってことさ」

「この街には、長く？」

「仕事が終るまでさ。終れば、いる意味もなくなる」

「違いないや」

歳上の女の方が、そばへ来て、理沙《りさ》と名乗った。私の掌に、指で漢字を書いてみせた。本名は一昨日《おととい》聞いたが、忘れてしまった。こういう酒場では、理沙という名前がかえって田舎《いなか》臭く感じられる。

「飲むか？」

「ブランデー、いい？」

「いいともさ。ただしシングルでな。君とは、まだダブルで奢《おご》るような仲じゃない」

「キザなこと言うんだ、この人」

言った理沙の頰《ほお》に、私は軽く掌を当てた。化粧《けしょう》は、かなり濃い。

「東京から来たお客さんって、ほんとに上手だから困っちゃう」

「年寄りに、かわいがられた躰だな」

理沙の全身を見回して、私は言った。

「あら、わかる？」

束《つか》の間《ま》沈黙してから、理沙が言った。

「若い男とも、充分やってる。俺は好きだぜ、そんな女の躰」

私が予想した通り、理沙はあまり強い反撥《はんぱつ》はしなかった。かえって、私に興味を抱いた気配すらある。

「あの子、今夜、俺と付き合ってくれるかな？」

理沙が奥の席へ行った。

「お客さんね、軽く遊ぼうなんて思わないでくださいよ」

「金は払うさ」

「そんな女じゃねえんですよ」

青年が、カウンターに身を乗り出し、低い声でいった。声を抑えた分だけ、怒りもこめられているようだ。

「彼女に訊《き》いてみなきゃ、そんなことはわからんだろう」

「訊いたら、あんたが笑われることになりますよ」

青年の反撥はどこか一途《いちず》で、滑稽《こっけい》な感じさえあった。

「若いなあ」

「といったって、ガキじゃねえですからね。お客さんより、体力はある」

「そんなに、あの女が好きか？」

「えっ」

「君は、あの女を賭けて、岩礁まで泳いでるんだろう。言い寄って、落としかけた男が六人、君と競って泳いだってわけだ」

「お客さん、あの時から、俺のことを知ってたんですか？」

「いや。防潮堤の下で、雨宿りをしてただけさ。その俺の眼の前で、君が泳ぎはじめた。だから、君の体力がどんなものかもわかってる。それで、若いと言ったのさ」

青年が、なにか言いかけた時、ボックス席にいた理沙が戻ってきた。

「俺が、泳いでもいいかね？」

「知ってるの？」

理沙の眼が、ちょっと光った。やはり、淫らな感じの光り方だ。

「泳げば、俺の言うことを聞くかい？」

「勝てばね」

理沙が、ちょっと下唇を舐める。男同士にこんな争いをさせて、快感を感じるタイプの女のようだ。それに溺れすぎている。面白がりすぎている。だから、私がここへ来ることになった。

「坊やも、ただみたいな給料で使われてるんだろう」

「俺は」

「いいさ。惚れた女のためだ」

カウンターに額をつけて眠っていた客が、急に顔をあげた。勘定、と大きな声で言い、周囲を見回した。どれだけ飲んだか知らないが、ひとり八千円の勘定はこの街では高いような気もする。

つられたように、ボックス席のひと組の客も帰っていった。残りのひと組は、若い女の子の友だちらしい。勝手に騒いでいた。

「儲《もう》かってるね」

理沙にむかって、私は言った。

この店のオーナーが、私の友人の、さらに友人という伝手《つて》を頼って、仕事を持ってきた。

女をどうにかしろというのではなく、バーテンを追い出して欲しいという内容だった。

マスター面《づら》で、女にまで手を出し、売りあげもごまかしている。馘《くび》にできないのは、女とオーナーの関係を、家族にバラすと脅《おど》されているからだ。

やくざにでも頼めばよさそうなものだが、地元の有力者で、警察関係の団体の役員までやっている身では、それが表沙汰《おもてざた》になればまた大変なことになる。店の評判は、いまのバーテンを雇《やと》ってから、悪くなる一方だ。それで、私に頼んできた。

話を全部信用したわけではなかった。バーテンを、なにか理由をつけて追い出す。それさえやればいいのだ。海で泳いでいた青年がそのバーテンだったというのは、滑稽な話の中に、滑稽な偶然をひとつ加えたにすぎない。

報酬《ほうしゆう》は二十万だった。それだけの退職金を出そうと言っても、バーテンは首をたてに振らなかったという。それがそのまま私の報酬に回ったわけで、悪い話ではなかった。

「ねえ、お仕事、なんなの？」

理沙が、私の肩に手をかけてくる。

「ヒモさ」

嘘《うそ》とは言いきれない。東京の私の部屋には、三日に一度はやってくる女がいて、食事の仕度から掃除、洗濯までしていく。一文の金も払ってはいない。食事の材料の金さえ、女が出しているのだ。

「ヒモって、どんな気分？」

「どうでもいいって気分だな」

「男の人って、ヒモが理想だなんてよく言うけど」

「女によりけりだ。君のヒモになれるなら、乗り換えてもいいな」

声をあげて、理沙が笑った。

「その坊やにゃ、君のヒモがついてるようだな」

「どういう意味？」

「首輪につけたヒモを、君がしっかり握ってるってことさ。働かせるだけじゃなく、芸までさせてるじゃないか」

「あんたな」

バーテンが、カウンターから出てこようとした。

「よしなさい。勝負は、あした泳いでつければいいじゃない」

理沙の口調は、命令に近かった。男を争わせて、喜んでいる女。魔性などというほど、強い魅力は感じない。性悪女で充分だ。私がこの街でどんな仕事をしようと、得をするのはこの女だろう。この店のオーナーに賢明さが残っているなら、女を追い出すことを考えるはずだ。バーテンの代りなど、いくらでも見つかる。

どうでもよかった。仕事の前渡金として五万受け取っている。仕事を済ませ、残りの十五万を受け取れば、私はバーテンのことも、この街のことも思い出さないだろう。

「明日の正午だ。いいな」

それだけ言い、私は腰をあげた。

店を出ても、すぐには帰らなかった。

バーテンが理沙の部屋に行けば面倒だと思ったが、最後に残った客たちと一緒に、理沙も出てきた。全員で車に乗りこんだから、これからどこかへ繰り出そうというのだろう。

この街の繁華街のネオンの灯は、すでに落ちはじめていた。

三十分ほど待つと、ようやくバーテンが出てきた。

「話があるんだがな」

背後から肩に手をかけると、バーテンはちょっと肩を竦《すく》めた。

「あんたか。なんだよ。明日の泳ぎ、やめたいってんじゃねえだろうな」

「いや、俺に勝たして欲しいって話さ。今日の夕方、おまえが勝負した男にも、明日の勝負のことは伝えた。ほかの連中も呼ぶそうだ。みんなの前で、俺に負けてくれよ」

「金でも出そうってのかい。馬鹿にするんじゃねえぞ」

「いつまでも、あの女のために泳ぎ続けるのか。いくら惚れたからったって、いい加減にしとかなきゃ、大怪我《おおけが》をするぜ」

「余計なお世話だよ」

言ったバーテンの鳩尾《みずおち》に、私はいきなり右の拳《こぶし》を叩《たた》きこんだ。バーテンは、前に躰を折り、それから路上に倒れた。脇腹《わきばら》の一カ所を狙《ねら》って、私は蹴りつけた。肋骨《ろっこつ》の折れる、確かな手《て》応《ごた》えがあった。それを感じた時、私はもう背中をむけて歩きはじめていた。

タクシーで、ペンションまで帰った。

主人に言われていた通り、私は玄関に錠《じょう》を降ろし、大きな音をたてないように注意して、自分の部屋に入った。

3

翌日の十一時半に、私は海岸で待っていた。

折れた肋骨の痛みは、いまごろ一番ひどくなっているだろう。少なくとも一週間は、泳ぐなどということはできない。

腹を立てているに違いない。口惜《くや》しい思いもしているだろう。それでも、自分で招いたことだ。男の、薄汚れた欲望の中に、女に惚れることで自分から入ってきたのだ。

十一時四十五分を過ぎたころ、ゼロ半のバイクがトロトロと近づいてきた。海沿いの道は狭《せま》い遊歩道のようなもので、バイクか自転車でなければ入れない。国道は、街の上の方にあるのだ。

「ほう、泳げるのか？」

「きたねえよ。そう思わねえのかよ」

言ったバーテンにむかって、私は笑いかけた。かっとするのが、よくわかった。白い光。庖丁《ほうちょう》だった。私はそれをかわし、擦《す》れ違いざまに、膝をバーテンの腹に突きあげた。動きが止まる。肘《ひじ》。二、三メートル弾《はじ》き飛ばすのは、造作もなかった。

手首を踏みつけ、庖丁をもぎ取る。泣いている。私はそれを見ないようにした。

「行きな。おまえと勝負した連中が、もうすぐやってくるぜ」

「きたねえよ」

呻《うめ》くような声だった。

「大人のやり方ってやつさ。次には、もうちょっといい女に惚れろ」

「てめえの顔、忘れねえからな」

「俺は忘れるよ。おまえみたいなゴミ」

「てめえだって、ゴミじゃねえかよ」

「大人のゴミってやつさ。ガキのゴミじゃない」

「忘れねえからな」

「おまえと勝負して、負けた連中は、みんなそう思っただろうさ。口惜しくて、部屋へ帰って転げ回っただろう」

バーテンが、暴力沙汰には馴《な》れていないことは、昨夜《ゆうべ》カウンターを挟んでむかい合って、すぐにわかった。かっとした表情など決して見せず、外で話しましょうかなどと言ったら、私は仕事のやり方を変えていただろう。

暴力沙汰には馴れていなくて、好きでもないから、泳ぎなどという勝負の方法を考えたのかもしれない。

「その躰で、あの岩まで泳ぐと、死ぬかもしれんな。着く前に、溺れて死ぬよ。死ぬのが怕くない。そう言ってたな。俺と一緒に泳ごうじゃないか。引っ張っていくぞ。これから来る連中にも、死ぬまで泳げるんだってことを、見せてやれよ」

「てめえが、こんな怪我を」

「俺は、庖丁を持って突っかかってきたやつを、殴り倒しただけさ」

私はシャツを脱ぎ、ズボンも脱いだ。替えのズボンは持ってきていない。

バーテンは、海に入っていく私に、付いてこようとはしなかった。

腰のあたりまで歩き、私は泳ぎはじめた。

思ったほど、海水《みず》は冷たくなかった。朝から、よく晴れた日で、陽ざしは夏のものだった。

波も穏やかだ。ゆっくりと、私は抜手《ぬきて》を切っていた。

岩が見える。見えるだけで、なかなか近づいてこない。

息があがってきた。ただ、あの岩まで泳ぎ着けるとは、なんとなくわかる。それからさき、
私はさらに泳ぎ続けようとするだろうか。なにもない沖にむかって、泳げるだろうか。

やくざまがいの、私立探偵をはじめたのは、二年前だ。なぜそんなことをはじめたかは、
思い出さないようにしていた。三十を前にした、私の転職だった。

二年、こんな仕事を続けていると、結構話は持ちこまれるようになってきた。女の問題とか、借金の問題とか、人間は思った以上にトラブルを抱えているものだ。

危険な目に遭《あ》ったことはある。それがほんとうに危険だとは、一度も思わなかった。

私にとっての、ほんとうの危険は、多分、いま泳いでいるようなことだろう。岩まで行く。それは、岩があるからそれでいい。それからさき、どこまで泳ぎ続けられるのか。泳ごうとしてしまうのか。

口に入ってきた塩水を、私は勢いよく噴《ふ》き出した。波打際の方を振り返ったが、バーテンが泳いでくる気配はなかった。

仕事は終った。

これでバーテンが店に居坐《いすわ》ったとしても、追い出すのはたやすいことだ。いや、居坐りはしないだろう。惚れた女に、勝負もしなかったと言えるほど、あのバーテンは擦れてはいなかった。

さらに息が苦しくなった。

岩の細《こま》かい部分まで、見えはじめてくる。それでも、岩そのものが近づいたような気はしなかった。

仕事は終ったのに、なぜ泳ぎ続けているのか。泳ぎ着いたさきに、なにかが待っているのか。断片的に、そんなことを考えた。

この海には、あの岩がある。そう思うことにした。私は多分、あの岩までで動けなくなるだろう。それからさきへ泳ごう、などという気は起きてもこないだろう。そして、いくらか体力が回復すると、老人のようにゆっくり泳いで岸へ戻る。

この海には、あの岩があるのだ。

いつか、岩のない海を、泳ぐかもしれない。

いや、すでに泳ぎはじめているのか。この二年、そうやって泳いできたのか。

岩が、ようやくすぐ近くに見えてきた。私は、最後の力をふり絞って水を搔《か》いた。

指のさきが、岩に触れた。助かった、などとは思わなかった。この危険も、大したことではなかった。

そう思っただけだ。

猫《ねこ》舐《なめ》祭《さい》

椎名誠

猫舐祭《ねこなめさい》のことを話せ、とおっしゃるんですか？　まあ、それが私の役目のようなものですから、思い出すままに申しあげますが、何ぶんにももう四十数年も昔のことですし、その頃私はすでに局虫《つぼねむし》にやられて体をこわし、いつも午後になると熱を出すようになっていましたから、そこで見ていたことが果してどこまで現《うつつ》のことなのか、あちらこちらから常に雲がかかって茫々《ぼうぼう》としているようで、改めて話すほどのことは何もないような、まことに頼りなく、いっそ心細いばかりでありますが、まあそうやって静かに聞いていただける、というのは嬉しいことで……。

さてそのじぶん、私がすでに局虫にやられていたことはお話ししました。あれにやられますと、体の中の筋をいろいろ壊されますから、歩いていても途中で急に全身が突っぱらかって動きがまったくとれないようになってしまう、というようなことがよくありました。まあ初期の頃はそれでもすぐに回復して動き回れるようになりましたから、子供のことでもありますし、時おり多少不便になるだけのことで、そのことはあまり気にとめず、ほかの沢山の仲間たちと殆《ほとん》ど普通に遊んでおりました。

猫舐祭は、そんな私らの子供の頃の一番の楽しみでしたねえ。

祭がひらかれるのは毎年秋の終りの頃で、私らの町では川の近くの隆起砂岩がごつごつ盛りあがった荒地の、一箇所だけ奇妙に丸く平たくアギト切り草の生えている――まあその頃土地の子供らは、ばく沼と呼んでおりましたがね。水たまりもなく湿地帯でもないようなところなのに「沼」というのがどうも不思議でしたが、それはまあともかく、祭の時はこの丸い原っぱ一帯に色とりどりのテント小屋が建ったり、大仕掛けの突きん棒や跳ね車が回ったりと、それはもうたった一晩で夢のようにあたりの風景が変ってしまうのですから子供らにとってはたまりません。

祭の村のぐるりをとりまく囲いにはなにかしきたりのようなものがあって、私らの町の時はそのあたりに沢山生えている小夜子桜《さよこざくら》の枝木を幾メートルおきかに立てて、それをぐるりとつなぐようにして、丹波桟手《たんばさんで》に編んだ柵《さく》があたりを丸く囲んでいました。

入口のところには大抵大女と虫男が立っていて、大女はいつも赤い口をひろげてひゃらひゃらと薄気味の悪い笑い顔で突っ立っていました。いま思うと、あの大女はそこにやってくる人々にむかって純粋に「ようこそ」という気持でお迎え係のような役目を果していたのでしょうが、私ら子供からみたらただもう恐しいだけの、かえって迷惑な入口番でしかなく、大女の足元に座っているカエルほどに小さい虫男の方はもっとよく見たいのに、いつその大女に踏みつぶされるかわからない恐怖で、大抵走るようにしてその入口を通り抜けていったものです。

中に入ると入口のところの大女や虫男のように、遺伝子急速改造でこしらえたさまざまな生き物が並んでいました。

戦後数年しかたっていない当時は、そうしたかなしい人々の見世物が法治局のほうから取締られるということもなく、北の政府軍が引き揚げていく際に置いていったような人工の怪物たちが猫舐祭にはごろごろしていたのですよ。

私らは中に入ると、恐しいのとこわいもの見たさとのはちきれんばかりの興味で体中がふるえるようになりながら、しっかりみんなで手を握って、ごったがえしの中をあっちこっち、それこそあの動きの早いくねり虫のようにして動き回ったものです。

その頃、その猫舐祭の中には闇《やみ》の臓器マーケットがあって活発な商いになっておりまして、中に入ると人間や動物のさまざまな人工臓器や、人間の本物の臓器などが公然と売買されていました。その商売の大人たちが、みんな同じような奇妙なシワガレ声を出して、雑踏の中をうろつき回っておりましたので、あたりはなんだか常に怒号や嬌声《きょうせい》がひしめきあっている、というふうでありましたよ。

その商売人や見物客の中には当時はまだ戦争の影響で病気を患った人が多く、一日に何人もそこでいきなり倒れたままどこかへ運ばれていく、というようなこともよく目撃しました。今思うとあの倒れた人のうちの何割かはそこでそのまま死んでしまったように思うのですが、当時の事情から考えて、行き倒れると、その死体はあそこにひしめいていた闇の臓器屋の手で、彼らの仕事の種として、たちまちばらばらにされてどこかへ運び去られてしまったのではないかと思うのですねえ。

ええ、病気の人は本当に多かったですよ。病気といってもその頃の本来の伝統的な病気ではなくて、みんな北政府軍のお粉、——あの例の胞子ガスですね。つまりまああれによって体の中を個人個人にみんなどうかされてしまったものですから、それこそ千差万別におかしくなってしまって、一番凄《すご》いのが異態進化していっちまった過剰吸収過剰反応の連中だったでしょうねえ。その人たちは「ウゾー」とか「じめんぼう」なんぞと呼ばれて、やっぱり最初の頃はみんなから怖れられておりましたよ。

さて私らはそうやっていろんな種類の大人たちがざかざかぐねぐね動き回っている中を、子供特有のすばしっこさで、あっちこっち貪欲《どんよく》に覗《のぞ》いて回りました。猫舐祭にかならずつきものの人気小屋は、いろんなケースで細胞融合した人間がらみの獣合一体化生物で、これはまあ今思えばもっと戦慄的《せんりつてき》で犯罪的な見世物でしかなかったわけですけれども、私らはとにかく猫舐祭というと最初にそれらが入っている小屋に足をむけたもんです。どんなものがいたのか？　ですか。まあ皆さんそのことを聞きたがりますけどねえ。いろんなものを見ましたが、大抵みんなぐったりして死んでしまっているようなものが多い中で、私が未《いま》だに忘れられないのは繭《まゆ》巻きで、これはまあ知能を持った虫だと思えばいいんですが、管理の人間がわざと人間の家のようなものをこしらえてやって、その中でみんなちゃんと考えごとをして生活しているのが不思議でしてねえ。私はそこへ行くと硝子《ガラス》に顔をべったりくっつけてずっと何時《いつ》までも飽きずに眺めておりましたよ。

みんなは頭足《ずそく》というのが好きで、これは長生きで強くて、その小屋の中を勝手にあちこち動き回っておりましたが、とんでもない文句屋で、何時もなんだかダンザギ布を激しくこするような軋《きし》んで耳ざわりな声を出し、怒鳴りながら歩き回っているので、見物客の多くは面白がってあちこち逃げ回るふりをしておりましたねえ。

　南天というのも人気があって、これは異態生物というよりも一種の有機物の工作機械のようなもので、片一方の口から肉や魚や、その他なんでも、まあそいつに作ってもらうものの材料をどかどか入れてやると、いろいろ注文のやりとりをしながら望みに近いものを作ってくれるんです。そいつから出されてくるのはどれも同じ形をした加工食品でしたが、味や感触は注文によってさまざまで、不思議と汚いというかんじはなかったですよ。私はいまになって時おりあの頃のことを思いだすとき、あの南天の体の中のしくみ、というのがとにかく不思議で、南天自身の養分摂取と排泄物《はいせつぶつ》の排出はいったいどうなっていたのか、もう一度くわしく眺めてみたい気持で一杯ですよ。南天のようなのは他にもいろいろあって、結局これは北の政府軍が似たようなものを、もっと大がかりな生物システムにこしらえていて、それの自在進化したやつなんだと、私ら周囲の大人からそうおしえられたりしてました。

　私とその頃よくそういうところへ一緒に出歩いていたセイちゃんというのは千手《せんて》が好きで、その前に行くと中々はなれなかったですねえ。どういうわけか千手はきちんとしたいい顔をした女が多くて、ちゃんと普通にいろんなことを話すのですが、千手の前に書かれている注意パネルにあるように、千手が怒るようなことを言うと、たちまち顔を真っ赤にして体のあちこちから十二、三本の手を突き出してきてゆらゆらと腕や手のひらを踊らせるのですが、千手というのはどれも実際にはその多すぎる手のひらを自分で握ることもできないほどに機能が麻痺《まひ》していることが多く、それがわかってしまうと、恐しさも私にはもうそれほどでもなくなってしまうというのがいくらか不思議でありましたねえ。

それから千手はたいてい上半身を裸でいることが多く、乳房をむきだしにしているので、私はむしろそっちの方に眼が奪われていたようでもありますがねえ。

猿男は街でも沢山見ましたから別に珍しくありませんので、そこでは大抵素通りしていましたが、今思うと、かれらの眼のひとつひとつをもっとしっかりよく見てやればよかったかな、なんて思ったりしますねえ。というのも、結局彼らは生まれても一代きりですからね。それはもうその当時わかっていたんですが、いつもうるさくて雑でめちゃくちゃな猿男も、時にはタイタン博士の指摘したトリム効果によって信じ難い程の凄《すさま》じい超天才頭脳を持って生まれたりしましたが、見世物風の猿男はトリキローネで思いっきり思考上昇を抑えられていましたから、誰もあまり複雑なことは喋《しゃべ》りませんでしたが、中にはもっとくわしく自分たちのことを知りたがっていた猿男というのも沢山いたのだろうと思うのですよ。だからあの眼のひとつひとつの語っているものを、きちんと知っておけばよかったなあ、なんて今になってひりひり悲しく思ったりもするのですよ。

その小屋をひととおり見て外に出ると、次はその年によって出しものがいろいろ違っている三角館で、そこはいつも人気でした。

私が一番印象に残っているのは「来るなの木」と呼ばれているもので、この木にはその通りどうやっても近づくことができないのです。

三角館は布貼《ぬのば》りの小屋ではなく、そこだけおそろしく透明効果のよいカノン硬板のようなもので三角形に組みたてられておりましたが、「来るなの木」はその中央に一本だけ立てられていて、あるのはとにかくただそれ一本きりなのですよ。

　そうして館の隅に拡声器を持ったトサカ女がいて、カネクレ鳥の喉《のど》をもっとふくらませたようなおそろしく内側にこもった声で「さあ、次は誰ですか誰ですか誰ですか誰ですか誰ですか」と、新しい挑戦者が出てくるまでうるさく同じことをわめき続けておりました。

　その木はとにかく不思議な力に満ちていて、そこに近づこうとしても、なにかわけのわからない力によってたちまち跳ねとばされたり、あるいはいきなりそこから吹きつけてくる風のようなものに吹きとばされたりして、大人でも子供でもどんなことをしても近寄ることができないのです。

　一人の泥脂除《よ》けコートを着た体格のいい男が、館の隅から大きな気合とともに全速力で体あたりをかけるように突進した時は、あっという間にその木の回りをくるくる激しい勢いで回る力にとらえられて、男はいつまでも地面に足をつけることができずにいましたよ。

　なにしろ木に手が触れたら入場料の三百倍の懸賞金が出るというので、男たちは皆真剣で何度も何度も気絶するまであっちこっちの角度から体あたりを繰り返していましたねえ。

　私ですか？　そんなふうに聞かれたらどうしようか……、と思っていたのですが、正直な話一度だけそいつに挑んでみたんです。もう私は局虫の病気が出てきている頃でしたが、ひょっとして地面を静かにころがっていったらなんとかなるのではないか、と思い、のしぬけハブのようにして端の方からひっそりころがって近づいていったのですが、木の幹にあともう二メートルというところにきて、接近していく時と同じくらいのスピードと力でまたゆっくり元に戻されてしまいましたよ。

これもだいぶあとになって知ったのですが、この「来るなの木」も、戦争のときに使われた兵器を利用したもので、幹の中にそれがたくみに隠しこまれていたのですね、きっと。どっちにしてもその頃は巷《ちまた》のあちこちにころがっている戦争残骸《ざんがい》と生き残りの者たちが途方に暮れたように雑然とこしらえている世の中でしたから、一見面白そうなものでも、よく訳がわかってくるとみんなどこかに暗くて重くて猛々《たけだけ》しいものをひきずっておりました。

そういう小屋を出て大勢の見物客と広場のあたりを歩いていると、頭の上にいつも大抵五、六個の監視鳥が飛んでいました。私ら子供の眼にはそいつは間抜けな人工鳥のようにしか見えていませんでしたが、あの当時は法治局が無登録人の摘発に躍起となっていて、人の集まるところには沢山の監視システムを張って情報を集めていたのですねえ。

街の人々はそいつを〝知り玉〟といって嫌っていました。知り玉は大人の拳《こぶし》ぐらいの大きさで「ぶるぶる」とバランス羽根をふるわせながら飛んできて、その左右からひこひこ突き出てくる触手のような電子の眼で対象物をとらえ、抑揚のない声で人定番号を問い質《ただ》したりするのです。その聞き方が奇妙に高飛車で、とにかくヒトを一方的にいらだたせるようなところがあるものですから、腹をたててそれを壊し、数分後には白拍子《しらびょうし》たちに大袈裟《おおげさ》に連れられていく人を何度か見たことがありましたねえ。

猫舐祭は雨でまるっきり動きがとれなくなる時は別にして、五日か六日で終りました。終りに近くなってくると、広場の一番奥の闘技場にみんな集まってきます。そこは大きな丸型のテントで、私らはそのテントの中でトゴスを見るのが一番の楽しみでした。丸型のテントの中は地面が少し掘り下げてあって、一番真ん中は丸く土が敷かれていて、そこがトゴスの闘いの場になっていました。

トゴスというのは男と男との闘いを意味する北政府の言葉で、当時は、戦争に関するものは、北の言葉以外のものを使うのはまったく許されていなかったのです。

「闘技場が開いた」という情報が流れると、人々は競って丸テントに集まり、たちまち身動きができないほどの大盛況となってしまいました。

人々はバイオ培肉の花咲豚や、トゲマスの肉から作ったこね肉の包み揚げとか、サルサ米のちまきなどを売店で買って、大騒ぎしながら丸テントに集まりました。

「トゴス」も懸賞が賭《か》けられて、これは出場する選手のものと観客のものと、双方に賭けられていましたから、ひとたび試合がはじまるとその熱狂ぶりは凄じいものでした。

トゴスの出場者にはとくに制限はありませんでしたが、人間だけでなく獣人も許されていましたから、人間対獣人の闘いになるとその熱狂に興奮して観客席から死者が出る、ということもけっして稀《まれ》ではなかったのです。

獣人は戦争の時に志願制で細胞転換した特攻兵崩れが多く、RタイプとPZタイプの二種類がいました。Rタイプというのは北の白拍子と闘うために泥濘《でいねい》帯での戦闘に向くように猪《いのしし》と一体化したケースで、PZタイプは山岳樹林戦のために猫との一体化がなされたタイプでした。

どちらも顔や体型は通常の人間と同じでしたが、戦闘時の敏捷性《びんしょうせい》や残忍性あるいはRタイプのように絶対後に退《ひ》かない徹底した闘争性などがきわだっていて、一般の人々からはひどく恐れられていました。政府のプロパガンダもあったのでしょうか、そこに憧《あこが》れて細胞転換する若者は後をたたず、その多くが敵地で戦死していきました。

だからその時代に生き残っている獣人たちは、たいがいが気持の底を荒《すさ》ませていて「トゴス」の懸賞闘争などは、彼らの歪《ゆが》んで脹《ふく》れあがるエネルギーを発散させるためには恰好《かっこう》の対象でもあったのですよ。

私もいくつか、それはそれは激しく、凄じい闘いを見ました。私がはじめて猫舐祭を見に行ったのは、まだ五つか六つの頃でしたが、そのじぶんは獣人たちが圧倒的に強く、かれら同士で最後までの争いが繰りひろげられる、というケースが多かったのですが、やがて、人間たちの中からも強い戦闘士たちが出てくるようになり、そのうちに人間をより強く機械で強化した改造人間が出てくるようになりました。

それというのも、人間たちがこの戦闘に出はじめの頃は殆ど獣人らに腕や足をへし折られたり、ひどい時は腕そのものを引き抜かれたりと、とにかくまあさんざんな負け方をしており、人間の味方をする観客たちはずっと愁嘆するばかりの状態が続いていたのですね。

それがある時、ええ、忘れもしません。私が丁度九歳になって身体改造許可の資格を得るまであと一年、という年の猫舐祭でした。その年、はじめて獣人たちに手ごたえのある人間の改造戦闘士が生まれたのです。

その戦闘士の名はたしか「禅拳《ぜんけん》」といいました。禅拳は肩から胸にかけてゾグの耐酸鋼材を使った敷島帷子《しきしまかたびら》を埋め込んでおり、右手はそっくり戦時中の自走螺旋砲《らせんほう》に使っていた、ゾグの鋼材をも断ち切るといわれている角出しアームを取り付けていました。

ええ、忘れもしません。今までさんざん人間の戦闘士が獣人らに眼の玉を抉《えぐ》られ、腹を裂かれて敗退していたところを、いきなり現われたこの禅拳は角出しアームのひとふりでたて続けに三人の獣人たちの首を刎《は》ね落しました。この日の闘技場の狂ったような怒号と歓声の凄じさといったら、さあて私は後にも先にもそれ以上のものを聞いたことがありません。そのあと興奮した獣人や人間たちが客席で殴りあい、さらに五、六人の死傷者が出たくらいですから、あなたにもその日の騒動の激しさがいくらかわかってもらえると思うのですがね。

こうして人間たち側から出場するそのあとの戦闘士といえば、改造人間のことをさすようになりました。彼らは心臓や脳を潰《つぶ》されないかぎり破損された箇所をメカニカル鋼材で補強し、さらに戦力を高めていく、という思いがけなくも理想的な復活のシステムをつくったのですよ。そうなるとがぜんトゴスの人気は高くなり、猫舐祭もやがてトゴスが中心の祭のようになっていきました。

猫舐祭の名の由来ですか。私もはっきりしたことは知らないのですが、私がまだ生まれる前の頃に、この祭は猫を土の中に埋めて、その頭を司祭が足で蹴《け》ったそうですよ。まだ戦争直後の、呪詞《のりと》や祈禱《きとう》が急速な細胞転換人間をつくっていると思われていたじぶんの頃で、見事に猫の首が切れて転げて飛んだらその司祭の力を認めてやろう、というような、誰が決めたのかわからない、まあおそろしく乱暴なならわしのようなものがあったそうですよ。その後生き物の種属固有の存立の壁が崩れてさまざまに分類不可能な後転異態化生物が輩出するにつれて、猫への呪詞信仰は少しずつ影をひそめていったらしい……という話ですがね。

私ですか。私がしだいに体のあちこちを角質化させて体を堅くし、巨大化していって、やがて気嚢樹《きのうじゅ》としての再生へ転換手術を受けたのは、猫舐祭がしだいしだいにトゴスのために行なわれるようになり、荒れた各地を回って歩くようになっていった頃のことですよ、私がそれから間もなく永久に動き回ることを放棄して口をきく樹になろうときめたのは、とくに深い理由があるわけではありません。私のような性格と体質の者は、かつて猫舐祭の行なわれたこの荒地の真中に立って、数年に一度か二度やってくる旅の人に、猫舐祭のあの心にずんと重く響いたかつての夢のとどろきを、せめてぽつりぽつりとおきかせしたい——とそんなふうに考えるようになっていったからでしょうかねえ。

38階の黄泉の国

篠田節子

日を追って、菜穂子の記憶は鮮やかになっていく。それがいつのことなのかさえ、はっきりしないというのに、ためらいがちに肩に回された男の腕の重さ、首筋に感じた吐息、頰《ほお》に触れる上等のスーツ地のざらついた感触、そんなものの一つ一つをこの頃《ごろ》では、鮮明に思い起こすことができる。

記憶と呼ぶにはあまりにも生々しく、気配にも似たもの……。灰色の壁にとり囲まれた現実の中に、もうひとつの現実がはめこまれたように、今はもう、彼の頰にはっきりと触れ、その体温を確認することさえできる。

若い男がいる。当惑したように、さきほどから菜穂子の横たわるベッド脇《わき》に立ち尽くしている。

「彼」ではない。いったいだれなのだろう。

男は、菜穂子の脂っぽく汚れた、灰色の髪に触れる。なめし革のような額《ひたい》に手を置き、痛まし気に目を覗《のぞ》き込む。

「ママ、僕、受かったよ。第一志望の大学。二浪しないで済んだ」

男は、ささやく。菜穂子は、男の唇の動きを目で追う。

いったいだれなの？

「ママ、ゼリー食べるだろう」

男は、紙袋からカップ入りの菓子を取り出して蓋《ふた》をとり、スプーンに透明な固まりを乗せて、菜穂子の口元に運ぶ。

濃い唾液《だえき》でねばついた舌に、冷たい感触が心地よい。

「お父さんは、もう少し遅れてくる。仕事なんだって」

男が何を言っているのか、菜穂子にはわからない。しかし、考えるのはとうにやめた。

「どなた……？」

菜穂子は、不明瞭《ふめいりよう》な言葉でたずねる。男の顔が歪《ゆが》んだ。

静かに喉《のど》に落ちていく、冷たく、柔らかく、香りの良いもの、それが彼女の幸福だ。そして目を閉じ、「彼」のことを思う。それもまた至福の瞬間であり、今や菜穂子の生のすべてとなった。

それにしても、この親切な若い男はいったいだれなのだろう？

考えると頭痛が始まる。悩むのは、とうにやめた。

ずいぶん前、二、三回、軽いめまいがあった後、倒れた。それからあれが始まった。

少し前のことが、何もわからなくなったのだ。一時間前に、息子と待ちあわせた場所が、思い出せない。通りを歩いていると、突然、胸のしめつけられるような懐かしさ、奇妙な旅情にとらえられて百メートルと離れていない我が家に戻れなくなる。

小さな失敗を、夫は最初、冷ややかに笑った。彼は事態の深刻さに気づかなかった。家庭生活に支障をきたすほど悪化するまで、妻の脳に起きている病変に気づかなかった。

もちろん、今、菜穂子はその頃のことは何も覚えていない。

男が、また一人、入ってきた。

――今日は、いろんな人が来る日だこと。「彼」との逢瀬《おうせ》は、しばらくの間おあずけだわ。――

中年の男は、立ったまま菜穂子の方を一瞥《いちべつ》し、若い方に向かって話しかける。

「どうだ？　具合は」

若い男は首を振る。

「別の所の脳動脈瘤《りゅう》が、いつ破裂してもおかしくないんだって……」

「その方が幸せかもしれないな」

「そんな言い方ってないだろ、父さん」

中年の男は、恐る恐る菜穂子の顔をのぞきこむ。

菜穂子の唇はしわがれた細い声を漏らした。

「明也さん」

夫は、太い眉《まゆ》を片方だけ上げる。

明也さん……。

菜穂子は「彼」の名前を突然思い出した。

「何か、夢を見てるんだよ」

息子が小声で言う。

「幸せな夢みたいだ。さっき看護婦さんに聞いたんだけど、もう以前のようにうなされて、夜中に騒ぎだしたりしてないって」

「そうか」

横顔がきれいな男の人。くっきり通った鼻筋と、男の人にしては小さくて、薄い顎《あご》。

「明也さん」ともう一度、呼びかけてみる。


真の闇《やみ》だった。夜光虫の青白い光で足元に打ち寄せる波が、きらきらと光っていた。肩先を接して「明也さん」は立っていた。

そう。あれは五月の御宿《おんじゅく》の海。大学のゼミ合宿だった。他のメンバーも夜の浜にいたはずなのに覚えているのは彼のことだけ……。

明也さんの息遣い、明也さんの気配……。鼓動さえ感じ取れた。私はそっと彼の方を見上げた。目が合った。濃密な闇を透《す》かして、切れ長の目の中に激しい感情のゆらぎが見えた。足元に光る夜光虫以外、一点の光もなかったのだから、実際には、彼の顔など、ましてや瞳《ひとみ》の表情など見えるはずはないけれど、確かにあのとき、私には火のような明也さんの思いが伝わってきた。あの数秒間に、私の青春の時間のすべてが凝縮してしまった。その夏の終わりに、彼は去っていった。特許関係の勉強をしたいと言って、法学部から別の大学の理学部へ学士入学してしまったのだ。思いを伝える間《ま》もなかった。

「じゃ、帰るから」

夫が、ベッドの上に体を少し折って、初めて菜穂子に言葉をかけた。

「僕たちが帰るって言っても、母さんもう泣かないね」

若い男が、言った。

夫は無表情にうなずき、そそくさと立ち上がる。若い男は、振り返りながら彼の後に続く。

ドアが閉じられ、再び静寂が戻ってきた。

隣のベッドで、老女が咳《せき》をする。乾いた、弱々しい咳だ。その咳の音も、次第に菜穂子の意識から、消えていく。

菅原明也……ようやくフルネームを思い出した。彼がいなくなったあと、キャンパスの残りの一年をどうすごしたのか覚えていない。就職活動や卒論を書くことで、慌《あわ》ただしく過ぎていったはずだが、今は、その間の何もかもが、記憶の底の闇に沈んでいる。ちょうど、ここに来るに至った経緯が思い出せないのと同じように。

今、菜穂子の心は、菅原明也と二月のニューヨークを歩いている。

「だめですよ。こんなところを女の人、一人で歩いていては」

「道くらい一人で歩けなくてどうします？　夫の会社に書類を届けたり、お客さまをお送りするのは、駐在員の妻の仕事です」

「僕がここにいる間は、一人歩きはやめてください」

明也は腕を差し出した。菜穂子はくすっと笑ってその腕に手を絡《から》ませる。

自宅のあったクイーンズボロウから、夫のオフィスのあるマンハッタンまで、短い道程だった。雲をつくようなビル群から吹き降ろす、氷のような風。目を開けていられないほどの寒気さえ、五月の夜風のように甘かった。

彼と再会したのは、大学を卒業してから十年後だった。

きょうはなんと多くのことを思い出す日だろう。きっと、もうすぐ、すべてが終わるのかもしれない。

看護婦が来て、薬をくれた。灯《あか》りが消される。眠りは、幸福な小さな死だ。

この頃頻繁に見る夢、目覚めるとその内容は全く覚えていないが、ひどく幸福な気分になるところをみると、きっと良い夢なのだろう。それが垣間《かいま》見る死だと菜穂子は思う。

夫の転勤に伴ってニューヨークに行ったのは、十五年ほど前のことだ。

むこうでは二、三日おきにホームパーティーを開き、取引先の人々や夫の上司、その妻への接待が続いた。慣れない土地で、菜穂子は神経をすり減らし、疲れきっていた。

あれは秋の終わりだっただろうか。客にカクテルを配っているとき、片耳からイヤリングが落ちた。拾おうと屈《かが》んだ瞬間、だれかが菜穂子のタイトスカートの尻《しり》をつるりと撫《な》で上げた。顔を上げると、にやにやと笑っている男の顔に出会った。灰色に近い金髪、血の色の透けて見える二重顎。夫の会社の顧客だった。驚いて立ち上がると、その隣に夫がいた。ちらりと笑った。苦笑であったのだろうが、確かに笑っていた。

菜穂子はカクテルの盆をその場に置くと、笑い声と異国語のさざめきを背に、だだっ広いダイニングを横切って、キッチンに飛び込み後手にドアを閉めた。

口紅のついたグラスや汚れた皿の山に占領された、その場所だけが菜穂子の城だった。誰《だれ》にも邪魔されず、悔し涙をこぼせる場所だった。

そこに彼がいた。

ナプキンで包んだグラスを片手に、いくらか頬を上気させて立っていた。

「島村さん、ですよね」

彼は菜穂子の旧姓を呼んだ。

「水をいただけませんか」

幻ではないかと思った。

細面《ほそおもて》の顔立ちは、昔と変わっていない。しかし切れ上がった一重の目が、前よりも一段と怜悧《れいり》な光をたたえていた。

彼女の夫の会社が特許をめぐって起こされた訴訟のために、弁理士としてニューヨークに来ている、ということを明也は手短かに語った。

「お元気でした？」

胸の高鳴りを押さえ、菜穂子は尋ねた。

「まあまあです。あなたは？　幸せそうだな」

「そう見えます？」

菜穂子は微笑《ほほえ》んだ。

「菅原さん、ご結婚は？」

「四年前に。息子と娘が一人ずつ」

「楽しみですね」

手早くテーブルの上から汚れたボールや油のついたバットをどかし、紅茶を入れる。

「ごめんなさいね。あまりおいしくないでしょう。こちらの物は何でもフレーバーがきつくて」

「いえ、こうしていると、ほっとします。どうもパーティーというのは、苦手で」

「私も」

紅茶を飲み終えるまでの短い逢瀬だった。

明也からフォーションの紅茶が届いたのは、二日後のことだ。金色のリボンを解き、包みを広げたとたん、芳《かぐわ》しくどこか官能的な香りが立った。

窓の向こうがうっすらと明るんでいる。菜穂子は、いましがた見た夢の鮮明さに驚いていた。リボンの少しかさついた感触までが、はっきりと指先に残っている。

目覚めの直後、一時的に意識が清明になる。この瞬間にだけ菜穂子は自分がなぜ、ここでこうしているのかわかる。

日本に戻ってきてしばらくした頃、いくつかの前兆を見逃しているうちに、菜穂子の脳にできていた動脈瘤が破裂した。しばらく入院し、いったん回復したように見えたが、一ヵ月もしないうちに、菜穂子の意識と記憶は、モザイクが剝《は》がれるように崩壊していった。美しい輝きを放つ記憶の断片だけを残したまま。

八畳の部屋の奥まで、西日が入っていたから、おそらく季節は晩秋のことだったのだろう。たんすというたんすを開け放し、衣装箱をひっくり返し、部屋を埋めつくした衣類の中で、菜穂子は裸で震えていた。

探し物をしていた。フレヤーのたっぷり入った淡い緑色のワンピース。何よりも気にいっていたその一着、はるか昔に捨てた娘時代の夏服を探していた。「彼」との幻の約束のために。

帰宅した夫はさほどあわてず、怒ることさえなく、衣装と引き出しの散乱した部屋を片付け、彼女を病院へ連れていった。

夫は持ち前の手際よさで入院の手続きをとり、それきり菜穂子は家には帰っていない。ようやく四十になろうかという時だった。

病院の朝食が運ばれる頃には、彼女の意識は再び混濁し、「彼」との時間に戻っていた。もっとも菜穂子に朝食はない。しばらく前から、菜穂子は息子が口に入れてくれるゼリー以外飲み込めなくなり、鼻からチューブで流動食を入れられていた。しかし全身衰弱の進んだ二、三日前からは、それも点滴に変わった。

白い天井の向こうに、夜の闇が現われた。夜空。遥《はる》か下に副都心の灯が星のようにまたたいている。菜穂子はホテルの最上階のラウンジで、明也と向きあっている。

母の法事のために一人で帰国し、これが日本で過ごす最後の夜だった。ピアノがけだるげに鳴っている。

「出ましょうか……」

明也は、立ち上がった。

「もう？」

「明日の飛行機、早いんでしょう」

「ええ」

彼の後について、菜穂子はラウンジを出た。エレベーターに乗って目を閉じると、すぐに止まりドアが開いた。

廊下に出た瞬間、あたりの静けさに驚いた。分厚い絨毯《じゅうたん》に、ハイヒールの踵《かかと》が埋まった。そこがロビーでなく、客室の廊下なのだと気づいたのは、二、三歩踏み出してからだ。思えば、当然のなりゆきでもあり、待ちすぎたことでもあった。

「嫌なら……このまま帰します」

明也は、いくらか青ざめた顔で言い、客室のドアを開けた。

正面の窓に月が異様に大きくかかっていた。

「できるだけ、地上から離れたところがいいと思って、最上階がよかったけど、いっぱいだったから……ここ三十八階」

明也は言い訳した。はるか下に、高速道路の灯が見える。ここは、たしかに街よりも月に近い……。

病室に足音が入り乱れている。看護士のやさしくたくましい腕が、彼女の体を抱き上げ、キャリアに移す。

からからというキャスターの音を響かせて、別室に運ばれる。

新しい布団だ。よく乾いたシーツの肌触り。

腕にいくつも針を刺される。一瞬の痛みに、彼女の心は病室に引き戻されるが、すぐに明也のもとに戻っていく。

ドアが開いて、男が入ってくる。ときおりやって来る若い男。

「ママ、ママ、がんばって。すぐに父さんがくるから。すぐ来るからね」

ママ？

菜穂子は、きょとんとした。なぜ、この人にママと呼ばれるの？

息子はプライマリースクールの三年生。日本語のアクセントが少しおかしい。来年は帰国しなければならないのに大丈夫かしら。

「ご家族は、あなただけ？」

医師が、若い男に尋ねる。

「いえ、父が……仕事でぬけられなくて」

彼は、口ごもる。

そのとき菜穂子の意識は、霧が晴れたように鮮明になった。

目の前の若い男の顔が、繊細なまつげと、白い首をしたたいけな子供の姿と重なった。胸をつかれるような切ない思いがこみあげてきた。

菜穂子はとぎれとぎれに語りかける。

「大丈夫、もう大人だから。あなたは、しっかり者だから」

息子の目に、驚きの色が浮かんだ。それがきらきらと涙で光ってくるのを認める前に、菜穂子の心は、再び霧に閉ざされていく。


明也は、ためらうように、ナイトランプの明るさを落としていった。窓の外の月が、しだいに輝き始める。

「搭乗時間は？」

「十時二十分」

「時が止まってしまえばいい」

そう言いながら、明也は後から菜穂子を抱き締め、片手で菜穂子の腕から時計を外した。空調装置の音だけが、鈍く響いている。

遠くでざわめきが聞こえる。白く清潔で、索漠とした部屋で、息子が立ちつくしている。

「父さん、とうとう来なかったね」と唇を嚙《か》みしめて、菜穂子の次第に体温の失われていく額に手を置いている。

情景が柔らかく揺らぎ、かき消えた。

男の腕の暖かさ。目の高さの月。すべてのものが、実在感を帯びた。心像として脳裏に在るのではなく、今、その場に彼女は下り立った。三十八階の部屋に。

「ずっと一緒なのね、いつまでも……」

菜穂子は、両手で明也の手を挟んだ。温もりがてのひらに伝わってくる。夢ではない。月は、いっそう輝きを増した。

死が二人を分かつまで……いや、もはや死さえ、二人を引き裂くことはできない。

意識には一点の曇りもない。

思い出した。明也はとうの昔に死んでいるのだ。彼女の脳細胞が、モザイク状に壊れていったはるか昔に、明也はこの世を去っていた。

商標や特許をめぐるいくつもの裁判に関わり、半年以上も休みもとらなかった冬の最中、書類の上につっぷして息絶えた。八千以上もの商標をプリントアウトしたリストは厚さ十五センチくらいあって、それが彼の臨終の枕《まくら》となった。

訃報《ふほう》はほどなくニューヨークの菜穂子の元に届いた。

そのときどのように悲しんだものか、もう覚えてはいない。しかしそれ以来、菜穂子にとって、死は甘美な憧《あこが》れを誘《いざな》うものとなった。

「お待ちになった？」

「いや」

明也は首を振った。

「今、ラウンジから下りてきたところなんだ」

「あなたが亡くなってから、十年経っているわ。その間どうなさっていたの？」

「商標のチェックリストを見てた」

彼は机の上の分厚い書類を指差した。

菜穂子は小さく笑って首を振った。

「もう、お仕事はいいのに」

「ああ。疲れたんでラウンジでちょっと一杯ひっかけて……。別に、十年なんて、待ってないさ」

「不思議ね」

首を傾《かし》げながら、菜穂子はルームランプに顔を寄せた。

「あら……」

菜穂子は腕を伸ばし、冷たく堅い窓ガラスの表面を撫《な》でた。それから自分の頬に手をやる。

ガラスに光の輪が映っている。その輪の中央に、ふっくらとした白い頬といくらか厚ぼったい唇がある。まぎれもない菜穂子自身の顔だ。しかし頬に縦の筋は入っていない。肌にもしっとりと艶《つや》がある。ちょうどあの頃、三十二歳当時の顔だ。

「どうしたんだい？」

背後に明也が立った。青年の面影を残した顔が映る。明也は菜穂子の肩に腕を回し、そっと指先をブラウスの衿元《えり》に忍びこませた。

あの日のままだ。二人とも、あのときの歳に戻って再会したのだ。よかった……。もしも互いの死んだ歳だったら、明也はまだ若々しく、自分の方は白髪だらけになっているだろう。

明也は菜穂子を自分の方に向かせた。静かに抱き締める。

あのときと全く同じところに立って、全く同じように触れあい、全く同じように愛しあう……。

短い会話、細かな一つ一つの動作まで、菜穂子は鮮明に思い出すことができる。一瞬の記憶が、すべてだった。心の内に大切に忍ばせ、幾度となく思い起こし、辛《つら》いことに耐えてきた。

明也はランプのスイッチをひねった。しかし消えない。二、三回瞬《また》いて、いっそう明るく灯《とも》った。照れたように笑い、焦《あせ》ってランプのスイッチを何回転もさせる。

はっとした。この明也の小さな失敗は、あのときのままだ。

ようやくランプの明度を落とすと、明也は菜穂子の体を抱き上げ、傍《かたわ》らのベッドの上に降ろした。

「どうした？　震えたりしないで」

あのときと同じ言葉を明也は言って、菜穂子の手を握り締める。暖かな、少し湿った手のひら。スナップの外れる小さな音、スカートが床に落ちるさらりという音。

この数時間後には、明也と別れ、家族の待つニューヨークへ帰る。聞き取れない言葉、際限なく開かれるホームパーティー。気骨の折れる客とのやりとり、汚れた食器の山。そして菜穂子からどんどん離れ、アメリカ社会にとけこんでいく息子。

菜穂子はきつく目を閉じて、明也の胸に顔を埋めた。お願いだから、このまま時間が止まって。

明也の背を抱き締めると、早く力強い鼓動が胸に伝わってくる。血の流れが一つになって、体をかけめぐる。汗にぬれた明也の肌は驚くほど熱い。生きている。お互い死んだはずなのに、確かに今、生きて愛し合っている。

明也はぴたりと動きを止めると、急に体を離して起き上がった。

菜穂子は身を硬くした。かさかさと包みを破る音がする。ゴムの匂《にお》いが鼻をつく。

「目をつぶってて。向こうへ帰ったらできていたなんて困るだろう」

炎がふっと吹き消されたように、気分が冷えた。散文的な言葉だ。いかにも明也らしい責任感、的確な判断、そして合理的手段。それにしてもゴムのざらついた臭気に感じるこの理屈抜きの嫌悪感は何なのだろう。

薄く目を開くと男の痩《や》せた背中が、目の前にある。まさにあのとき見た光景だ。こんなやりとりがあった。そして今と同じ嫌悪感に捕らえられた。

すっかり忘れていた。彼と過ごした一夜はすみずみまで鮮明に記憶していたつもりだったのに、こんな風に欠落した部分があったのだ。

「あの……明也さん」

菜穂子は遠慮がちに、明也の腕に手をかけた。

「ちょっとだけ、待ってくれ……いま」

「いいのよ、私達、そんなことしなくて……だって、もう……」

明也は手を止めた。

「そうか」

少し間《ま》の抜けた顔で、明也は振り返った。

「不思議だな。こうしなくちゃならないという気がしていた」

照れたように笑いながら、手の中の物をくずかごに放りこみ、唇を重ねてくる。柔らかな舌先が前歯に触れる。かすかなフォーションの香りがした。

こうしたことはすべて一瞬なのだ。闇に散る火花のように輝き、鮮明な記憶だけ残して駆け抜けていく時間。急に何もかもがいとおしく思えた。

菜穂子は明也の頭をしっかりと胸に抱きながら、熱く律動する体を深く受け入れていた。男の背中に流れる汗が脇腹《わきばら》を伝い下り、菜穂子の肌を生暖かく濡らす。

何もかも揺らぎ、溶けて一つになろうかという瞬間、菜穂子の身体の中の熱い流れは潮が引くように去っていった。精神がひどく高ぶり緊張して、身体を解放させる瞬間はない。もともとより恋する心の絶頂感と性の歓びの頂点など一致しようはずはない。

途中で放り出される苦痛とひどい疲労感。愛し合った時間の甘美な記憶とは裏腹に、現実にはこうした純粋に肉体的苦痛があった。

やがて明也は、体を硬直させ、深い吐息とともに静かになった。汗でぐしゃぐしゃになった毛布の中で彼はしばらくの間、菜穂子の体を抱いていたが、やがて「少し、眠ろう」と言って、自分だけ隣のベッドにもぐりこんだ。

菜穂子は、淋《さび》しさを覚えた。何もしなくていいから、一晩中、身を寄せ合って眠りたかった。あと数時間たったら自分は数千キロかなたへ行ってしまうかもしれないのに。

そして淋しさが腹立たしさに変わるまで時間はかからなかった。明也の体から分泌された液体で汚れ、濡れそぼり、すっかりよれた寝具の中に、菜穂子は一人残されたのだ。不快な湿り気と温もりに憤慨しながら菜穂子は、闇に目を凝らす。

隣のベッドから、寝息が聞こえてくる。それは次第に間隔があきはじめ、深い音に変わっていった。菜穂子は闇の中で爪《つめ》を噛んだ。

首を傾けて、月に見入る。いつのまにか高く上がった月は、さきほどよりも白く冷え冷えとした光を放っている。

愛する人との切ない逢瀬、夢のような一夜の思い出を抱いて、その後、わたしは索漠とした人生を耐えたのではないかしら。そうして形ばかりの夫婦の生活を平穏に、少なくともわたしが発病するまでは、続けることができたのではなかったかしら。

明也との愛の一夜、その合間に、こんな小さないらだちが、刺《とげ》のようにばらまかれていたとは。幾度となく追想するうちに、思い出の中から、そんな小さな刺はきれいに漉《こ》しとられていたらしい。

まもなく朝が来るはずだ。少し眠り、目覚めると白々とした光がレースごしにベッドに伸びていて、「雨だわ」とつぶやく。確かそうだった。そしてその数時間後、雨の空港で心を引き裂かれるような別れがくる。

菜穂子は寝返りを打ち、明也を見つめる。そっと手をさしのべる。しかし明也は端正な横顔を見せたまま、規則正しい呼吸を繰り返しているだけだ。

そうするうちに湿った毛布の中で、菜穂子もまどろんだ。

目覚めた時、たしかに白々とした光が部屋を照らしていた。

「雨……」

言いかけて、言葉を飲み込んだ。

夜明けの光ではなかった。月は、まだ、さきほどと同じ位置にあって、部屋を照らしている。ほとんど時間がたっていないらしい。

菜穂子は再び目を閉じた。

次に目覚めたのは、明也の起きる気配でだった。

部屋は明るい。しかし夜明けの光ではない。水のように澄んだ青白い月光が、明也の少し頬のこけた顔を照らしだしていた。

「なんだ、ずいぶん長い夜だな……」

目をこすりながら、明也はぼそりと言った。

「ええ」

月がさきほどと位置を変えていないのを確かめながら、菜穂子は身を起こす。

「そちらへ行っていいかしら？　私のベッド、汗で湿ってるの」

「ああ、ごめん」

明也は体をずらして、菜穂子のために場所をあける。

「眠る？」

「もう十分だ。それより何時？」

菜穂子は首をねじって、ベッドサイドの時計を見る。針がない。いぶし銀の文字盤、金の飾り文字、アラームのボタン、しかし、針だけがない。

「どうしたんだい？」

菜穂子は声もなく、そちらを指さす。

明也は視線を文字盤に止めて、二、三度まばたきした。表情が固まった。

「基本的な設備がこれじゃ、しかたないな。ここのホテルは」

少し置いてから明也は言った。

自分でも、そんなことを思ってはいないのだが、常識の範囲内で説明をつけなければいられないのだろう。

とにかく夜は明けない。あの一夜は、今、予想外に引き伸ばされている。喜んでいいはずなのに、ひどく不安な気分になってきた。

菜穂子は、ベッドから抜けた。

「お願い、向こうをむいてて」

両腕で胸を覆って、服を探す。

無い。さきほど、抱き締められ、一枚一枚、床に落とされていったはずのブラウスが、タイトスカートが、そして、買ったばかりの絹のスリップが、どこにもない。お気にいりのハイヒールさえない。椅子《いす》の背にかけたはずの、明也の上着もみあたらない。

菜穂子は瞬《まばた》きした。

あわてて探す。片手で胸を覆ったまま、ベッドカバーをめくり、ソファの下を覗き、カーテンを持ち上げる。しかし無い。

「大変、服がなくなったわ」

菜穂子は、明也の肩をゆすった。

彼は飛び起きた。素早く周りを見回す。それから、クロゼット、テーブルの下、バスルームなどをくまなく見た。

「どうしよう」

月明かりにくっきりと照らし出された互いの裸を眺めながら、二人は途方にくれた。

「とにかく、ちょっと座って」

明也は、ベッドに腰を下ろして、自分の隣を指す。先程から空に張りついてしまったように位置の変わらない月を見ながら、彼はうめくように言った。

「人は、生まれてくるときは、裸なんだ。だから」

菜穂子は、うなずいた。わかるようなわからないような話だ。

「死んでるのよ、私たち……でも、どうしてここにいるの？」

「知るものか。長い間、子供達のことが気にかかっていた。だけど、ふと、もういい、という気分になった。君がやってくる少し前のことだ」

「いつ？」

「それがわからない。何年も前のことのような気もするし、つい数時間前のことのようでもある」

「きっと、そのときあなた、執着を絶って成仏《じょうぶつ》できたのよ」

「ああ、そうかもしれない。それにしてはさっき生臭いことをしてたような気もするが」

明也は目を細め、窓の外の月を眺めた。

「しかしそれではこれは何だ？　この状態は、この場所は」

「ずっと、一緒にいたいって……あの時、あなた、言ったわ。このまま夜が明けなければいいって。私たち前世《ぜんせ》から、結ばれるはずだったのに、間違えて違う人と互いに結婚してしまったに違いないって、あなた、そう言ったわ。覚えてる？」

明也は、気まずそうな顔をした。

「とにかく、コーヒーでも頼もう」

「どうやって？」

明也は、電話に手をかけた。

「とにかくやってみなきゃ」と言いかけ、急に落ち着いた声色《こわいろ》になった。

「ルームサービス、やってますか？　コーヒー、お願いします。食事？　できるんですか、こんな夜中に。じゃあ、サンドイッチを二人前」

受話器を置いて、明也は、Vサインをしてみせた。

明也が電話をかけている間に、菜穂子はクロゼットの下段から二枚のバスローブを発見した。厚手のタオル地で、一枚はブルー、一枚はピンクだった。小躍りした。いくら愛し合った仲でも、裸で食事する気にはなれない。二人ともとりあえずそれを身にまとった。

ドアがノックされた。明也が、ドアを開ける。菜穂子は目を伏せた。少し前の、情事の気配を濃厚に残している場所で、他人と応対する勇気はなかった。

明也はさり気なく礼を言って、ボーイを返した。

「じゃ、食べようか？」

「おなか、すいてないわ」

菜穂子はかぶりをふって、ワゴンの上の物を見た。

クラブハウスサンド、ピクルス、そして、キーウィフルーツとカテージチーズ。コーヒーの器は、ウェッジウッド。

またしても、あのときと同じ。あの日、夜食に明也がとったあのメニューだ。

菜穂子は、カップを取ってコーヒーをすすった。

明也はサンドイッチにかぶりつく。しかし、前歯の歯並びが悪いせいか、うまく嚙み切れない。首を振って食いちぎった姿が、イリオモテヤマネコみたいだ、と菜穂子は思った。また、自分の感覚を刺激する嫌悪感の刺を彼女は意識した。

「ねえ？」

菜穂子はふと気づいて言った。

「わたしたち、魂だけになってるはずなのに、なぜ物を食べられるのかしら」

「さあ、仏前にだって、ご飯は供えるからね」

明也は、サンドイッチをのみ込みながら答える。

「魂だけのはずなのに、さっきあんなことしたし……」

そのあとで、菜穂子は自分の言葉に気づいて真っ赤になった。

明也は笑いながら言った。

「不思議なら、君も食べてみればいいさ」

菜穂子は、キーウィフルーツに、カテージチーズを載せて口に入れた。

そのとたん、がしっとした歯応えとともに、渋く酸っぱい味が舌の上に広がった。

「いやだ、このキーウィ、熟してないわ」

言いかけて思い出した。あの日にとった夜食のキーウィも、こうだった。いまさら驚くこともなく、彼女は口の中の物をそっとティッシュに吐き出した。

「さて、これからどうするかだ」

明也は、食べ終わるとナプキンで口元を拭《ぬぐ》いながら、ワゴンを押した。

「どうするの？　それを」

菜穂子は、空の皿の載ったワゴンに目を止める。

「廊下に出しておいてくれって」

「だれが、取りにくるのかしら？」

「ボーイだろう」

「そのボーイは、だれなのかしら。幽霊？」

明也は笑った。

「今、食べたサンドイッチと同じさ」

「えっ」

「たぶん、あの時の僕達の記憶の中にあるものだ。何も実在してやしないのさ」

菜穂子は、はっとして明也を見上げる。彼も、菜穂子と同じ発見をしていたのだ。

「なんなら廊下に出て、ワゴンを下げにくるボーイ君の顔を見てみるかい？」

気味悪くなって、菜穂子は首を横に振った。

ワゴンを出してしまうと、明也はベッドに腰掛け隣に来るように手招きした。少しの間、二人は寄り添ったまま互いの温もりを感じていた。窓の外の月の位置は変わっていない。しばらくして明也は立ち上がり、クロゼットを開けた。首をつっこんで、ごそごそやっている。

引き出しを開け、中を探る。

「何をしているの」

「時計を探してるんだ。僕の」

「ない？」

「ああ……」

「洋服と一緒に消えてしまった。君のは？」

菜穂子は左手首を見た。

「さっき、あなたがはずしたわ。『僕といるときは時間を忘れて』っておっしゃって」

明也は、力なく笑った。

「少し眠ろうか？」

自分のベッドに移ろうとして菜穂子は立ちつくした。いつのまにか、ベッドメーキングされている。

「どうしたんだい？」

指差された方を見て、明也は目をしばたたかせた。

菜穂子はカバーを剝《は》ぎ、毛布の中に手をつっこんでみる。汗で濡れてよれよれになったシーツと、湿った毛布があるはずだった。しかし、手のひらは、気持ちよく乾いて、ぴっちりとアイロンのかかったリネンの感触をとらえている。

「いつのまに？　だれが？」

ベッドに手を入れたまま、明也を見上げる。

「それより、時間的には、もう朝になっていいはずだ」

窓の向こうの中空の月を睨《にら》みつけたまま、明也はつぶやく。

「どうなってるの？」

「朝が来ない。時が固定してしまった」

「もしかしたら、これが、あの世なの？」

独《ひと》り言《ごと》のように菜穂子は言った。

「あたしたち、成仏しそこなったの？」

「いや、これが成仏した状態かもしれない」

「そうとしたら、ずっとこのまま……」

望んだことだったはずだ。しかし本当にそうだとすると、なぜか恐ろしい。

「とりあえず行動を起こしてみよう、何か状況が変わるはずだ」

明也も同じ思いなのだろう。ふっ切るように言って立ち上がった。

「どうするの？」

菜穂子はベッドカバーをたたんでソファに乗せる。

「あの時と同じことを再現する。二人でフロントへ下りて、僕がチェックアウトの手続きをして、それからタクシーで箱崎まで行くんだ。そしてバスに乗り換えて成田まで行く」

「私をニューヨークへ帰すのね」

切ない思いの片方で、菜穂子は心のどこかでほっとしている。

「帰したくはないよ」

明也は菜穂子の頰に軽くキスした。

「帰したくないが、そうなるようになっているんだ」

あのときと同じ言葉だ。いや違う。あのとき明也はこう言った。

「帰したくはないよ。帰したくないが、そうしなければならないんだ」

「それであなたは？」

「午後から事務所に行って、チェックリストを点検する。三ヵ月のうちに八千六百件の項目を確認しなくてはならない」と分厚い書類の入ったカバンを指差す。

「そうして、あなたは、ご自宅の書斎で……」

「そう、過労死さ。それが、僕、菅原明也の一生のシナリオだ。女房子供には、保険金が下りる。息子は、やがて司法試験に合格し検事をめざす。娘の方は、議員の息子との縁談を断って、地方公務員と結婚し、一生、借家住まいだ。今の僕には何もかもわかっている。しかしそれを全うするのが、人生かもしれない」

わかっている。だれだって自分の行く末など半分ぐらいはわかっているのだ。たいていは退屈で苦しく長い道程だ。わかっていながら、淡い希望をつなぎ、過去の美しい思い出を大切に胸に抱いて、生きていく。

ニューヨークに戻るのだ。夫と息子の待つ家に。その一ヵ月後には、明也の死を知る。まもなく、一家で東京に戻ってくる……。それから数年して発病、離婚、死。

「愛してるわ……今夜のことは、けして忘れない」

菜穂子は明也の胸に顔を埋めた。目をきつく閉じ、その鼓動を聞き、その匂いを胸底深く吸い込んだ。無言で抱き締める明也の腕は暖かく力強かった。

「行こうか」

やがて明也は、抱擁《ほうよう》を解いた。

「でも、このかっこう」

菜穂子は、片手で自分のバスローブの袖《そで》を摘《つま》んで見せる。

「気にすることはないよ。どうせ、死んでるんだ」

明也は片手で菜穂子の肩を抱いて、部屋のドアを開ける。

二人は廊下へ踏みだした。分厚い絨毯が、裸足《はだし》の足裏に心地よい。長い毛足がすべての音を吸い取ったように、あたりは静まりかえっている。

エレベーターホールに着いて、ボタンを押す。

「このかっこうでフロントへ行ったら、気が狂ってると思われるわ」

明也は肩をすくめた。

「思い出してごらん。僕達の服は、勝手に消えてしまったんだ。ここでは、何もかも奇妙につじつまがあってる。気がついたときには、スーツ姿に戻ってるかもしれない。そうでなければ、部屋で服を盗まれたとでも言えばいい」

チャイムが鳴ってエレベーターのドアが開いた。乗りこんで一階のボタンを押す。明也は菜穂子の顎《あご》に手をかけ、キスする。湿った音が狭いカーゴの中に響き、あわてて顔を離した。

「忘れないよ。今夜のことは」

明也は真顔に戻って言った。

「私も……」

「書斎で死ぬ間際には、君のことを思い出すだろう」

「ありがとう」

エレベーターの下降感が緩くなって、やがて止まった。

ドアが開く。

「あら……」

廊下に出て、菜穂子は気づいた。深々とした絨毯、静寂。

明也は、振り返って、エレベーターの方を見ている。

「僕は、さっきたしかに、一階のボタンを押したよな」

怪訝《けげん》な表情で明也は菜穂子の腕を取って、もう一度エレベーターに戻る。再び一階のボタンを押す。箱が下がっていく。今度は抱き合ったり、キスしたりしない。じっと階数表示ランプを見る。

チャイムが鳴る。下りる。同じ色の絨毯。

ロビーなどない。待ち合わせの人の群れも、正面にあるはずのティールームも、売店も何もない。

真っすぐの廊下が一本、それに沿って同形同色の客室のドアが並んでいるばかりだ。二人は顔を見合わせた。明らかな落胆の色がどちらにもある。

菜穂子は明也の手を握り締めて、廊下を歩く。静かだ。やがて一つのドアの前にきた。3805号室、先程までいた部屋。

軽く押すと、ドアは開いた。自動ロックのはずのドアが音もなく開き、中に入ると正面の窓に月が輝いていた。

「なぜなの」

「わからない」

菜穂子は、崩れるようにベッドに腰を下ろす。

「わたしたち、二人でここに閉じこめられたの？」

「かもしれないな」

両手で頭をかかえ、ため息まじりに明也は言った。

菜穂子は、明也の顔を盗み見た。体に不釣り合いな小さな顎だ。毛穴が、ぷつぷつと盛り上がり、その一つ一つに、緑色のひげの根が見える。嫌悪感の刺《とげ》が、ちくりと菜穂子を刺激した。

「もしかすると、これが地獄なのかしら？　私たち、地獄に堕《お》ちたの？」

「落ちると言ったって、ここ38階だよ。部屋を取るとき、フロントで、できるだけ高いところって言ったんだから。それじゃロイヤルスイートをどうぞ、ときた。だれも値段の高いところとは言ってないのに」

菜穂子は、明也の話に笑う気にはなれなかった。こんなときに、くだらない冗談を言っている男に腹が立った。

明也は菜穂子の肩に手を回し、後から抱いた。

「こうしているのが、地獄なんだ。きっと」

バスローブの胸元に手を差し入れ、無遠慮に乳房をまさぐる。

「やめて。今は」

菜穂子は、明也の手を振り払って、立ち上がった。

「どうすればいいの。あなたの言った通りにしたわ。でもだめだった。いったい……」

「確かに、僕の見込み違いだった。しかしあの方法でここから抜け出せたところで、わかりきった人生をわかりきった方法で繰り返すだけさ。どうせ僕はすぐ死ぬんだ」

「ねえ、さっきのルームサービスのボーイ、何だったのかしら？　彼に聞けば、彼について行けば何とかなったんじゃないかしら。どこかに出口があるはずよ」

明也は、口元だけで冷ややかに笑った。黄色っぽい乱ぐい歯が、唇の間から飛び出した。こんなはずではなかった、と菜穂子は目を背《そむ》けた。切れ長の目に宿る知性的な光、陰影のある頬、そして刻まれたような美しい唇……。そういえば、思い出の中の明也は、いつも口を閉じていた。

「どうしてさっきボーイに尋ねてくれなかったの」

菜穂子は明也の両腕を摑《つか》んで揺すった。自分の言っていることの無意味さはわかっているが、どうしようもなかった。

「わかるだろう。あれは実在してはいないんだ。僕たちは死んでるんだ。幻の感覚器官が幻の刺激に対して反応した。この肉体もこの部屋も実際にはないんだよ。ということは、出口もないってことさ」

冷めた口調だ。あまりにも当然、あまりにも論理的……。

そのときサイドテーブルの上から、明也が何か取り上げた。テレビのリモコンだ。はっとした。動転していて気づかなかったが、テレビがあったのだ。テレビをつければ、なにかわかるかもしれない。菜穂子は明也の肩ごしに画面を見つめた。

画面が明るんだ。しかし何も映らない。明也はチャンネルを変える。色が出た。テストパターンのような静止画像。さらにチャンネルを変える。ザーという音とともに、灰白色の無数の粒子が流れる。カシャカシャという音とともに、チャンネルは切り替わる。しかし意味のある画像は現われない。

明也は、肘《ひじ》を横に張り出し、せわしない動作でなおもリモコンを操作する。その仕草、その後姿に、覚えがあった。思い当たって菜穂子は愕然《がくぜん》とした。太る前の、新婚早々の夫の背中に酷似している。

やがて諦《あきら》めたようにリモコンスイッチを放り出すと、明也は菜穂子の隣に来て座った。

菜穂子の腰を抱き、もう片方の手はピンクのバスローブの裾《すそ》を割って、膝《ひざ》に置かれた。

「僕たちは永久に足止めをくったらしい」

明也の指先が太股《ふともも》を這《は》い上ってくる。

「やめてって言ったでしょう」と菜穂子はその手に触れる。

「中世の地獄絵って見たことあるか？　いろんな地獄があるんだ。地獄の博覧会だ」

明也はかまわずに、ぴたりと合わせた菜穂子の太股の間に指先を差し入れてくる。

「お願い……」

菜穂子は体をひねって逃れる。明也は菜穂子の腰に回した腕に力を込める。

「姦淫《かんいん》を犯した男女が堕ちる地獄っていうのがあった」

冷たい指先が、敏感な粘膜に触れた。

「やめてよ」

菜穂子は鋭く叫んで立ち上がり、飛びすさった。

「違うのか？」

明也は歯を見せてちょっと苦笑した。そのとたんに、菜穂子はかたわらにあった羽根枕《まくら》を摑み、その顔の真ん中、黄色い前歯めがけて力任せに投げつけていた。

明也は、ちらりと目を閉じたきり、避けようともしなかった。それは命中し、反転して床にころがった。ふわふわした羽が雪のように舞い上がる。明也は微動だにしない。

「汚らしい言い方しないで」

菜穂子は喘《あえ》いだ。声が震えて言葉が続かなかった。

これが、自分の後半生を支えてくれた「愛」の正体だったのか。彼にとっては、ただの「火遊び」どころか、「姦淫」と称されるようなものだった……。

「こんなところに、あなたと、ずっと閉じこめられるなんて、たくさん」

菜穂子は呻《うめ》いて、両手で顔をおおった。涙が指の間からこぼれて、床に滴《したた》り落ちた。

「うんざりだ」

嗚咽《おえつ》を遮《さえぎ》るように明也が言った。

菜穂子は顔を上げた。明也の目が、絶望的な怒りを含んで燃えていた。

「こっちこそ、とうに飽きているんだ。疲れきった。永遠という考えに行き着いた瞬間に、飽きたんだ。出ていけよ。これだけ大きなホテルだ。部屋なんか、他にいくらでもある」

菜穂子は、後退《あとずさ》りした。

「出ていけ、俺《おれ》を一人にしてくれ。永遠に閉じこめられるなら、一人の方がよほどましだ」

呻くように言うと明也は、立ち上がり、菜穂子に背を向け、窓際に行き、じっと動かなくなった。

膝が震えた。後手にドアを開け、菜穂子は廊下に飛び出した。

この先の地獄がどんなものであっても、この部屋にいるよりはまだいい。

オーク材のドアが並ぶ中を真っすぐに進む。やがてエレベーターホールに突き当たった。

天井から下がったシャンデリアのクリスタルが目を射るばかりに輝き、絨毯の上に無数の光のかけらを投げかけている。

地獄……菜穂子はため息をついた。

なんという、壮麗な地獄。

エレベーターホールの脇にドアがあって、非常口を示す緑のランプが点灯している。菜穂子は、その鉄の扉を開けた。階段があった。モスグリーンの階段が続いている。足の裏にふれるリノリウムの床の冷たさが心地いい。バスローブの紐《ひも》をきっちり結びなおし、菜穂子は足早に下り始める。

踊り場を過ぎ、いくつものフロアを下り続けた。下りることが、地獄を脱出することとは、何という皮肉だろう。下りて、下りて、一階まで……。

どれだけ来ただろう。そっと鉄の扉を開けて、廊下をのぞく。客室だ。再び、下りる。膝から力が抜け、腰が痛み始めた。

再び扉を開ける。まだ客室の廊下。

先程からかなり下りているが、まだ客室だ。一階には着かないにしても、グリルや宴会場が、そろそろあってもよさそうなものだ。

もしや、このホテルは、どこまで下りても客室なのか？

扉を開けて廊下へ出た。エレベーターホールまで行くと、カトレアの花が生けてあった。向かいの壁は、ハーフミラーらしい。黒く沈んだ表面にアルフォンス・ミュシャの女神像が描かれている。像の後に、女の顔がある。化粧が落ち、目の下に隈《くま》のできた自分の顔がピンクのバスローブの胸元を深く合わせ、口を半ば開けて睨《にら》みつけている。

菜穂子は、鏡の前を離れ、廊下を歩き始めた。どこまでも歩いた。十分以上歩いても、両脇の部屋は途切れなく続いていた。窓もなく、つきあたりもない廊下の両脇に、同形同色のドアが無限に続いている。そして非常扉の向こうには、階段が下に向かってどこまでも伸びている。

歩き疲れて、菜穂子は座り込んだ。悪夢のようだ、と思った。実際のところ悪夢。醒《さ》めることのない悪夢。

ふと思った。この客室にはだれがいるのだろう。あるいは、だれもいないのだろうか。もしも無人の部屋があるなら、そこに入り込もう。少なくとも、あのツインルームで明也と二人、この先ずっと鼻をつき合わせているよりはいい。

部屋のドアの一つに手をかけて、菜穂子はためらった。

客がいたらどうしよう。ここは地獄だ、とすれば、死者が閉じこめられているはずだ。菜穂子は身震いした。自分は死者でも他人の幽霊は怖い。

ホテルのバスルームで手首を切った男の話を思い出した。客室係が入ってみると、真っ赤に染まった湯の中に顎までつかって息たえていた。

ベッドで睡眠薬を飲んだ女の話というのもあった。すさまじい鼾《いびき》に、隣の部屋から苦情が来て、支配人が合鍵《あいかぎ》で入ったが、すでにこときれていた。

ホテルにまつわる不気味な話が、つぎつぎに頭に浮かんだ。

ドアを開けたとたんに、真っ赤な浴槽から、男がこっちを見ていたら……。ベッドから鼾が聞こえたら……。

そんなはずはない。一人きりになれる。菜穂子は自分に言い聞かせる。

ゆっくりとノブを回す。

一人になってシャワーを浴びる、一人で鏡に向かい、化粧を直し、一人で物を考え、一人で眠る……。今、彼女が最も望んでいることだ。

ドアは、軽く内側に開いた。開いたドアの隙間《すきま》から、青白い光があふれてきた。正面に月。水色の月光を浴びて、男が一人、ぽかんと口を開けてこちらを見ている。細面の輪郭、ひげの剃《そ》り跡も青々とした小さな顎、切れ上がった怜悧な目。

「なんだ、君か」

菜穂子はドアを叩《たた》きつけるように閉め、廊下を走りだした。何が何だかわからなかった。息が切れてその場に座り込むまで走った。そして目の前のドアに寄り掛かった。

体の重みでドアは内側に開いた。ドアの隙間から、月が見えた。先程の位置にそのまま、さらに輝きを増してあった。

「何を何度も出たり入ったりしているんだ？」

呆《あき》れた顔で、明也はソファから立ち上がった。

菜穂子はそれには答えず、窓に近づいた。

永遠に閉じこめられた。そして永遠に二人。終わりのない時が、狂おしいばかりに心にのしかかってくる。

下を見て息を呑んだ。いくつもの明かりがある。見慣れたカメラ屋のネオンが明滅し、高速道路の車のライトが、白と赤の二本の帯になって流れている。反対の方向には、中央公園が闇の底に沈んでいる。

地獄でも何でもない。ここは、西新宿のあのホテルだ。そして、この窓は、この窓だけは、まっすぐ新宿の雑踏に通じている。まぎれもない日常が、この下にある。

菜穂子は窓を開けようとした。しかしレバーはない。窓枠をさぐる。それもない。高層ビルの窓が開くはずはなかった。

ガラスをこぶしでおもいきり叩く。鋭い痛みが手首に伝わる。ガラスは、固く冷たく、外と内を遮断している。

すぐ下にある雑踏、いつもの生活、人のにおい。しかしここからこんな風に見えるというのに、そこに戻ることができない。

こぶしをガラスに押しつけたまま、菜穂子は言葉にならない叫びを上げた。そして頭からガラスにつっこんでいった。鈍い音がして首に激痛があった。しかし、ガラスはびくともしない。

涙がこぼれて、開いた口の中に入った。このままガラスを破って転落したかった。窓の下の町が恋しい。あれほど辛く憂鬱《ゆううつ》だった日常を菜穂子は今、必死で取り戻そうとしていた。

再び体当たりした。ぐしゃりと音がして鼻に鈍い痛みを感じた。ガラスに血が飛び散っている。菜穂子はぼんやりと、指の腹でその血をなぞる。

血が出た。死んだ体から血が出た。

笑いがこみ上げてきた。

簡単だ。もう一度、死に直すのだ。一人で棺に収められるために。腐り朽《く》ち果て、地上の土に帰るために。

両手をつき、菜穂子は自分の頭を激しくガラスにぶつけた。とたんにぼきりと異様な音がした。妙に柔らかな感触があった。

明也の手だ。明也の手がちょうどその位置に置かれていた。

「無駄だよ。これは強化ガラスなんだ」

菜穂子の頭突きをまともに食らって骨折した手の甲を押さえ、明也は苦痛に顔をしかめた。

そして菜穂子を窓ガラスから剝がすと、無事な方の手で、彼女の腕をつかみ、洗面所に連れて行った。

鏡の中の顔は、血まみれで、額にできたあざは紫色に腫れ上がっている。まさに亡者そのものだ。

「はまりすぎだわ。地獄にぴったり……」

菜穂子は、つぶやいた。明也は洗面ボールに湯を張り、片手でタオルを浸して菜穂子に渡す。

「地獄も天国もないよ。時間さえね。何も実在していないんだ。すべては、ただ僕達の意識の中にあるもの、ある種の記憶に過ぎないんだ。実体を失った僕達にとっては、そんなものが、実在するように見えるだけだ」

明也は、菜穂子の血の染みのついたローブを脱がせると、裸の肩先に唇を寄せた。

「もしかすると、僕達の人生も、実体なんてなかったのかもしれない。あるのは、不確かな記憶だけだ」

菜穂子は鏡の中に自分の顔に見入った。紫に腫れた痣《あざ》は、見る見る平らになって、熟《う》れた無花果《いちじく》のようなその色はまわりの皮膚の白さに薄められていく。唇が裂け、両の鼻腔《びこう》から鼻血を垂らした顔は、もう、もとに戻っていた。臨終の十数年前の、決して美人とはいえないが、大輪の花の開いたような華《はな》やかさをたたえた顔に。ここでは死ぬことさえかなわない。

「あきらめは、ついたかい？」

菜穂子は長い吐息をついて、鏡の中の明也をながめやった。

「不確かな記憶の集積の中で君に会ったことだけが、事実だと確信できる。感謝しているよ。ここにいる君は、僕にとって唯一の現実だ」

菜穂子の肩に頬を当てて、明也はつぶやくように言った。

菜穂子は鏡に映る明也の視線を捕らえた。絶望的な笑みが返ってきた。しかし絶望の底に、冷えさびた透明な明るみが見えた。

菜穂子の胸の奥で何かが弾《はじ》けた。堅く冷たい殻が、はらりと落ちていく。このままでいい、という気になった。永久にこうしていてもいいと思った。

菜穂子は振り返り、両手を明也の真っすぐな長い首に回した。その首筋に唇を寄せ、歯を立てた。

明也は、ひっと息を吸い込んだ。唇を離すと青白い皮膚の上に、くっきりとワインレッドの歯型が残っていた。しかしそれも見る見る薄れ、数秒後には、跡形もなくなった。

「難しいこと言うのは、もう止めて。記憶なんてないのよ。あなたの頭の中に何か残っても、あなたの肉体には、何も残らないわ」

明也は、苦笑してうなずき、冷たい唇で菜穂子の頬に触れた。

バスルームから出ると、窓ガラスに飛び散った血は、きれいに拭《ふ》き取られたように消えて、真新しいピンクのバスローブが、ベッドの上にきちんと畳んでおかれていた。

明也はそのバスローブを渡しながら言った。

「もうルームサービスは頼めないよ。やってみたけど、電話が通じないんだ。あのサンドイッチの味は、一回こっきりの思い出の味だったんだな」

明也は、片隅の小さな机の前で、何か書き物を始めた。

「何をしているの」

近づいていって驚いた。例の分厚いチェックリストだ。彼が、この上につっぷして息絶えたあの書類だった。

「八千六百件のリストでね。今回登録する物と、類似したのが、過去に登録してないかどうか、調べているんだ。ほとんど一週間徹夜して、一千二百六十七件。そこで終わりさ。一千二百六十八件目で、ついに心臓が止まってね」

「なぜ、今、そんな仕事をするの。やっぱりやることがないの？」

「いや」

明也は、首を振った。

「契約は契約さ」

「あなたが亡くなって十年も経っているんですもの。とうに裁判は終わってるわ」

明也は微笑んだ。

「生きていたときの記憶は、疑わしいものだが、現実にあるこのリストは、僕が生きて、一人の弁理士だったという、たった一つの証拠だ」

明也は、リストを目で追い始める。菜穂子は彼の手元を覗《のぞ》きこんでいたが、まもなく机の上のボールペンを手に取った。

「手伝うわ」

「いや、いい」

目を上げず、素っ気なく明也は答えた。

「いいえ。この仕事を終えた後、あなた一人が成仏して、ここから去っていくような気がして不安なの」

明也は手を止め少しの間考えていたが、やがて歯を見せてにっこり笑うと、手書きのカードを手渡した。

「僕が生前に終わらせてた分なんだけど、文字や数字に間違いがないかどうか、初めから見直してくれる？　この仕事、ケアレスミスは許されないんだ」

「ええ」

菜穂子は、ドレッサーの椅子を引き寄せ、明也の隣に座った。

「弁理士って偉くて、難しい仕事をしてるんだ、と思っていたけど、こういうこともするのね」

「すべての仕事は、そうしたものさ。仕事だけじゃない。人の一生が、こんな風に一つ一つリストをチェックしてつぶしていくようなものだ」

菜穂子はカードをリストの上に置き、目で文字を追う。

見れば、厚さ十五センチはゆうにあるチェックリストのわずか五ミリほどが、ようやく終わったばかりだった。

「ねえ」

菜穂子は、尋ねた。

「面倒な作業だけど、いつかは終わる。そうしたら、私たち、どこかへ行かれるのかしら？」

「さあ」

「リストの件数には限りがあるけど、わたしたちの時間は、永遠かもしれない」

「そうしたら、また初めから見なおせばいい。何度も見なおせば見なおすほど完璧《かんぺき》な資料を提出できるということだ」

明也は書類から顔を上げることなく、平然と言った。

「そうね……」

「適当に休みながらやろう。何せ、時間だけは、ありあまるほどある。リストの一千三百件目までいったら、一休みだ」

菜穂子はうなずくと、再び文字を追い始める。

もしかすると、八千六百件が終わったときには、彼と二人、永遠にこの部屋にいることに幸福を感じているかもしれない。

菜穂子は、手元のランプを消した。そして立ち上がり、つぎつぎと部屋の明かりを消していった。最後の灯が消えた瞬間、部屋に月の冷たい光があふれ、かたわらの明也のまつげの先から、リストの文字までがくっきりと照らし出された。

プレーオフ

志水辰夫

1

多摩市郊外にある大多摩ゴルフ練習場に通ってくるご婦人方の間では、そこの看板である神野滋成レッスンプロよりも、どちらかというとアシスタントの伊藤章二のほうに人気があった。教え方がいいとか悪いとかいう問題ではない。章二がかわいらしいからであった。伊藤章二は年齢二十三歳。身長百七十八、体重七十。引き締まった体軀《たいく》と甘いマスクを持っており、その温厚でうぶなところは、子離れ、亭主離れしたご婦人方の女心と保護本能をくすぐらずにはおかなかった。当然そこそこの誘惑が三パーセントの消費税みたいにつきものであったが、章二はその件になるといつも巧みにかわしてつけ込まれる隙《すき》を与えなかった。こんな多摩の片隅で、目の前の欲望に負けて一生を棒に振るわけにいかなかったからである。伊藤章二にはもっと大きくて男らしい夢と希望があったのだ。

彼の目標は、日本はもちろん世界に君臨するトッププロゴルファーになることだった。世界のビッグトーナメントを総なめにし、キングと呼ばれ、王と仰がれ、富と名誉をほしいままにする男。そのときはきっと女性だって、世界中の美女の中から選《よ》り取《ど》り見取り、好きなものが選べるだろう。いくらでもつまみ食いできるだろう。いまに見ていろおれだって。彼が日給七千円の身分に甘んじてこんなところで働いているのは、世を忍ぶ仮の姿、要するにいまはその雌伏《しふく》期間にすぎない。若鷲が大きくはばたく日はもうそこまできている。と少なくとも本人はそう思っていた。

章二の資質と才能をもってすれば、それは実現可能なはずだった。小学生のときから抜群のスピードと運動神経でもって鳴らし、クラスの女の子の尊敬を一身に集め、中学校では野球部のキャプテンでエースで四番バッター、高校へ入るときは名だたる名門校から引く手あまたの勧誘を受けたくらいだ。しかし章二はそのことごとくを蹴《け》り、普通高校に入ってそれきり野球と縁を切ってしまった。彼なりに悩んだ末の決断だった。つまり彼の力量をもってすれば、プロ野球に身を投じれば必ずスタープレーヤーになっていたにちがいないが、選手生命が短く、個人の能力よりチームプレーや和が重んじられ、失敗すれば選手の責任、成功すれば監督の手腕とされる日本のプロ野球に、彼の突出した才能を開花させる本当の場所はないと思ったからだ。では、ほかにあるか。あった。それがプロゴルフだったのである。

彼の考えを打算的で計算高い、いかにもいまふうの若者だと非難するには当たるまい。先祖代々サラリーマンというしがない家庭に生まれ育ってきた章二にしてみれば、いくらいい大学を出ていい会社に就職してみたところで、その前途がどの程度のものか、いやというほどわかっていた。それより実力一本で勝負できる世界に挑戦する生き方のほうがなんぼ男らしいか、と若者なら考えて当然だったのである。ただほんのすこし考えが甘く、思慮が浅く、世間知らずだということにすぎない。

彼は高校、大学と、アルバイトしながら情熱のすべてをゴルフに注ぎ込んで自分の可能性を試した。予想にたがわず、自分に才能のあることを発見するのにいくらの時間もかからなかった。はじめてコースに連れて行ってもらったとき、自称シングルの大人ふたりを、まるで赤子の手をひねるようにねじ伏せてしまった。ドライバーで楽に三百ヤードは飛ばす彼のパワーと迫力に、腹の突き出たおじさんたちは心底仰天してしまった。

「なに、コースに出たのははじめてだって。すごい。きみは天才だよ。絶対プロになるべきだ」

彼は大学が終わるまで四年間も待つことができなかった。このうえはいっそ大学を中退し、自分を背水の陣に追い込んで精進すべきだと思った。それでアルバイト先で知り合った神野滋成プロがたまたま大学の先輩だったことを知ると、強引に押しかけて行って弟子にしてもらい、働きながら本格的修業をはじめたのだった。それが二年前。いまや卵はさなぎに孵化《ふか》し、むっくり頭を持ち上げようとしているところである。

秋もたけなわのある日のことだ。大多摩ゴルフ練習場へ週に二度出張してくる神野プロが、若い女性を連れて来た。彼は章二を呼び寄せ、いささかもったいをつけて彼女を紹介した。

「えー、ぼくの友人のお嬢さんで、高山美代子さんとおっしゃる。これからときどき練習に見えると思うから、ちゃんと面倒みてあげるように。ただし、ハンデ十二という腕前だから、へたにいじるな」

師はハゼのように飛び出した目をぎょろぎょろさせて言った。顔も悪いがそれ以上に口の悪いおじさんである。年が五十。ちびで、でぶで、額が禿《は》げ上がっている。およそスポーツというスポーツに見放されたみたいな情けない体形をしているが、なかなかどうして、その肉体はつきたての餅《もち》のように柔らかく、ひとたびクラブを握れば体軀から動きまで、これが同じ人かと思えるくらい一変してしまう大変なおじさんなのだ。インストラクターとしての腕には定評があり、レッスンプロとしては日本で五指に数えられようかという大人物だった。

当然師匠は猛烈に忙しい。いくつかのコースや練習場を掛け持ちしているほか、個人レッスンまでこなしているからだ。この娘もどうやらその類いの女性らしかった。章二を見る目がなんとなくちがう。見下しているというほどではないが、かなり露骨、あけすけに彼を観察している。多分女子大生だろう。年が二十歳前後。身体つきはまだいくらか幼いものの、すらりと伸びた体軀は抜群のプロポーションとのびやかさでけちのつけようがない。いかにも育ちのよさそうな大らかさで、悩みや迷いといったものはこれっぽっちも感じられない女性だった。

要するにおれなんかに関係ない女だ。挨拶《あいさつ》したとき章二は思った。こういいとこのお嬢さんが、章二みたいな男となんとかなるなんてことはまちがってもあり得ない。そう納得しているにもかかわらず、心中なんとなく穏やかでなかったのは、これまでこの練習場に現れた女性の中で、彼女は一、二にランクされようかという美人だったからだ。

「ぼくの押しかけ弟子でね」師は章二のことをこんなふうに紹介した。ただしあとがいけない。「プロの卵だと称しているけど、もう三回プロテストに失敗しているんだ」

これでは章二の面目まるつぶれではないか。なにもこういう若い女の子の前で、彼の泣きどころを口に出さなくてもいいのに、と章二はいささか恨めしく思った。

「今度こそ合格してみせます」口をとがらして答えた。

「当たり前だ。今度失敗したら商売替えさせるからな。そりゃ中には七回も八回も受けて、やっと合格したプロだっているけどさ。悪いけどそういう人はあんまり大成していない。関門をぱっと通過するかどうかも実力のうちなんだ」

それでは章二にまるで実力がないみたいじゃないか。と思ったけどさすがにそこまでは言い返せなかった。師匠に言われても仕方がないことはたしかなのだ。大学だって三浪してにこにこ笑ってくれる親なんていないはずないのだから。

プロゴルファーになるためのテストは年に二回、いくつかの予備テストを経たうえで、最終的には通常のトーナメント大会と同じような四日間の競技で行われる。だいたい二百人くらいが受験し、合格するのは上位二十五人、スコアでいえば十オーバーくらいまでである。

章二はこれまで三回挑戦、三回ともみごとに跳ね返されている。いつも三日目まではゆうゆう合格圏につけているのだ。なぜか最終日に決まって崩れてしまう。心臓が弱いはずはないのに、意識過剰になって自分から乱れてしまうのである。その四回目のプロテストが、あと一か月というところに迫ってきていた。

午後遅く、章二が喫茶室でぶすっとコーヒーを飲んでいると、練習を終えた高山美代子が入ってきた。彼女は悪びれもしない。にこにこしながらそばへやって来た。

「かまいません？」

「どうぞ」

美代子の目が大きくなった。「怖い顔してるわ」

「もともとこんな顔です」

「嘘《うそ》よ。さっきはあんなに愛想よかったわ」

「きれいな女性の前であんなふうに言われたら、だれだって頭にきます。ろくろく教えてくれないくせして、文句はいつも三人前くらい言われるんです」

「あ、先生に告げ口してやろっと。でもきれいな女性と言ってくれたから、許してあげようかな」まったく屈託がない。美代子のほうは落ち着き払い、どっちが年上だかわからない感じだ。「先生、今度落ちたら本当にあなたをやめさせるつもりみたい」

章二はいくらか気色悪そうな顔をして美代子を見返した。師匠の悪口はいつものことだが、これはあくまで激励の意味だと受け止めている。本気でそう思っているとは思えないのだ。

「先生がきみにそんなことを言ったのかい？」

「章二さんにゴルフはもったいないって」章二さんなんて、一時間前会ったばかりにしてはずいぶんなれなれしいのだ。「わたしもそう思うな。こんなもの、趣味で十分じゃない」

「女性に男のロマンがわかってたまるもんか」章二、柄にもなく力んで言ってしまった。まさか、ほんとは金と名誉といい女を手に入れるためだなんて言えやしない。

2

晩めしにつき合えと言われて師匠のお供でレストランへ行った。ビールで乾杯。料理は八千円もするコースだ。これはなにかあるな、と思っていると、案の定、肉を食いはじめた途端、師匠は言った。「それで、今度落ちた場合のことだけどよ」

「あのねえ先生。弟子が今度こそと必死になって練習しているとき、なぜ落っこった話をしなきゃならないんです」

「転ばぬ先の杖だ」

「通ってみせます」章二は大むくれで言った。「なんですか十オーバーくらい」

「この前だって同じことを言ったぞ。それが三日目まで五オーバーだったのが、終わってみたら十二オーバーだった」

「ですからあれは、ホテルで知り合った子持ちのおっさんに同情してしまったからです。受験八回目で、三日間のスコアが十一オーバー。青ざめた顔で脂汗浮かべ、必死にプレーしているのを見ると、もしぼくが通ったら、それだけこのおっさんが合格する可能性はなくなるんだなと、なんとなく気の毒になってきて、ついペースが乱れてしまったんです」

「だからそれがおまえの欠点なんだよ。無心にプレーしているときは問題ないが、最後には決まって、余計なことを考えて自滅してしまうんだ。だいたいな。おまえは性格がよすぎる。

闘争心に欠けるんだ。だからここぞというとき実力が出せない。プロゴルファーとしては致命的な欠陥だよ」

「自分の愛弟子《まな》を、よくそんなふうに悪く言えますね」

「愛弟子だから心配してるんじゃないか」あんまり心配しているとも思えない顔で師匠はナイフを振り回した。「今度落ちたらだ。自分はプロの器じゃないと思って潔《いさぎよ》く断念しろ。おまえはもう一回大学へ戻って勉強しなおしたほうがいいよ。じつはな、学費を出してやろうという人がいるんだ」

「……？」どうやら本気らしい。

「それだけじゃない。すばらしい娘が付録につく」

「なにを企んでいるんです？」ナイフを置くと不安に駆られながら章二は言った。この師匠、弟子の思惑はそっちのけで、勝手にひとり決めする癖があるから油断できない。「まさかぼくに、養子の口を世話してやろうというんじゃないでしょうね」

「図星だ。田舎に住まなきゃならんという条件がつくけどよ。おまえ、どうせ末っ子だから、どこに住もうとかまわんだろう。両親にも一応打診してみたんだ。婿に出していいかとな。どうぞ、だってよ。だから、な、腹を決めろ。こんないい話、絶対二度と舞い込んでこんぞ」神野滋成は肉をぐちゃぐちゃ嚙《か》みながら章二の顔をのぞき込んだ。「相手は、さっきの、あの娘だよ」

その言葉を聞いた瞬間、章二は、頭の中に火がついたとしか思えない状態に陥った。かーっとなってしまい、なにがなんだかわからなくなってしまったのだ。あの娘ということは、つまりあの娘のことである。高山美代子だ。しかし、まさか？　こんなひどい話、じゃなかった、夢みたいな話があってたまるものか。お伽話《とぎばなし》みたいな逆玉の輿じゃないか。

「あれはいい娘だぞ」師匠は自分がもらうつもりでいるみたいに舌なめずりして言った。「あの娘の親父さんから、いい婿を見つけてくれと頼まれているんだ。五百年つづいてる旧家だよ。それがあいにく、子供はあの娘ひとりしかおらん。同じ婿を取るんなら、村の外から、優秀な男を引っ張ってこようということになってな。任せるというから、おれも必死になって考えたのよ。長年の友人だし、あんないい娘だ。美人だし、気性だってめっぽういい。めったなやつを推薦するわけにいかんのだ。それでいろいろ考えた末、はたと思いついたのがおまえだよ。おれの弟子だから言うわけじゃないが、おまえはプロゴルファーなんかにするのはもったいないいい男だ。性格はいいし、身持ちも固い。頭だってK大に入ったくらいだから悪いわけがない。なにもゴルファーなんかになって、そのかわいらしい顔をだな。メラニン色素で真っ黒に汚して、だぶだぶのズボンとセンスのないゴルフウエアを着て、くわえ煙草《たばこ》でグリーンをのし歩いてるとこをテレビで中継されて、全国に生き恥をさらすことなんかないだろう。それよりきれいな娘の婿になり、村人の尊敬を集め、安楽な一生を暮らすほうがなんぼいいか。ついでに言っとくとな。村には三十六ホールのゴルフ場があって、ここでいつでもただでプレーできる。なんでも山林の一部をゴルフ場に提供したとかで、その見返りだよ」

「か、か、彼女の入り婿になって、か、か、彼女の家を継げというんですか？」情けないことに章二の口はもつれてしまっている。

「そうだよ。田舎たって新幹線に乗りゃ一時間そこそこの距離だ。並のサラリーマンの通勤時間と変わらん。家の敷地だけで、おまえ、三千坪だぞ」

「三千坪！」敷地五十五坪の建売住宅で育った章二には見当もつかない広さだ。

「それに山林が何万坪もある」

「山林！」章二の実家がある荒川区には山なんかない。

「分家というか、高山家を頂点にしたつながりが三百数十軒ある」

「しかし先生。こういうことは、相手の了解なり意志の確認なりが先でしょうが。ぼくは高山さんという人をまだよく知らないし、あの人だってぼくを知らないはずです。彼女の気持ちがいちばん問題でしょう」

「それはもう確認ずみだよ。おまえのことなら細大漏らさず調べて、身上調査を向こうの家に送ってある。親のほうは大乗り気だよ。だから娘を連れてきたんだ。肝心のあの娘の気持ちだが、これも反応はけっして悪くない。最終的にはおまえたちの気持ち次第だろうけど、あの娘はおまえを気に入ってるよ。おれは小さいときからあの娘を見てるからよくわかるんだ」

「すると、きょうは見合いのつもりで彼女を連れて来たんですか？」

「まあ、早い話そうだ」

なにが早い話だ。知らなかったのは章二ひとりである。彼の人格など最初から無視されている。考えてみたらずいぶん失礼な話で、相手がたとえ師匠とはいえ、人倫上許せないと思うのだ。とはいえその割りに、怒りがちっとも湧《わ》いてこないのはどうしたことか。章二は怒ることも忘れて骨抜きになってしまっている。

「しかし、いまさら大学へ戻れと言われたって、もう二年間ろくに勉強してないし、いまから また受験勉強するのも……」なんか言うことに全然迫力がないのだ。

「なに。入ってくれ、という大学はそんなにむずかしい大学じゃないはずだ。家を継ぐための、資格を取ってもらいたいということじゃないかな。おまえなら楽に入れる」

ただめしほど高くつくものはない。結局章二は今度プロテストに落ちたら、彼女の入り婿になることを承諾させられてしまった。

3

久しぶりの代休で朝寝を楽しんでいた。するとどんどんとドアを叩《たた》くものがある。目をこすりながらドアを開けると、師匠の神野が廊下に立っていた。しかも傍《かたわ》らには高山美代子まで いる。例によって朝日のようにさわやかな顔だ。一方の章二はといえば、いぶり出されたタヌキみたいな寝ぼけ眼《まなこ》。しかもパジャマ姿だ。

「なんだ、その非常識な格好は。レディの前だぞ」師匠が一喝した。

「どっちが非常識なんですか」章二はむくれて言った。「ふつう人を訪問するときは、事前に電話ぐらいするもんです。それからドアを叩くのはやめてください。ちゃんとチャイムがついてるんだから」

「なに言ってるんだ。チャイムのボタン押したって起きなかったじゃないか。電話しなかったのはな。おまえの生のままの生活を、この人に見せたかったからだ。事前に電話すると、大あわてで掃除するだろうが」師匠はずかずかと上がってきた。「おや、意外と片づいてるなあ」

章二は折畳みベッドを急いで上げ、バスルームに入って着替えをすませた。

美代子は困った顔で中に入ってきた。「わたし、べつに部屋を見たいなんて言ってませんよ。先生が見せてやるって、勝手に連れて来たんです」

師匠は知らん顔だ。章二の私生活をのぞかせるために不意を襲うなんて、スポーツマンのやることか。いやな性格だ。窓の桟なんかを指でこすって、埃《ほこり》のたまり具合を調べている。

しかしきょうはふたりとも、先日に比べたらずいぶんよそよそしくてぎこちなかった。それはそうだろう。お見合いしたのが三日前で、まだそれがつづいている。相手を意識するなというほうがむりなのだ。だがそれにしては美代子の落ち着き払っていること。いかにも品定めするみたいな目で、部屋の中をじっくり見回している。それを見ていて、はっとあることに思い当たった。女の子がデパートで買い物しているときの目つきそっくりなのだ。この場合、買い物の対象になっているのはもちろん章二である。

「シンプルないいお部屋ね。使いやすそうだし、カサブランカというアパートの名前もすてきだわ」

シンプルとは、なんにもないという意味にも通じる。生活のすべてをゴルフに注ぎ込んでいるから、他のものまで手が回らなくて、この部屋にはいまどきの若者が持っているものがなんにも揃《そろ》っていなかった。ゴルフを勉強するためテレビとビデオこそ必需品だが、あとはステレオもカセットデッキもマウンテンバイクもパーコレーターもグミキャンデーも脱毛クリームも置いてないのだ。洗濯ものは宅配便で家に送りつけているから汚れものもない。散らかりようがないのだった。

「さあ見物がすんだらぼちぼち出かけよう」師匠が言った。

「どこへ行くんです？」

「ゴルフに決まってるじゃないか。おれが動物園に行くと思うか」

そういえばふたりともゴルフ支度をしていた。するとこれからコースに出て、芝の上でお見合い続行ということのようだ。どうやら章二のなにからなにまで、すべて美代子に見せてやろうとしているらしい。はなはだ迷惑。反面妙に嬉《うれ》しくもある。じつをいうとあの日以来、章二の心は乱れに乱れつづけていた。嬉しいと困ったの間を、心の針が行ったり来たりしているのだ。美代子という娘は悪くないが、一生田舎に縛りつけられるのはかなわんと思う。一方プロゴルファーになって成功すれば、もっといい生活が思いのままだ。うーむ。かといってこれほどの娘を、むざむざあきらめるのかと思うとそれもやっぱり惜しい。目下の章二はハムレット顔負けの心境なのである。

「なにをぼけっとしているんだ。早く支度せんか！」ぼうっとしていたのでとうとう師匠に怒鳴られてしまった。

師匠の車に同乗して、いつも行く津久井湖畔のカントリークラブに向かった。神野滋成はここのクラブの顧問をしており、章二もふだんここで練習させてもらっている。いわば彼らのホームコースだ。きょうは三人で親善試合ということになった。自慢じゃないが章二は実戦で師匠に負けたことはない。昇り竜と下り鯉《がっお》の差とでも言えばいいか、パワーとスピードと執念がちがう。それがこの日に限ってこてんぱんに負けてしまったのだから、世の中なにが起こるかわからない。

敗因はすべて美代子のせいだった。どんなときでも二百七、八十ヤードはかっ飛ばす章二の豪快なスイングをみて、彼を見る彼女の目がすっかり変わってしまった。尊敬と憧憬《どうけい》の色を隠さなくなったばかりか、いちいち熱っぽいまなざしを向け、挙げ句の果ては感嘆の声まで上げはじめたのだ。「わっ、すごい！」「ナイス・ショット！」ぱちぱちと拍手までする。かわいい娘がエクスタシーに近い表情を浮かべ、うっとりと自分を見つめてくれる気分を一度でも味わってみろというのだ。もともと血の気の多い若者なんだから、そりゃ意識するなというほうがむりなのである。

本来の章二は、おだてると木に登るような単細胞的神経の持ち主ではなかった。思索的で、哲学的で、学究的な性格だ。しかし美代子があまりに熱烈なラブコールを送ってくるので、とうとう意識しはじめた。当然固くなった。ショットが乱れはじめた。あせりはじめた。われを失った。めろめろになった。とこういうわけである。師匠に負けたばかりか、美代子にまで負けてしまったのだから、章二としたらショックで声も出ない。

「ねっ、こんなやつなんだ。この男に勝つのはわけないだろう」

師匠が勝ち誇った声で美代子に言った。美代子はと見ると、さっきまでのうっとりした顔はどこへやら、にんまりほくそ笑んでいる。どうやらふたりで仕組んで、章二を罠《わな》にはめたということらしい。はめられた悔しさよりも、はまった自分のふがいなさが腹立たしい。章二はすっかり自信をなくしてすごすご家へ帰ったのだった。

4

美代子はS女子大の二年生だった。二十歳。住まいは都内の女子学生専用マンション。大多摩ゴルフ練習場へは、だいたい週に二回やって来た。来ると当然のように章二のそばへ来る。章二が喫茶店で休憩しはじめると、これまた当然のように向かいへ来て腰を下ろす。暗黙の了解ができているつもりか、ますます落ち着き払って、もう女房気取りでいるみたいだ。まだ手さえ握ってないというのに。

困ったなあ。このところ章二は悩みっぱなしである。プロテストの日時が刻々と迫ってきつつあるのに、なぜかもうひとつ闘志が湧《わ》かない。いくら精神集中しようとしても、邪念が入ってすぐべつのことを考えてしまう。そりゃそうだろう。たとえテストに落っこったとしても、大地主の後継ぎが保証されていると思えば、闘志が湧いてこなくて当然というものだ。これではまるで優勝賞金が一千万円で、五十位の賞金が九百万円というトーナメント試合に出るようなものではないか。

婿養子の話自体には、不満が全然、あるわけ、なかった。しかしそれでは章二の哲学に反してしまうから困っているのだ。「日本のイトウ、世界のイトウという目標を忘れたのか！」「しかし美代子みたいないい女を捨てるのは惜しい」「愚かもの。スタープレーヤーになったらもっといい女が選り取り見取りだぞ。つまみ食いだってしほうだいだ！」相反するふたつの声が、毎日心の中でつかみ合いの喧嘩をしているのである。

「仲のおよろしいこと。お似合いのカップルね」きょうはとうとう婦人客のひとりに嫌みを言われてしまった。

それなのに「ありがとうございます」美代子は嬉しそうな返事を返している。

「あのねえ。いまのは褒めてくれたんじゃないの。嫌み言われたんだ」

「ちがうわ。ほかの人だってみんなそう言ってるもの」全然動ずる色がない。

テストまであと一週間と時間の切迫してきたある日、章二はとうとう意を決して美代子に言った。「今夜、ちょっとつき合ってくれるかい？」

その夜は精一杯背伸びして、新宿副都心のカクテルラウンジへ美代子を連れて行った。美代子は一度帰って着替えて来た。上品なワンピース、イヤリングとネックレスをつけ、清楚《せいそ》で艶《つや》やかな、見るからに惚《ほ》れぼれするような装いだ。彼女は明らかになにかを期待していた。そういう彼女の顔を章二は正視できなくなりかけている。

「きみ、もう来ないほうがいいよ」わざとぶっきらぼうに言った。「神野先生にはまだ言ってないけど、今度のテストに受かっても落っこっても、ぼくはいまの練習場を辞めるつもりなんだ」

「どういうこと？」美代子はけげんそうに聞いた。

「たとえ今度また落ちたとしても、プロになる夢は捨てないということだよ。石にかじりついても頑張る。ぼくはまだ二十三だ。挫折したり、方向転換したりするには、まだ遅すぎる年じゃない。結果的に道草になったとしても、もうしばらくゴルフに全力を注ぎ込んでいたいんだ。たとえ先生に破門されても、この気持ちを引っ込めるつもりはない。だからきみとはもう会わないほうがいいと思って」

「そんなに深刻に考えなくていいんじゃないの。いまのままプロを目指せば」

「だめだ。先生に約束させられている。今度テストに落っこったら、ゴルフを断念して大学へ戻れって。ある人に学費を出してもらって、その人のお嬢さんと一緒になる。ほんとはすごく嬉しいんだ。そのお嬢さん、とてもきれいで、魅力的なんだから。ぼくみたいなものでいいって言ってくれるなら、喜んで飛びつきたい。だいたいぼくなんか、いくらか身体と健康に恵まれているだけで、ほんとはなんの取り柄もない男なんだ。そんな人間にこんな話を持ち込んでもらえただけでもありがたいと思っている。しかし、テストに落ちたらそっちを選ぶ、というのはどうしてもいやなんだ。受かったらプロ、だめだったら入り婿。それじゃあまりに虫がよすぎる。だからこの話は、一切なかったことにしてもらおうと思って。きみにはすまないと思っている」

「…………」美代子はうつむいた。いつも明るい彼女もやはりショックだったようだ。

「すごくかっこいいことを言ってるみたいだけど、ほんとはそんなんじゃないんだ。ぼくはただのミーハーなんだよ。プロゴルファーになりたいのも、それがいちばん安直に有名になれて、金を稼げる方法だと思ってるからなんだ。人からちやほやされたい。金を稼いで贅沢《ぜいたく》したい。いい女を思い通りにしたい。要するにそんな動機しかないんだ。五百年もつづいた旧家の後を継がせてもらうような立派な人間じゃない。ぼくはくだらない男なんだ。きみにふさわしい人間じゃない」

美代子は顔を上げると黙ってうなずいた。心持ち顔色が白くなっている。「わたしだってそんな立派な女じゃないわ」小さく言ったが声に力がなかった。

「ほんとは黙って、知らん顔していたかったんだ。しかしそれがだんだんつらくなってきた。これ以上黙ってられなくなってきたんだよ。あとになって、なぜあんなばかなことを言ってしまったんだろうと後悔するかもしれない。せっかくの話を、自分からつつきこわすなんて、ばかもいいところだ。しかしそれでも正直に話すべきだと思った。プロゴルファーになりたい一心でこの五年間努力してきた。いまのぼくはその望みを簡単に捨ててしまったり、否定したりするわけにはいかないんだ。当分はこの望みにしがみついていたい。するとほかのものを捨てるしかしようがないんだよ。両立させることなんてできない」

「わかったわ。ゴルフを選ぶということなのね」

章二は唇を嚙んでうなずいた。美代子は寛容な笑みを浮かべている。章二の話を聞いている間も、彼女は小首を傾《かし》げ、笑みをけっして絶やさなかった。ときどきうなずき、相槌《あいづち》を打ち、目を伏せたり凝視したりして章二を見つめていた。そして章二が話し終わると、自分に言い聞かせるみたいにひとしきり首を振ってうなずいた。美代子はけっして取り乱していなかったが、すこし寂しそうに見えた。

「わたし、振られちゃったのかあ」美代子は笑って言った。おどけていたが、声にはやはり落胆の響きがあった。「うまくいきそうだとばかり思っていたのに」

「すまん」

美代子はバッグの中からなにか取り出すと、そっと章二のほうに差し出した。お守りだった。北野天満宮の名が書いてある。

「合格のお守りよ。きのう、京都へ行ってたの。天神様の本家のお守りだから、きっと霊験あらたかだと思うわ。頑張ってね」彼女はそう言うと立ち上がった。「ごめんなさい。先に帰らせてね。これ以上いると、もっとつらくなりそうだから」

美代子は章二に背を向けて出て行った。章二はお守りを握りしめ、黙然と彼女を見送った。自分がまちがっているとは思わなかったが、美代子を深く傷つけてしまったことははっきりわかった。

5

伊藤章二は秋のプロテストに二十五名中四番の成績で合格した。今回は最後まで乱れなかった。迷ったりプレッシャーに押し潰《つぶ》されたりすることもなく、四日間機械のように正確なプレーをし、機械のように平均したスコアを残した。スポーツ新聞を見た友人たちが毎晩宿舎へ電話をかけてきたが、それでもペースを乱されなかった。

あちこちで合格の喜びを爆発させている仲間の騒ぎに、彼は加わらなかった。なぜかちっとも嬉しくなかった。満足感もなければ、なにかをやり遂げたとか、目標を達成したとかいう充実感も感じられなかった。四日間のゴルフが、これほどつまらなかったのははじめての経験だ。感情の栓がどこかで詰まってしまったみたいに、黙々と競技を消化しただけ。終わった後の、倦怠感《けんたいかん》だけ本物だった。気だるくて、もの憂《う》く、熱っぽくて、ひどく疲れていた。彼はさっさと宿舎に帰り、ベッドに横たわると翌朝までこんこんと眠りつづけた。

その倦怠感と疲労感は、東京に帰ってからもずっと消えなかった。彼はだれにも会う気がせず、終日部屋にこもってベッドでうつらうつらと過ごした。練習場も具合が悪いと称して休んだきりだ。第一、師の神野滋成プロのところへも、合格の直後、電話で報告したきり、まだ顔すら出していなかった。友人や知人の合格祝いか、連日電話のベルが鳴りつづけたが、受話器は一度も取らなかった。

どんどんと乱暴にドアを叩くものがいる。仕方なく開けると、師匠の神野滋成プロが立っていた。きょうはひとりだけである。

「どうしたんだ、祝い酒でも飲みすぎたのか？」ぎょろっとした目で素早く部屋の中を見回して言った。口は乱暴だが、弟子のようすを心配して見に来てくれたらしい。

「病気なんです」

「どこが悪い？」

「あっちこっち。自己矛盾と、不定愁訴と、鬱《うつ》病。なんにもする気になれないんです」

「おまえがそんなうじうじした性格だとは思わなかった」

「ぼくだって思いませんでした」章二はやけ気味に答えた。「なんか急にゴルフやる情熱がなくなってきたんです」

「なんだって！　このやろう、冗談じゃないぞ」なにが気にいらなかったか、師匠はいきなり怒りはじめた。「これだけ元手をかけて育ててもらって、いまになって情熱がなくなっただと？　甘ったれるのもいいかげんにしろ。おまえはな。これからせっせと稼いで、育ててくれた人たちに恩返ししなきゃならない身なんだ」

なんかこれまでと、まるっきり言うことがちがうような気がする。

「そんなこと言われたって、いまここにいるのは、魂の抜けてしまったぼくの抜け殻なんです。そのうち立ち直りますからもうすこし時間をください」

師匠は口をあんぐり開けて章二の目をのぞき込んだ。「ほんとに病気らしいな。目ん玉の向こうに空っぽの脳みそが透けて見える」

「空が映ってるんです」

「よし、いいことがある。静岡におれの知っている寺があるから、しばらくそこに籠《こも》って根性を入れ直してこい」

「寺？」章二はぎょっとして答えた。「坐禅《ざぜん》なんか組まされるんですか？　そういう日本的な精神主義はあまり好きじゃないんだけどな」

「文句を言うんじゃない。師匠の命令だよ。向こうの住職に電話しておいてやるから、早速あす訪ねて行け。最低一週間はいろ。逃げ出したり、言うことを聞かなかったりすると、即刻破門だぞ」

ふだんの師匠に似合わぬ強圧的な口ぶりだ。あまり気はすすまなかったが、部屋に籠っていても同じことだ。むしろ周囲のうるさい干渉を逃れるためには、お寺にでも逃げ込んでいるほうがいいかもしれない。そう思って承諾すると、身の回り品をまとめ、翌日の新幹線で静岡に向かったのだった。

目的地は静岡駅からバスに乗り約一時間山の中に入ったところにあった。茶畑が茫漠《ぼうばく》と広がる静かな山村だ。永願寺という寺は、村のいちばん奥まった高台にあった。豪壮な石垣と白壁の塀を巡らした立派な寺院である。建物は本堂、講堂、鐘楼《しょうろう》、庫裏《くり》と分かれており、いかにも歴史の古そうな、重厚な造りで、屋根はすべて本瓦葺《かわらぶ》きだ。境内がきれいに掃き清められていた。白砂に箒《ほうき》の目が入っている。左側に墓地があり、後が小高い山になっていた。

開け放した本堂の中から読経の声が聞こえていた。のぞくと、金色の釈迦《しやか》像を祀《まつ》った仏壇の前で、この寺の住職だろう、袈裟《けさ》をつけた壮年の男が、ろうろうと声を張り上げてお経を読んでいた。おごそかで、のりがよく、独特のリズム感を持っている。別世界にやって来たのを感じた。章二は荷物を下ろすと靴を脱ぎ、住職の後に座ってお経を聞きはじめた。足がしびれたのと、時間がすこし長すぎたのを除けば、それほど退屈はしなかった。これまで宗教に興味を持ったことはなかったが、べつに毛嫌いしていたわけではなかった。要するに白紙だったということである。その気で見てみると、寺の中にはもの珍しいものがいっぱいあふれていた。

三十分ほどたって読経が終わった。住職は仏壇に向かって一礼すると、ゆっくり後を振り返った。年齢五十歳前後。大柄で、口許《くちもと》の引き締まった、いかめしい顔をしたおっさんだった。頭は丸めておらず、黒い髪がふさふさするほどついている。住職というより、小学校や中学校にひとりくらいいる、おっかない先生といった感じの人物だ。

章二は畳に両手をついて挨拶した。「神野滋成さんの紹介で参りました。伊藤章二と申します」

「遠路ごくろうさまでした」住職はおごそかな声で言った。「昨夜神野さんから電話をいただきました。特別扱いは一切しません。むしろこちらからある程度条件をつけさせていただきますが、辛抱できますか？」

「そのつもりで参りました」

「よろしい。まず、寝起きはその廊下の奥にある、講堂でしていただく。あなたひとりです。食事もそこへ運ばせますから、そこですませていただく。特別の用がないかぎり、庫裏へは出入りしないように。寺の外へ出て行くことも禁止します。庫裏を除いた境内と、墓地、裏の山などは自由に散歩なさってけっこう。そして朝と夕方の、わたくしの勤行《ごんぎょう》にはつきあってください。それだけです」

「ほかの時間はなにをすればいいんでしょう?」

「お好きなように。とくに義務は設けません。どういう時間を過ごすか、自分でお考えになることです」

章二を講堂に案内すると、住職はそれきり庫裏へ引っ込んでしまった。大いにしごかれるだろうと覚悟していたから、張り合いが抜けて戸惑っている。講堂の広さにはぶったまげた。二百畳くらいありそうな大部屋なのだ。それが仕切りも家具もなく、真っ平《まったいら》にずーっと広がっている。広々として気持ちがいいといえばいいが、広すぎてかえって落ち着かない。章二はこれまで八畳以上の部屋にひとりで寝たことはないのだった。

6

朝の勤行は五時からはじまる。それが一時間。朝食が七時で、昼食が十二時。夕方の勤行が四時から三十分で、夕食が七時。そのほかはすべて自由時間だった。朝早く起きるのがつらいことを除けば、日課そのものは退屈きわまりない。もっと厳しい、一種の監禁生活を予想していたから、楽すぎて拍子抜けしたというのが偽らざる感想だった。その代わり間がもてなくて困った。なにもせずにいるというのも、けっこうつらいものだ。それで翌日から、自分の寝起きする講堂の掃除をはじめた。つぎの日には本堂の掃除もはじめ、掃除機がけと雑巾《ぞうきん》がけを交互にやった。時間があったら庭の掃除と草むしりもした。はっきりいって時間稼ぎにすぎなかったが、章二が自発的に掃除をはじめたことに対しては、住職はなにも言わなかった。精神講話みたいなものはおろか、いっさい、なにも言わない。

食事はごくふつうの食事で、朝は二日に一回パン食が出た。食事の膳は七十すぎぐらいのおばあさんが運んで来る。住職の家族なのか手伝いの村人なのか、よくわからなかった。余計なことをいっさい言わないからである。住職の家族らしいものは、一度庫裏の庭に、上品できれいな中年女性がいたのを見かけたきりだ。多分住職の奥さんだろうと思ったが、章二の前には出て来なかった。ほかの家族がいるのかいないのか、それすらわからない。妙な気分だった。どっちかというと、章二自身がいるのかいないのか、その痕跡《こんせき》をだれも感じていないみたいなのだ。まるで空気になったような気がした。ちゃんと存在していながら、彼という人間は存在していないのも同じなのだ。

外に出て行けないのでときどき墓地を散歩した。墓地というものは、もっと陰気で暗いものだと思っていたが、身近に見てみると案外明るく、開放的で、表情豊かなのに驚いた。墓石のひとつひとつに表情がある。気が向くと裏の山に登った。頂上に立つと、村が一望のもとに見渡せた。刈り込んだ茶畑の縞《しま》模様がことのほか美しい。裏山のすぐ向こうにゴルフ場がひとつあった。最初見たときは一瞬心がうずいたが、二回目からはなにも感じなくなった。平和でおだやかな村のたたずまいに比べると、芝を張った広大な空間はいかにもわざとらしかった。時としてプレーしている人間の声が聞こえてきたが、それはがさつで、品がなく、傲慢《ごうまん》な響きしか持っていなかった。

夕方の読経の時間になると村人がときどき顔を見せた。もちろん老人で、住職がお経を上げている間、章二と一緒に、後で黙って聞いている。終わると、住職と章二に一礼して静かに帰って行く。中には野菜を持ってきたりする人もいて、庫裏のほうから笑い声が聞こえてくることもあった。ここには争う声も、車の騒音も、めまぐるしく動いたり変化したりするものも、ほとんどなかった。時間がゆったりと、人の動きや、その声や、人の歩いて行ける範囲内で流れていた。世の中の動きに取り残されている気がしないでもないが、ひたすらあくせくし、金や名誉や体面に振り回されている世間の生き方がばからしく思えてくることもたしかだった。自分にはむしろこういう生活が向いているのかもしれないと思った。プロゴルファーの資格を得ようとして、逆に失ってしまったもののほうがはるかに大きかったことに、いまごろやっと気がついている。悔しいからそのことはできるだけ考えないようにしていた。

一晩中降りつづいた雨が午後になってようやくやんだ。日が照りはじめ、庭にできた水溜《みずたま》りからうっすらと水蒸気が立ち昇っていた。キンモクセイがほのかに匂《にお》ってくる。章二はひとり本堂にいた。つれづれなるままに、住職の読む経典を開いてながめているところだ。なにが書いてあるのかさっぱりわからない。こんなもの、ありがたがるやつの気がしれないと思うのだが、長い間たくさんの人がありがたがってきた以上、中になにか深い真理や洞察みたいなものが隠されているのだろう。

後で人の気配がした。振り返って目を見張った。本堂の入口に立ってこちらを見ている女性。高山美代子だった。

「こんにちは」美代子は悪びれたようすもなく、にこっと笑って声をかけてきた。先日のことなどまるで意識しているように見えない。相変わらず爽快《そうかい》な顔をしている。「来たらいけなかったかしら？」

「だれに聞いたの？」もちろんそんなことはわかりきっている。

「勘よ。ここにいるんじゃないかなと思ったの」美代子はいくらか得意そうに小鼻をうごめかした。「合格おめでとう。いよいよ念願のプロゴルファーね」

「よしてくれ。ぼくはもうゴルフなんかどうだっていいんだ。今度師匠に会ったら、あんなもの、もうやめますと言ってやる」

「いやだわ。本気なの？」美代子は上がってくるなり章二の前にぺたんと座った。

「もちろん。テストに合格したら、途端に熱が冷めちゃったんだ。どうも錯覚していたらしい。自分の生き方を求めていたけど、それがゴルフだとばっかり思っていた。実際はちがっていたことにやっと気づいた」

「じゃなんだったの？」美代子が真面目《まじめ》な顔で尋ねた。

「人間らしい生活さ。つまらん約束ごとや、他人の価値観に振り回されない、自分の価値観に従って生きること。どうやらぼくは悟りを開いたらしいよ」誇らしげに腕を叩《たた》いて言った。ちょっとかっこよすぎる気もするが、まあいい。半分は本気なのだ。しかしこういうことがすらすら言える自分に驚いている。

「ゴルフやめるの？」

「もちろん、あんなもの、趣味で十分だ」

「それで、これからどうします？」

「それが問題だよ。ぼくを置いてもらえるところだったら、どこだっていいんだ。ぼくみたいなものを受け入れてくれて、なおかつぼくを必要としてくれる人がいるなら」

「ぼくと一緒に生きてくれる人だよ。この間まで、ぼくには理想的な、そういう人がいたんだ。愛らしくて、美人で、魅力的な女性だった。その人がくれたお守りのお陰で、テストに合格したんだと思っている。それを柄にもなく断ってしまって、いますごく後悔している。許してもらえるなら改めてプロポーズしたい」

「必要としてくれる人って、どういう意味？　具体的に聞きたいわ」

「じゃしてみたら？」美代子は身構えもせずあっさり言ってのけた。

「きみが好きだ。きみと結婚したい。ぼくにはもうきみしか考えられない」

「こんな田舎で一生暮らすことになるのよ。それでもいいの？」

「平気だ。きみと一緒だったらどこでも暮らせる。なんでもできる」

一瞬美代子は目を閉じた。章二の言葉を反芻《はんすう》するみたいに小さくうなずき、それから目を開けた。「ありがとう」やさしく言うと、はじめて満足そうな笑みを浮かべた。それから右拳《こぶし》を上に突き上げ、ガッツポーズをした。彼女は庫裏のほうに向き直り、裏山にまで響くような大きな声で叫んだ。「お父さん、お母さん。章二さんがプロポーズしてくれたわ。一生ここでわたしと暮らしますって！」

庫裏のほうでどたどたどたというあわただしい足音が巻き起こった。そしていかめしい顔つきの住職と、上品で美しい夫人とが、まるで転がるように本堂へ駆け込んで来た。住職の顔が喜びで爆発せんばかりに輝いていた。「でかした、美代子。よくやった、よくやった。これで永願寺も安心だ。さあ、お母さん、檀家《だんか》総代のみなさんに電話して、早速集まってもらいましょう。この寺の後継者がめでたく決まったんだ」

夫人が満面に笑みをたたえて章二に言った。「ふつつかな娘ですが、どうぞよろしくお願いいたします」

章二の驚くまいことか。わわわわっ、と言ったきり、しばらく言葉が出なかった。「こ、こ、これは、い、い、いったい、どうなっちゃってるんだ？」

「わたしの父と母です」美代子がふたりを紹介して言った。「このお寺がわたしの家なのよ」

章二、うーんと言ったきり、後へひっくり返ってしまった。足がしびれたのではない。腰が抜けてしまったのだ。

　裏山の頂上に腰を下ろし、伊藤章二が憮然《ぶぜん》とした顔で村のたたずまいを見つめていた。傍らには高山美代子が困ったような、おかしいような顔で付き添っている。

「お寺というのは、いまどこも後継者がいなくて困っているの」美代子はいくらかすまなさそうに言った。「由緒あるお寺が鳴りもの入りで、後を継いでくれる人はいませんかと血眼になって探しているのよ。後継ぎがどうしても見つからなくて、無住寺や、つぶれてしまうお寺が毎日何十も生まれているわ。宗派の機関紙を見ると、後継者を求むというお寺の広告ばっかりよ。とくにうちみたいに、女の子しかいないお寺は大変なの。いまどき入り婿になって、田舎のお寺を継いでやろうなんて男の人、なかなかいないんだもの」

「きみならいくらでも見つかっていたよ」

「でも、つまらない人だったらわたしのほうがいやだもの」美代子はちらと章二を見上げて言った。「わたしが好きになれる人で、なおかつ父や母が気に入ってくれる人でないと。東京で二年間探し回っていたのよ。そしてやっと見つけたのが、あなただったの。このチャンス、どうしても逃がしたくなかったわ。ほんとは正面攻撃すべきだったんだろうけど、神野先生がおれにまかせておけって言うものだから」

「みんなグルだったんだ」

「怒ってる？」

「怒ってるとも。腹の底が煮えくり返って沸騰している。しかしその怒りが、どうしても込み上げてこないんだ」

「ほんとはわたしだって、一生こんなところに縛りつけられるのは迷惑だわ。でも五百年の歴史を誇りにしている人たちが何百人もいて、みんなでもりたて、みんなで守ってきてくれたお寺なのよ。それを知ってる以上、やはりこのお寺を守っていくのがわたしの務めなのかなあと思って。わたしの家、もう三代、女の子しか生まれていないの。それで祖母も、母も、みんな京都や東京に出て、自分の婿にふさわしい男性を見つけてここへ連れて帰っているのよ。あなたで三代目なの」

「するときみのお父さんも、お母さんにハントされてここへ来たわけ？」

「そうよ。父は半分志願して来たみたいだけど」

「大学へ行ってくれというのは？」

「お寺を継ぐためには僧侶の資格が必要だからよ。だからあなたにも宗派の大学へ行ってもらいたいの。行ってくれるでしょう？」美代子は章二の胸に顔を寄せ、下からじっと見上げて言った。一割ぐらい不安そうで、九割ぐらい自信たっぷりだった。

章二は力強く美代子を引き寄せた。「きみの態度次第だよ」美代子の顔を起こすと抱きしめた。それからこれまでの思いを全部吐き出して猛烈なキスの雨を降らせはじめた。上空で秋アカネが目を回していた。

苦《く》労《ろう》判《ほう》官《がん》大《たい》変《へん》記《き》

清水義範

1

京の五条の橋の上。

月の明るい夜、その橋の上を、白い直垂《ひたたれ》を着た姿美しい若武者が、笛を吹きつつ渡っていた。

女の着物のような薄衣《うすぎぬ》を肩にかけ、目にもあでやかななりをして、しかも横笛を見事に吹いているのである。どう考えてもバカである。

月明りに照らし出される顔を見れば、瓜実顔《うりざね》に優しい眉《まゆ》、目はキリリと一重に切れ長で、鼻から口にかけての涼しげなありさまは如来の像もかくやというほど。世の女どもがその顔を一目見れば、たちまちのぼせあがり恋の病におち、ある者は気を失うかもしれなかった。

その若武者が、橋の中央部にさしかかった時、黒い大きな人の影が、ぬっと現れて行く手をさえぎった。頭を僧頭巾《そうずきん》でおおった、どこぞの僧兵とおぼしき格好の男である。

「待てい」

僧兵は太いだみ声を出した。

若武者はピタリとその歩みを止める。

「ここを通りたければ、その太刀を置いてゆけ」

「素直に渡さないと叩《たた》きのめしちゃうんだ」

「あっ、知ってる」

と、若武者は嬉《うれ》しげな声を出した。

「すごい有名じゃん。刀を千本集めてんだよね。素直に渡さないと叩きのめしちゃうんだ」

「そうされたくなくば、素直に出すことだ」

「それもまずいわけじゃん。それだと、おれが腰抜けだってことになっちゃうわけだし。ここはやっぱ、やだ、つうとこだよね」

「ならば力ずくで奪うまでのこと。見ればなかなかに涼しげないい男振りだが、それに加えて少しは腕が立つのかどうか調べてやろう」

怪僧はそう言うがはやいか、背中にかついだ七つ道具の中から大薙刀《おおなぎなた》を手にとり、それをふるってまっこうから斬りかかった。

若武者はその攻撃を予期していたかの如く横へすっころんで躱《かわ》し、体勢をたて直すと同時に太刀を抜き、僧に斬りかかった。

薙刀の柄がその太刀をガツンと受け止め、次の瞬間、力まかせに押し戻した。

若武者はのけぞりつつ一間ばかり後退し、かろうじて姿勢を戻す。

「なかなかいい腕だな」

僧が笑いながら言った。

「そう簡単にやられるわけにはいかねえもんね」

「チンピラ仲間にメンツが立たんというわけか。いかにも泥臭い喧嘩《けんか》剣法だからな」

「今度はこっちの番だぜ」

と言うと、若武者は左右にフェイントをかけながら進み、斬りかかると見せていきなり太刀で突きを入れた。

この大男のどこにそんな敏捷《びんしょう》性が宿っているのかと不思議なほどの素早さで、僧は太刀をよけて後方に跳び、次の瞬間に大薙刀がブンと音をたてて若武者に襲いかかった。

若武者は薙刀を太刀ではね返す。そして、太刀を両手で握りしめると、大男の胴を両断せんとする勢いで弧を描いて剣が襲いかかった。

僧兵がその攻撃をさけることは不可能のはずだった。これまでに、そのやり方で若者は幾度もの斬りあいに勝ってきているのだ。

だが、斬りかかられた大男の体がその時、宙に飛んだ。若者の太刀が虚しく空を斬る。七つ道具をかついだまま僧兵は、軽々と飛んで橋の欄干の上に高下駄で立った。

「うわ」

驚きの声をあげる若武者を笑って見下ろしていたと思うと、いきなり僧はもう一度飛んで反対側の欄干にいた。

「くそ。化け物か」

と叫んだ若武者は、次の瞬間、僧兵の大薙刀の柄で肩のあたりを打ちすえられていた。手から太刀がガラリと橋の上に落ちる。

僧がふわりと降りたつと、若武者の背中をむんずと摑《つか》み、橋板に力強く押さえつけた。

「どうだ。動けまい」

「お前は天狗《てんぐ》か。くそっ、殺しやがれ」

「殺す気はない。お前がどのくらい強いかを確かめたのよ。近頃《ちかごろ》の若者にしては、まずまずやるほうだな。ただしひどく下品な喧嘩剣法だが」

「うるせえ、馬鹿野郎」

「元気もいい。それから顔だ。もう一度よく顔を見せろ」

「痛え。首をねじるな」

「うむ。いい顔だ。これならばどこぞの公達《きんだち》と言っても通る。こういう顔が望みだった」

「あっ」

と言って若武者は這《は》いずって逃げようとした。

「お前、そういう趣味なの。やだ。おれはそういうの好みじゃねえ」

しかし僧兵は、力ずくでねじふせる。

「そうではない。いいか、勝負に負けたのだからわしの話をきけ。お前のような姿形のいい若者に出あいたくて、刀を集めるなんてことをしていたのだ。そして、お前が気にいった。だから話をきけ」

「あっちの趣味はねえからね」

「その心配はいらん。いいか、重大なことだからよくきくのだぞ」

そう言って大男は、あたりをはばかるような小さな声で言った。

「お前、源氏の御曹子になる気はないか」

2

場所を変え、清水《きよみず》の観音の境内の一隅で、二人はじっくりと話をした。

「どういうことだよ。言ってることの意味がわかんねえよ」

「頭の悪そうな言葉遣いだな。まずそれから直さねばなるまい」

「だから何だってんだよ。源氏のなんとかって、何の話だよ」

「源氏の御曹子だ。すなわち、平治の乱において平家と戦って敗れ、東国に逃げる途中、尾張国野間で殺された源義朝の遺児になれと言うのよ」

「すっげえ有名な人じゃん。今は平家がバリバリの世の中だけど、おれだってその人の名前ぐらいは知ってるもん」

「ならば、わかりが早い。その義朝公と、常盤《ときわ》御前という女性の間に、三人の子があったのよ。上から、今若、乙若、牛若といった」

「へーえ」

若者はもう僧に逆らわなかった。相手のほうが強いと認め、兄貴分のように慕い始めていたのであろう。

「その三人は、普通ならば平清盛によって殺されるところを、常盤の命乞いによって命をながらえることができた。その時七歳の今若は観音寺にあずけられ、五歳の乙若も別の寺へとあずけられた。生まれたばかりだった牛若はしばらく常盤のもとで育てられたが、後に鞍馬山の東光坊にあずけられることになる」

「よく知ってんなあ」

「さてそのうちの、牛若だ。源義朝公の最後の子で、九郎とも呼ばれ、鞍馬山では遮那王《しやなおう》とも呼ばれたこの子が、長ずるにつれ、学問にも武芸にも、人に抜きん出た能力を示し始めたとせよ。天狗に学んだかと思われるほどの武芸を身につけ、しかも頭のほうも遠く余人の及ぶところではないほどにキレる」

「格好いいじゃん」

「ところがそうはいかぬのよ。ま、それはさておき、この遮那王がある時、自分の本当の素性を知ったのだ。今でこそ世は、平氏にあらずば人にあらず、というほどの平氏の天下であり、太政大臣にまでのぼりつめた清盛の権勢とどまるところを知らぬという具合だが、源氏とてもつい先年までは、清和天皇の血を引く由緒正しい武家の家柄、その義朝といえば源氏の棟梁《とうりよう》たる大物なのだ。自分はそれほどの人物の遺児であったのかと思えば、もう仏の道につかえて一生を送ろうとは思えぬところであろう」

「そりゃそうだよ」

「我が力をもってして父の敵の平家を討ち、源氏の世を再来させようと心中密かに期してその日の到来を待ち望むのは当然であろう」

「うん。すっげえ面白え」

「だからお前に、その源《みなもとの》九郎《くろう》になってもらおうと思うのよ」

あっと叫んで若武者は、ただおろおろと首を横に振るばかり。

「それ、やばいよ。そういうのはやばいと思うな」

「何がやばい」

「そういう人の偽者になれってんだろ。そんで、あちこちの源氏協力者んとこまわってうまいもん食ったり、金を出させたり。そういうのはしてないよ。でも、それって悪質じゃん。おれもいろいろ悪さはしてきてるけど、そういうのはしてないよ。第一、本物の九郎が知ったら怒って、きっと殺しに来ると思うな。だからそれはやめようよ」

「誰《だれ》が偽者になれと言った」

「でも、そういうことじゃん」

「そうではない。本物の源九郎になれというのだ」

「え？」

「よいか。九郎は源氏の御曹子だ。長く世からは姿を消しており、人々もその存在を忘れかけている。そんなところへ、我こそは源義朝の遺児なりと旗をあげ、世に打って出て、平家と戦うのだ」

「うん」

「その九郎は、なるほどさすがに御曹子、と人が見て好感を抱く男でなければならぬ。この涼しげな公達にこそ、戦勝がころがりこむのは当然のことと、人々が応援したくなるような好青年でなければな。要するに、顔がよくなければ」

「顔が……」

「そうだ。美人のほまれ高い常盤の子で、今若、乙若、牛若という、さても不憫《ふびん》な子たちじゃのう、の一番下だぞ。女が一目見るなりのぼせあがるようないい男で、いかにもすがすがしく、若々しくなければならぬ。もし仮にだ、顔は薄黒くてあばたがあり、眉は太くてゲジゲジで、目玉ギョロリの怪物顔でだ、人並み外れた大男、どう見ても四十歳は過ぎているとしか思えぬ老け顔の男がだ……」

そう言って僧は頭巾をとり、自分の顔を若者に見せた。実になんとも怪物的な面相である。

「つまり、こういう顔の男が源氏の御曹子では、誰も味方する気にならんだろう。いやそれどころか、本物だと信じてもらえぬ」

「わっ」

若武者は叫んで、相手の顔をまじまじと見つめた。

「ということは、実はあんたが九郎……」

その口を僧はあわてて手でおさえる。

「言うな。それを二度と口にしてはいかん。源九郎《げんくろう》で、自らつけた正しい名は義経《よしつね》。すなわち源九郎義経が、今日からお前の名になるのだ。おれはその第一の家来で、素性も定かでなく、どこの馬の骨とも知れぬ怪物の、武蔵坊弁慶《むさしぼうべんけい》」

「弁慶……」

「義経のあるところ、常に弁慶がそばに仕え、二人は終生離れることがない」

「そうかあ」

若武者は納得した声を出した。

「いつもいっしょにいて、おれが義経で、お前が家来の弁慶」

「そうだ」

「つまり、おれは看板なんだ。本当の義経がそばにいて、行動の指示は全部出してくれる」

「うむ」

「だったら別に、おれが義経だってことにしても問題ねえもんな。おれの本当の名前と生まれ育ちはさ……」

「言わんでもいい。そのことはすぱっと忘れろ。どうせろくな出ではないだろう」

「うん。もともとのおれがこの世から消えても困る人間は一人もいない」

「好都合だ。どうだ、この先の人生を義経として生きて行くというのは」

「その秘密を知った以上、断れば殺されちゃうんだろ」

「チンピラだけあって、その辺のわかりは早いようだな」

「勝負に負けたんだしな。やってみるか。今よりは面白え人生かもしんないし」

「面白いことは保証する。合戦と、名誉と、地位と、権力の人生だ」

「女にもモテるかな」

「もてる。そこいらのはした女《め》などではないぞ。やんごとなき姫たちに、うはうはもてる」

「よし。やる」

「そうか。では二人で、奥州へ行こう」

「なんで平家をやっつけるのに、奥州へ行くんだよ」

弁慶、ということに一応しておくところの実は義経は、わからん奴だなあ、という顔をして言った。

「子供の喧嘩ではあるまいし、福原の平清盛のところへ行って、さあ勝負しようというようなわけにはいかぬ。こちらも旗あげするまでに様々の勢力を味方につけ、力をたくわえねばならんのだ。そのためにまず、奥州藤原家の世話になる。そこで力をたくわえ、機をうかがうというわけだ。そしていつの日にか伊豆の頼朝公とも連絡をとりあい、力を合わせて立つ」

「えーと、その人は誰なの」

「お前の兄上ではないか。母こそ違うものの、義朝公の三男で、今は伊豆に流されている」

「そうなのか。あのなつかしい兄上」

「なつかしがってはいかん。生まれてから一度も会ったことがないのだから」

「あ、なんだ」

「とにかく、頼朝公の力になって平家を討つために働くというのが、お前の念願だ」

「わかった」

「というわけで、明日、奥州の金売り吉次という商人に会う。この男はおれたちを奥州へと案内してくれるのだ。もちろんその男にも本当のことを知られてはならんから、以後言葉遣いをあらためる。おれも、お前のことをお前とは言わん。殿、と呼ぶ」

「うん」

「だからお前も身分にふさわしい言葉を使わねばならんのだが……、これからだんだん教育していくとしても、急にはチンピラ言葉が直るまい。やむなく、当面は無口な御曹子ということでいこう。そうか、という言葉と、そちにまかせる、という言葉以外は使うな」

「そうか。そちにまかせる」

「よし。その調子だ」

「簡単だぜ、兄貴」

「兄貴はいかん。弁慶、と呼び捨てにしろ」

「そうか。わかったぞよ、弁慶」

「うん。それでいこう。源九郎義経の誕生だ」

弁慶こと義経は、醜い顔にカッと笑いを浮かべた。

3

治承四年（一一八〇年）八月、源頼朝はついに伊豆で挙兵した。以仁王《もちひとおう》の令旨《りょうじ》を受け、まずは平氏の代官所を討ったのだが、その数日後に、石橋山で敗退、安房《あわ》へ逃げた。房総半島で反平氏の勢力をまとめ、鎌倉に進む。関東での源氏の旗あげであった。

そして十月、平維盛《たいらのこれもり》と忠度《ただのり》を大将とする追討軍と、駿河国富士川をはさんで対峙《たいじ》する。この時、もともと動揺していた平氏軍は水鳥の飛び立つ羽音におびえて敗走したという。富士川の合戦である。

奥州平泉の藤原秀衡《ふじわらのひでひら》の世話になっていた義経は、関東での兄の挙兵の報をきき、共に戦わんと駆けつけた。

「いよいよ時が来た。行くぞ」

と弁慶が言い、

「よし。やったろうじゃねえの」

「もう少し品のいい言葉を使え。いよいよ兄上と対面するのだからな」

「そうか。そちにまかせる」

「そうはいくか。ここから先はお前が主役なんだ」

富士川の合戦の翌日、駿河国黄瀬川《きせがわ》の陣で、ついに運命の対面が行われた。

頼朝の本陣は大幕をひきめぐらせた中にあり、その中に関八州の大名小名がずらりと並んでいる。

義経は甲《かぶと》を脱いで小姓に持たせ、佐藤三郎継信《つぐのぶ》、四郎忠信《ただのぶ》の兄弟と、伊勢三郎義盛《よしもり》の三人をひきつれて、兄頼朝の前に進み出た。そしてもう一人の家来、武蔵坊弁慶は、常に義経の脇《わき》につきそっている。

「九郎か。遠慮せず、前へ進め。この敷き皮の上までまいれ」

面長で、意志と自制心の強さを感じさせる整った顔つきの頼朝は、親しげな調子でそう言った。

「さあ、もっと近くまで」

「はっ」

義経は進み出て、両手をついて平伏した。

弁慶もそれに従い、義経の背後で平伏する。大男の体はこわばり、目に見えぬほどに震えていた。

「顔をあげて見せてくれ。初めての対面ながら、血を分けたる弟。なつかしいぞよ」

義経は顔をあげ、感激のおももちで言った。

「兄上様にお会いしたいものと、ただそればかりを願って生きてまいりました。願いがかない、これ以上の喜びはありません」

このあたりの言葉は、何度も練習してあった。

「よくぞ訪ねてくれた。見れば、なるほど亡き父上義朝公の血を引いて、すがすがしき若武者だ。我が弟ながらほれぼれする。よく、余の旗あげに参じてくれた」

「この日をどれほど待ち望んだことでありましょうか。この義経、兄上様のために一命をさし出し、源氏の再興のために働く所存でございます」

「よく言ってくれた。兄弟の力をひとつに合わせれば、我らが父上の義朝公の無念を晴らす日も近いことであろう。心強く思うぞよ」

まわりを囲む武将の中に思わず涙にむせぶ者がいるほど、兄弟の感動的な対面であった。義経が来たことで、その背後にいる奥州藤原家を味方につけることができる、というような計算はもちろんのことあるわけだが、それでもこれが辛苦をなめた兄弟の対面であるという事実に嘘《うそ》はなかった。この時点では、兄弟の心はひとつに結ばれていたのである。

この場面を見つめる人の多くが感激に涙している中、義経の背後にひかえて平伏する弁慶もまた、感に堪えかねたとでもいうように、ぶるぶると大きく身を震わせているのであった。僧形の大男が肩を揺らせて泣く様は、いやでも人の目についてしまう。

「その、僧のなりをした男は何者か」

頼朝はそう尋ねた。

はっとしたように顔をあげて義経は、兄の顔を見つめる。ちらと後を見やってから、意を決して言った。

「これなるは、わたくしの第一の家来にて、熊野生まれの怪男児、武蔵坊弁慶にございます。わたくしが今日あるのも、この者が陰となりひなたとなり見守ってくれたがため。されば、わたくしの兄上様に会いたいという願いを知りぬいていればこそ、今日のこの対面を我が事のように喜び、感激しているのでございましょう」

「うむ、弁慶か。よき家来を持ったな」

「まことに」

頼朝は弁慶のほうに目をやって言った。

「弁慶とやら。面をあげい」

岩のように硬くなって、弁慶はますます身を低くする。

「おそれ多いことでございます」

「いや、構わぬ。顔を見せてくれ。我が弟の第一の家来の顔が見たい」

「はっ」

ようやく顔をあげ、頼朝と弁慶の目と目が合わされた。

まるで、仏と鬼との対面の如くであった。

端整で色白な頼朝と、顔色黒くごつごつと岩のような弁慶。思わず頼朝が息をのむほどの怪物である。

「そちが弁慶か」

「はっ」

答えて弁慶は、目ばたきもせずに頼朝の顔を見つめる。そして、全身をぶるぶると、感激に震わせるのであった。居並ぶ者が、この豪傑は何をそこまで感じ入っているのかと不審に思うほどだった。

「我が弟、九郎の力となって働いてくれること、ありがたく思うぞ。この先も、源氏の世のために、力をつくして奉公してくれ。兄から、弟のことよろしく頼んだぞ」

「ははーっ」

義経が、あえて口をはさんだ。

「直にお答え申しあげてよい」

弁慶は、思いのたけに言葉につまるという風情だったが、気を取り直して言った。

「身に余るほどのお言葉をいただき、恐縮しごくに存じます。この身を源氏のためにさし出したる武蔵坊弁慶なれば、我が御大将義経様のために一命をかけ、終生お仕えする所存でございます。義経様と、頼朝公のおん為に、人一倍の働きをするでありましょう」

そして、感激に堪えかねるが如く大目玉をむいて、ぶるぶるぶる。

「うむ、頼もしき言葉ぞ。九郎」

「はっ」

「よき家来を持ったな」

この時の、弁慶の感激の真の意味を知る者は、満座の中にただ一人、偽義経だけであった。

4

平清盛が死んだ。頼朝の挙兵の約半年後、一代の栄華をほしいままにしていた清盛も、源氏への怒りと一族の存亡への焦りの中で高熱のために死亡した。

その間にも、頼朝は着々と関東を平らげていく。

そして、もう一人の源氏の大将が、京をめざしていた。頼朝のいとこにあたる、源（木《き》曾《そ》）義仲《よしなか》である。寿永二年（一一八三年）五月、義仲は越中・加賀の国境倶利伽羅《くりから》峠で平維盛の軍に大勝し、その七月には入京した。敗北を重ねた平氏は、義仲入京の三日前に幼帝安《あん》徳《とく》と母后建礼門院徳子《けんれいもんいんとくこ》をつれて西国へと落ちていた。

天下が、義仲の手中にころがりこんだようなものである。義仲は旭《あさひ》将軍と称して政権を我がものにしようとしたが、京の貴族たちはこの田舎者に冷たく、しかも関東の頼朝とは対立する関係になっていった。

義経は、かつて京から奥州へ行く途中、木曾の義仲のところに立ち寄って対面し、源氏の世の再来を約束しあったことがある。

だが、今となっては、一歩浮きあがってしまった義仲は敵であった。元暦元年（一一八四年）一月、義経と、その兄範頼《のりより》（義朝の六男）は頼朝の命を受けて京に迫り、粟津の原に義仲を討ちとった。

かくして、京に新しいヒーローが出現する形になったのである。姿美しく目にさわやかな義経は、京の女性にもてまくった。あんなに格好のいい若武者がこれまでいたでしょうか、キャワン、というぐらいである。

義経は京で、人気者となった。もしこの時、義経の風貌《ふうぼう》がさわやかではなく、たとえば弁慶のような岩石顔であったなら、木曾義仲と同じように京からは受け入れられなかったかもしれない。そうすれば平氏の時代ももう少し続いたかもしれない。

だが、京は源氏に肩入れをするようになっていく。そして実はそのことが、義経と頼朝の間にミゾを作っていくことになるのだが、この時義経はもちろんのこと、弁慶もまだそのことに気がついてはいなかった。

「こら」

「わっ。びっくりしたなあ。弁慶の兄貴か」

「また女のところに泊ったのか。底なしの色好みだな」

「もてるんだもん、しかたないじゃん」

「まあいい。お前が京の女の人気者になるのは、源氏の人気につながるんだからな」

「いい女がいたんだよ。色白で情が深くてしっとりしてて、ああ、静《しずか》ちゃん」

「女もいいが、行いには注意しろよ。お前の行動は人々の目が見ているんだ。その中には、頼朝公の家来の梶原《かじわら》様のようなうるさがたもいる」

「うわ、爺《じじ》いの景時《かげとき》か。おれ、あいつ嫌いなんだよな。なんか、ああいう古臭いおべっか使いって、むかつくぜ。実力もねえくせにひとに説教たれやがってよ」

「そういうところはあるが、あいつが頼朝公とのパイプ役なんだ。少くともあいつの前では行儀よくしておれ」

「おれにしちゃあ、かなり行儀よくしてるつもりなんだけどなあ」

舌打ちをして、やがてあきれたように弁慶は笑った。

「まあいい。戦の時など、お前がかなり働くというのは事実だからな」

「おれ、喧嘩は好きだからよ。合戦となるとうきうきしちゃうんだよな。それで、兄貴の立ててくれる作戦が最高じゃん。その通りに戦ってりゃ絶対勝っちゃうんだもんなあ。おれ、兄貴のこと尊敬してるんだぜ」

「義経が弁慶を尊敬するのはよせ。ただでさえ、お前が天才的武将なのか、度しがたい色好みなのかわからなくて、後世の人に混乱を与えそうなんだから」

「このやり方だもん。混乱を与えて当然じゃんか」

弁慶はガクッ、とずっこけて頭をかいた。

「ひどい義経を選んでしまったな」

「兄貴の責任だから、おれ知らねえよ」

「よい。これで行けるところまで行くまでよ。戦に出るぞ」

「えっ。もう次の合戦なの」

「そうだ。今のこの勢いにのって、平氏を追い討つ」

「どこへ行くの」

「摂津だ。平氏は福原を根拠地に西国一帯の勢力を立て直している。平宗盛《むねもり》を滅ぼし、安徳帝を奪い返すまではのんびり腰をおろしている場合ではないのだよ」

「すっごい、コキつかわれるのね」

「当然のことだ。すぐ出陣するぞ」

というわけで、一ノ谷。

義経は播磨三草山《みくさやま》の陣に平資盛《すけもり》を夜襲して蹴散《けち》らし、その勢いで摂津一ノ谷へと進んだ。

一ノ谷の平家の陣は、海に面し、背後は鵯越《ひよどりごえ》の断崖《だんがい》絶壁が迫っているという、難攻不落の地にあった。

「弁慶。考えたぞ」

「ははっ」

二人は近寄り、義経は小さな声でささやいた。

「あんなとこ、どうやって攻めんだよ」

「えーっ、なんたる策略でありましょうや」

弁慶はドラ声を張りあげた。

「鹿に越えられるところを、馬が越えられぬわけはないと申されますか。おん自ら、あの崖《がけ》の上へ進み、そこから降りて敵陣の背後に攻めかかるとは、なんという鬼神の如き働きでありましょうや」

「えーっ」

「わかり申した。この弁慶、御大将の行くところ一歩たりとも遅れはとり申さぬ」

「本気なの」

本気で、ほとんど垂直にそそり立つ崖の上に出てしまった。下を見れば、朝もやの中に平家の陣が小さく見える。

ほんの数十騎の義経軍が、崖ぎりぎりのところに立った。

「兄貴ィ。これはちょっと無理だって」

「坂東《ばんどう》武者の勇気を示さんとする者は、我に続けと申されるか」

弁慶はそう言いつつ義経の馬の後ろに自分の馬をまわし、いきなり、主人の馬の尻《しり》を足で力まかせに押した。

「うわーっ」

義経は落ちていく。

「者共、御大将に続け」

全員が、どどどどと落ちていき、気がついてみれば平家の陣屋。討て、討て、討てーっ、と騒ぎたてれば平氏はど肝を抜かれ、戦意喪失命からがら逃げまどうばかり。

義経の軍は大勝利を手中にし、その軍名は高まるばかりであった。

5

義経は、後白河法皇により、左衛門少尉検非違使《さえもんのしょうじょうけびいし》に任じられた。戦功を認められたもので、これにより五位の判官《ほうがん》という位につき、九郎判官義経と呼ばれることになる。

名誉なことであった。だが一方でこれは、悲劇の始まりでもあった。後白河法皇には、頼朝と義経の仲を分裂させようという考えがあったのである。

頼朝の認可をまたずに検非違使となったことは、確かに兄の疑いのもとになっていった。京での義経の人気もまた、頼朝には面白くない。

ほれぼれするような姿よき若武者ではあったが、ちょっといい男すぎて、馬鹿っぽかったものな、と頼朝は思うのだった。ああいう、ひたすら女がキャーキャー言いそうなかわゆい男は、真の利口者ではないものよ。女にうつつを抜かすばかりの、ゴーマンな気取り屋になるのが関の山。確かに戦における活躍にはめざましいものがあるが、平家を倒してしまえばもう戦の才能など無用の物となる。その時に、あのよすぎる男ぶりが、我が敵となるやもしれぬ。

頼朝はそんなふうに思い始めていた。

義経のほうは、そうとは知らぬ。

偽義経がなんにもわからず、ひたすらもてて遊びまくっていたのは当然のこととして、本物の義経、弁慶にもその辺のことについての想像力が欠けていた。

自分の容貌に、コンプレックスを持ちすぎていたのである。おれのこの顔では、源氏の大将が務まるわけもなく、人はただおそれ、笑うだけであろうと思っていた。この顔をなんとかしたい、というのは彼の悲願であった。

だから、少々足りないチンピラであろうとも、偽義経の顔にはこの上なく満足していた。おれが、策略によりあの顔を得た、と思うのである。

偽義経が女に大いにうつつを抜かしているのを、あきれる思いで見ながら、実のところ悪い気分ではなかったのだ。おれがもてているのと同じだ、という気がした。あれはおれの分身にすぎぬ。その分身のおれが、生まれて初めてもてている。

いい気分だった。

偽義経の顔が、兄の疑いを招いているとは夢にも思わなかった。

かくして、波瀾《はらん》を含んで文治元年（一一八五年）。

この年二月、義経軍は讃岐国屋島《やしま》の合戦で平氏を打ち負かした。中国道を行く兄の範頼が大した武功をあげられぬのに対し、義経の行くところ勝利ありという具合である。

順調であると言ってよかった。弁慶がちょっと目を離している時に起きた、義経と梶原景時のちょっとした言い争い以外は、ほとんど順調だった。

「さればさ、源氏の兵は多く山国育ちにして海に慣れねば、船には逆艪《さかろ》をつけ、前にも後ろにも進めるようにしておくのが良策と申すもの」

「その必要はない」

「何を根拠に必要がないと仰せられるのか。万一のためにおこたりなく備えをするのが武略の第一義でござろう」

「合戦に、後退はいらぬ」

「なんと仰せられる。それはあまりに無謀なる言葉というもの。なるほど、若くて血気にはやる方なれば、戦はとにかく前へ押せばよいものと短慮しそうではござるが、それはちと若すぎましょうぞ。何が起こるかわからぬのが戦でござる。万全の構えで戦に臨むことこそ、我らのような経験を積んだる武者の知恵でござる」

「敵に後ろを見せて逃げ帰るのは、無事に生きてきた武者の知恵だ」

「何を仰せられる。ぶ、無礼でござろう。わしを逃げ武者と仰せられるか。少しは知恵を使われよ。ただ突撃するだけの、知恵も策もないやり方で、合戦に勝てると思っておられるのか。そこいらのチンピラの喧嘩ではあるまいし、馬鹿らしい。第一、御大将は攻撃の時にいつも一番前を駆けられる。そんな大将があろうことかよ。大将がやられたら総くずれではないか。分別というものがなさすぎようぞ」

それまで言葉少なかった義経が、ついにここで爆発してしまった。

「ガタガタ言ってんじゃねえよ、爺い」

「じ、爺い……」

「うるせえんだよ、おめえの言うことは。何が合戦の知恵だよ、この腰抜け野郎」

「ぶ、武将に向かって腰抜けとは、大将の言葉といえども許し難し」

「うるせえってんだよ、爺い。おめえの逃げ腰作戦で勝てるような猫の陣地取りのような戦をしてんじゃねえんだ、おれたちは。そんなに戦がこわけりゃ、てめえだけ留守番して飯たき女の手伝いでもしてやがれ」

「無礼な」

「うるせえ馬鹿野郎、とっとと死んじまえ、糞《くそ》ったれめが」

頼朝に信頼される御家人である景時が、この屈辱を忘れるはずはなかった。こんな下卑た男が源氏の大将であっていいものか、とも思ったであろう。

隠しても隠しきれぬのが育ちである。義経の正体が、頼朝方の一部には少しずつ見抜けてくるのであった。

だが、合戦においては天才である。実はその作戦は弁慶が立てているのだが、ことごとく狙《ねら》い通りに行くのである。

三月。義経はついに平氏の一族を、長門国《ながとのくに》壇ノ浦に追いつめた。

海戦である。義経は伊予の河野水軍を主力に立て、平氏の船陣に襲いかかる。海上を矢が飛び交い、勢いにのる源氏の矢に平氏の水夫《かこ》はつぎつぎと倒れた。

そして、一時は天下に敵するものなしと、おごれる平氏は滅亡の時を迎えた。清盛の妻であった二位尼は、八歳の安徳天皇を抱いて船端から海中に身を投じた。

天皇の母后建礼門院も後につづいたが、源氏方の熊手に髪をかけられ引きあげられる。

平宗盛・清宗《きよむね》の父子は捕えられた。

「ついにこの日を迎えたか」

と弁慶は、陽の落ちかかる海を見つめて言った。

「夢にまで見た平家の滅亡を、この手でかなえ、この目で見たのだ」

義経がそばに立ち、人にきこえぬように小声で言った。

「やったよな、兄貴」

「この望みを達したる以上、これより先の人生のことはどうでもよい」

弁慶は天を仰いでそう言った。

6

壇ノ浦に平家を滅ぼした年の五月、義経は平宗盛・清宗の捕虜を伴って鎌倉へ帰ろうとするが、頼朝からの命で腰越《こしごえ》に止め置かれる。帰ってくるなというわけである。

普通には、梶原景時の讒言《ざんげん》があって、頼朝が義経を疑ったのだと言われているが、それだけが原因ではないだろう。平家を倒してしまった今となって、義経が必要かどうかを頼朝は考えたのだ。ある意味では京で人気のある義経だが、そういう人間がこの先、源氏の世の役に立つのかどうか。

頼朝は義経を不用だと判断したのだ。

この時、義経は腰越状、と呼ばれる有名な陳情書を頼朝に送った。実は弁慶が書いたその書状には、兄を思う気持が痛いほどにしのばれて、名文である。

だが、兄の疑いは晴れなかった。

「なんということだ。平氏追討の願いをはたしたと思ったら、兄上との間にかかるミゾができてしまった。親を亡くしているおれたちにとって、兄弟だけが唯一の血のつながりであるというのに、その兄弟から疑いを向けられ、仲たがいをしなければならんとは、なんたる悲しみだ」

弁慶は醜怪な顔を一層ゆがめて、悲痛な声を出した。

「兄貴ィ。元気出していこうよ」

「この先は、兄上の疑いを晴らすことを目標に生きることになるのだろうな」

だが、頼朝は義経と、その後ろ盾である奥州藤原家をこの際つぶしてしまおうとしていた。どっちの味方なのかさっぱりわからず、というよりどっちの味方でもなくただパワー・ゲームにのっかっているだけの後白河法皇は、頼朝の要求にこたえて義経追討の院宣《いんぜん》を下す。

義経は罪人の立場になった。

そして追っ手から逃げる生活をする義経（弁慶）の心中にあったのはひたすらに、兄上の許しを得たいという一事だけだったのである。

義経の愛人静御前が吉野山で捕えられ、佐藤忠信は狐になり、義経は大物浦で難破したりと、大変な苦労が続く中、一行は奥州をめざし、羽黒山の山伏に身を変えて北陸道を進んだ。

やがて、加賀国安宅関《あたかのせき》へとさしかかったところ、関所の長官、富樫《とがし》に怪しまれ、本物の山伏ならば勧進帳を読めと難問を出されたが、弁慶にそれはたやすいことであった。

「おどま勧進勧進、あん人たちゃよか衆《しゅ》。よか衆よか帯よか勧進」

「なるほど。本物の山伏のようだ。ならば通ってよい」

「それでは、ごめん」

行きかけるところへ、

「あいや、しばらく待たれよ」

「なぜでござる」

「その強力《ごうりき》、つまり荷運び人に不審がある。強力とは思えぬ顔の美しさ。きけば判官は顔立ちのすずしき好男子とか、その強力が怪しい。これ、返答いたせ」

言いつのられて義経はこう答えた。

「そうか。そちにまかせる」

馬鹿あ、と弁慶は叫んでしまいそうになった。

「うぬ、やはり怪しいぞ。強力がそのような言葉を使うとは思えぬ。そのほうが判官だな。者共捕えよ」

「あいやしばらく。しばらく待たれよ」

弁慶、両者の間にすっくと立ち、

「お疑いはごもっともなれど、この者は判官にはあらず。言葉のおかしきは、こ奴が馬鹿だからでござる」

「馬鹿か」

「いかにも。ろくに口もきけず、山伏にも似合わぬ好色な面をして、まことに腹の立つ未熟者。この馬鹿のせいで我らが罪人に間違えられるかと思えば、怒りの虫がおさまらぬわい。修行不足のたわけ者め、こうしてくれるわ」

言いつつ弁慶は、金剛杖《こんごうづえ》で義経を力まかせに打ちつけた。

「この馬鹿め」

容赦なく打ちつけるその激しさに、見守る者は思わず息をのむ。

この時、弁慶は本当に怒り狂ってしまったのである。ひたすらに源氏のため、兄頼朝のためにと思い働いてきたのに、その兄に追われる罪人の身の上になってしまった自分が哀れでたまらぬのであった。そして、自分の策略が間違っていたのだろうか、という反省もあった。

この醜い顔では仕事ができぬと、顔のよい偽義経を仕立てたおれのやり方が間違っていたのか。その小細工がかえって今日の不運の元だったのだろうか。

そう思っているところへ、義経のまぬけ発言だったので、この馬鹿、打ち殺してやろうか、とまで怒りがつのってしまったのだ。

「思えば憎し、憎し憎し」

「待たれよ。本当に殺してしまってもむごい。これが本物の判官ならば、そのようには打つまい。これで疑いは晴れた。その者は判官ではないとわかった」

「おわかりいただけましたか」

「わかった。だからここを通ってよい」

やっとのことで関所を通過することができたのである。

よろよろとよろける足どりで、かろうじて一行に従う義経は、苦痛に顔をゆがめながらも、弁慶の怒りを心に重く感じとり、泣きだしそうな声でつぶやくのであった。

「兄貴ィ」

7

義経は奥州平泉にようやくのことで辿《たど》りつき、藤原家に庇護《ひご》される身の上となった。文治三年（一一八七年）のことである。

しかし、そのやすらぎも長くは続かなかった。頼りにしている当主の藤原秀衡が病死し、その子泰衡《やすひら》の代となったのだ。信頼できる人物の死は、義経にとって心細いことであった。

しかも、新しい当主泰衡に対しては、法皇から、義経討伐の宣旨《せんじ》が下ったのである。

頼朝の策略であった。

義経と、奥州藤原家の両者を目の上のこぶと感じていた頼朝は、まず泰衡に、義経を討たせようとしたのだ。それから、泰衡率いる藤原家を討つ考えである。

いずれにしても、義経の運命は風前の灯であった。

「いよいよやばい雰囲気になってきてるよなあ」

二人だけの席で、義経は言った。

「うむ。今度ばかりは逃げることもかなわぬかもしれぬ」

「年貢の納め時ってやつだ」

「こわいか」

言われて義経は、ニカッと笑った。それだけを見ればなんとも上品な笑顔である。

「よしてくれよ。おれはもうガキやチンピラじゃねえんだぜ。死ぬのがこわくて震えてると思ったら大違いだ」

「そうか。そうと知らず悪いことを言ったな。あやまる」

「あやまることはねえよ。おれ、兄貴のおかげで面白え人生を送れちまったなあと思ってるんだぜ。戦も面白かったし、義経ごっこも傑作だった」

「そう思ってくれるか」

「都でチンピラしてたんじゃ、こんな面白え人生は送れなかったもんな。どう言うのかな、つまり、歴史の表舞台に立って一曲踊ってみたってところだよな。見物人も多いし、最高だったぜ」

「うむ」

「その上、もてた。いやあ、京ではもてまくったなあ。あれだけでも、人生に悔いはねえ」

「そうか」

弁慶は鬼のような顔で苦笑した。

「思えばわしの策略は、半分大成功で、あとの半分が失敗だったというところだな。お前という美男の看板を立てたが故に、平氏を討つところまでは狙い通りに事が運んだ。だがそのやり方の弱点が出て、後半は志から外れてしまった」

「半分でも、うまくいったんだからいいじゃん。少くとも、義経はめっちゃ格好いい合戦の天才、という話は残ったと思うぜ。おれ、そんだけでも大満足だよ」

「そうか」

弁慶はほっとしたように義経を見た。そして、自分に言いきかせるように言った。

「そうだな」

文治五年（一一八九年）閏《うるう》四月――。

藤原泰衡はついに頼朝の追及に抗しきれず、兵をあげた。

義経を討つためである。

北上川にそそぐ支流のひとつ衣川《ころもがわ》の館が、義経最期の地となった。

「弁慶ーっ。敵が攻めてきたぞ」

「御大将、あわてめさるな」

「今さら何をあわてるもんかよ、ちくしょうめ。一人でも多く敵を道連れにしてやるぜ」

弁慶はその言葉をきくとカッと笑い、振り返って押し寄せる敵兵を見た。もう、すぐそこまで迫っている。

「さあ、最後の大暴れをしようぜ、弁慶」

しかし、その時弁慶は、あらためてまじまじと偽義経の姿を見つめ、やがて大きくうなずいて、目玉をギロリとむいた。

「考えを変えた」

「えーっ。何をどう変えたんだよ。こんな忙しい時に」

「お前はここを逃げ落ちよ」

言われた義経は、この時初めて顔を真っ赤に染めて怒った。

「やだぜ、そんなの。おれたちゃ、二人で組んできたんじゃねえか。ここで自分だけ逃げるなんて、そんなことはできねえ。おれが怖じ気づいてると思ってるなら怒るぜ」

弁慶はカカカ、と笑った。

「嬉しい言葉だ、名無しのチンピラ殿。その心は何よりありがたくこの……、義経、あの世へと持っていくとしよう。だが、ここで義経は死ぬのだ。それによって、偽義経の役目は終りとなる。もう、その遊びは終った。逃げよ」

「でも、兄貴」

「生きよ。お前はまだ若い」

「兄貴だって、そう見えねえだけで本当は若いんじゃん」

「わしは義経なのだ。ここで死ぬる運命よ。だがお前まで死ぬことはない。生きて、もっともっと、武蔵坊の分まで女にもてよ」

「兄貴……」

「どこどこまでも逃げのびるのだ。海を渡って異国へなりとも厭《いと》わず逃げよ。異国の王になってみるのもまたよい。とにかく生きるのだ。ここまでのこと、お前には礼を言う。さあ、行け」

そうこうするうちに、敵はもはや眼前に迫り、矢が無数に射かけられる。

一本の矢が、弁慶すなわち義経の肩あたりにグサリと刺さった。

「兄貴ーっ」

仁王立ちとなり義経は、次々刺さる矢をものともせず、声をふりしぼって命じる。

「行け。わしが盾となるうちに、ここから去るのだ」

偽義経は息をのみ、流れる涙を着物の袖《そで》でぬぐうや、叫ぶが如くこう言った。

「逃げるぜ。兄貴、あばよ」

走り去っていく偽義経をチラリと目の端で見送り、義経はニヤリと笑うと、やがてゆっくりと両手を左右に開いて構えた。

何人《なんぴと》たりともわしのある限りここは通さぬ、という形である。

矢が、その巨体に次々と突き立てられていく。

見る見るうちに義経の体は、まるでウニのように矢だらけになってしまった。

義経の顔は、満足そうに笑っているかのように見えた。

九郎判官義経、ここに、武蔵坊弁慶として死す。

なお、その後の偽義経の消息を知る者はいない。

梅《うめ》試《じ》合《あい》

高橋克彦

1

梅試合と赤い文字で大書された一枚刷りのびらが浅草、両国、日本橋といった賑わいの中で配られたのは安政二年の正月のことだった。ひたひたと忍び寄る暗雲に正月といえどもどこか沈みがちだった江戸の空気が、この一枚のびらで確かに上向きとなった。暗雲とはペリー率いる黒船の来航に端を発することだ。黒船は二年前に突如として浦賀に不気味な姿を現わし、去年の三月にはペリーの剣幕に押された形で日米和親条約があっさりと結ばれてしまった。アメリカ一国ならまだ我慢もできようが、これが伝わるとイギリス、ロシアが相次いで軍艦を送り込み、弱腰の幕府は八月と十二月にそれぞれとアメリカ同様の条約を交わしてしまったのである。下田、箱館、長崎の開港が現実となった今、日本はどうなるのかという不安がだれの胸の中にも渦巻いていた。やがて江戸を鬼のような顔をした異形の者らが闊歩し、女子供が襲われるのではないかと本気で案じている者らも多い。

そうした思いで迎えた正月であったが、そこにいかにものんびり然としたこの催しの案内は人々の暗い気持ちを和ませて、たちまち評判となった。場所は臥竜梅《がりょうばい》で名高い亀戸の梅屋敷。四町四方のこの庵には百株近い梅が植えられていて、いまさら案内されるまでもなく梅の名所として名を知られているのだが、今年は趣向を変えて梅試合が行なわれると言うのである。期日は藪入りの十六日より月末までのおよそ半月。すべての梅の根元に投句箱が置かれ、その梅を詠んだ句や川柳の優劣を競うという遊びだ。期間中は毎日箱が開かれて日替りの選者によって天地人が定められる。天地人に選ばれた句や川柳は木札に墨書されて、その梅の枝に吊される。それを見てまた見物客が新たな句や川柳を拵《こしら》えて箱に投じる。吊されているものより面白い句や川柳があれば、直ぐに木札はそちらに取り替えられる。それがすなわち試合なのだ。そうして最終日、百株近い梅のすべてに吊り下げられている三百枚ほどの木札、それは期間中の試合に勝ち上がってきたものだが、そこから本当の天地人が選出される仕組みとなっている。賞金は天が五両、地が三両、人が一両。なんとも景気のいい話だ。

句や川柳好きの江戸人は沸き立った。

いろいろな作戦が可能なところが、ますます興味をそそる。有名な臥竜梅は姿がいい分、句や川柳が殺到するだろう。その中で天地人に選ばれるのは大変だ。あまり競争のない、平凡な梅を対象にして句を詠めば天地人に残されて最終決戦に勝ち上がる確率が高くなる。かと言って、あまりに平凡な梅だと、句や川柳の出来も悪い。結局は最終日に落とされる結果となる。句を投じる頃合も大切だ。むしろ最終日に近い辺りを選んで投じるのが得策ではなかろうか。結果は一日で出るので、その日選ばれなければ翌日も挑戦できる。しかし、それを思えばやはり初日から加わるのが正解ではないか？　半月はそれを繰り返す機会に恵まれているのである。ただ、問題は一句につき十文の投句料だ。桜餅一個しか買えない銭だから高くはないとは言うものの、賞金を狙うつもりなら七、八句は投じておきたいところだ。それが何回と度重なれば馬鹿にならない金となる。当分は梅屋敷に通って試合の様子を眺め、勝てそうな梅を何本か物色しておいて、最終日の三日前辺りから投句をはじめるのが利口というものさ、としたり顔で秘策を口にする者もあれば、いやいや、どうせ賞金は望めないのだから、ここは洒落や遊びと割り切って、あまり句の集まらない初日から投じるのが面白いと主張する者も居る。途中で他の句に蹴落とされるにしても木札に墨書されて吊されれば梅屋敷を訪れた何千人もの連中に自作を読んで貰えることになる。十文で済むなら安いものであろう。

「それにしても、日替わりの選者ってのが、なんともにくいじゃねえか」

句や川柳のよし悪しは人の見方によって様々だ。何日か前に落とされたものでも、別の日にまた投じれば天地人のいずれかに選ばれないとも限らない。選者にもし風流人でも居れば、たちまち試合が逆転する。

「こいつは、三日に一度は梅屋敷に足を運んで見ずにゃいられねえ」

いったいだれがこんなことを思い付いたんだ、と皆は快哉を叫んだ。

どうやら上野で古本を商っている藤岡屋由蔵《ふじおかやよしぞう》らしい、と広まったときは梅試合が間近に迫っていた。やっぱりあのとっつぁんか、と皆は大きく頷いた。藤岡屋由蔵、通称藤由《ふじよし》は古本の商いよりも巷の噂や情報を売り買いする風変わりな男として江戸にその名が伝わっていたのである。

藤由は人の噂で飯を食い

と川柳にも詠まれた名物男の一人だった。

2

梅試合の当日、由蔵は和泉橋のたもとから屋根に梅の花を飾った屋形舟に乗り込んで賑々しく梅屋敷を目指した。春とは言え川風は冷たい。それでも由蔵は障子を開け放ち、芸者らの派手な三味線や小太鼓の音が外に伝わるようにしていた。亀戸の梅屋敷にはこのまま川を伝って行くことができる。大川に出て両国橋の下を潜り、竪川《たてかわ》に入って東上し、四ツ目橋の先から左に折れて横十間川を真っ直ぐ辿れば亀戸天神の目の前に舟を着けることができるのだ。梅屋敷は亀戸天神の裏手に位置している。普段は舟など用いず、歩きで向かう場所なのだが、今日は梅試合の初日の広目も兼ねて贅沢を許して貰っている。

「完さんよ、せっかくの舟遊びだ。おまはんもこっちにきて一杯やりなせえ。こうして騒いでるだけで用は足りる。こんな贅沢は滅多にできるもんじゃねえよ。五人も芸者衆が一緒なんだ。隅っこで朝寝してるときかね」

由蔵は上機嫌で香冶完四郎《こうやかんしろう》に声をかけた。梅試合の評判は上々である。噂を聞き込むのが由蔵の商売だ。今の様子では半月の期間中に例年の七、八倍の人出が梅屋敷に見込める。いや、もっとかも知れない。五両の賞金と言えば相当なものだ。一年は楽に暮らせる。それを目当てに足繁く梅屋敷を訪れる連中が何千人と居るに違いない。梅屋敷を営んでいる伊勢屋と交わした人出の約束は五倍だ。もはや心配もない。その程度は十日もしないうちに越すだろうと由蔵は見ていた。それもこれも目の前にごろりと寝転んでいる完四郎のお陰である。梅試合という突拍子もない催しを思い付いたのは完四郎であった。由蔵の家に居候として転がり込んでおよそ三月。とんだぐうたらを背負い込んだものだと女房のお里に叱られ続けで由蔵も内心は頭を抱えていたのだが、これで文句は言わせない。無事に梅試合が終了すれば由蔵の懐ろに天の賞金と同額の五両が入ってくる手筈となっている。

「他のとこからも引き合いがきてるんでやすよ。人を集めれば銭になる。こいつは噂を売り買いするよりよっぽど楽だ。完さんが居てくれりゃ安心てもんでさ。本腰入れて広目屋をやるつもりになった。他の広目屋《やつら》はびらを作って撒くだけだが、こっちは人が集まりそうな工夫まで一緒に売り付ける。あっと言う間に江戸一になるに違いねえ」

「面倒だね」

完四郎は大きなあくびを一つして起き上がると銚子を手にしてそのまま呑んだ。脇に置いていた刀が軽い音を立てて転がる。中身は竹光である。とうの昔に飲み代として中身は消えたと由蔵は聞かされていた。

「古本の店番の方が性に合っている。半月も梅屋敷に詰めるなんぞ……寒いだけだ」

「そこは我慢して貰うしかねえや。俺でもいいんだが、俺が半月梅屋敷に詰めて完さんが昼寝しながらの店番じゃ、お里が必ず騒ぎ出す。だいたい完さんじゃ本の値もよく知らなかろう。店が潰れちまうぜ」

あはは、と完四郎は笑った。

「笑いごとじゃねえですぜ。俺一人の暮らしなら完さんを内裏雛みてえに大事に扱いますがね。お里にゃ弱い。おっかねえんだよ」

女たちがどっと笑った。

「お屋敷の旦那さまや奥さまにゃ足を向けて寝られねえほどお世話になりやした。そいつはお里も承知のはずなんだが……」

「そろそろ頃合か」

「とんでもねえ。これから完さんにゃ頑張って貰わねえと。完さんの頭と刀の腕は江戸で一番だ。そいつがお里にゃちっとも分からねえ。だから見せ付けてやりてえのさ」

「そいつも……面倒だ」

またごろりと完四郎は横になった。

「そんなにお強いんですか？」

女の一人が疑わしい目を完四郎に注ぎつつ由蔵に質《ただ》した。他の女たちも覗く。刀は竹光らしいし、風采も上がらない。武士と言うより身を持ち崩した新内流しといった風情だ。

「そりゃあ、お玉ヶ池の道場の目録だ。香冶完四郎って言えば道場の師範でも――」

よしてくれ、と完四郎は制した。

「竹光じゃどうにもなるまい。武士は捨てたつもりだ。歩きにくいんで腰に挟んでる飾りに過ぎねえよ。刀のご時世じゃなかろう」

「香冶さまと言うと……もしや青山の？」

強いかどうかを質した女がまた訊ねた。

「そうさ、あの香冶さまの――」

「親とは無縁の身と言ったろう」

完四郎は由蔵を睨み付けた。由蔵は苦笑いして口を封じた。女は驚いた目で完四郎を見詰めた。青山の香冶と言えば確か七百石かそこらを貰っている歴《れっき》とした旗本のはずである。

「全然そんな風には見えませんねぇ」

女のずけっとした物言いを完四郎は喜んだ。

そろそろ両国橋が見えてくる。

完四郎は障子から顔を出して眺めた。大川に舟が出ると途端に流れが大きく感じられる。舟は踏ん張って横断にかかった。見上げる両国橋には、賑々しく川を渡る舟を見下ろしている男女の姿が多く見られる。

「梅試合はいよいよ今日からだ」

由蔵は上に手を振りながら叫んだ。

3

天神橋で舟を下りた一行はそのまま亀戸天神に参詣して大入り祈願を済ませてから梅屋敷

に向かった。屋敷に通じる狭い道には由蔵の想像通りの賑わいがあった。

「ごめんなさいよ」

由蔵は人込みを掻き分けて屋敷の裏口から庭に入った。広い庭には梅の匂いが漂っていた。それに、人の波である。いくつか立ち並ぶ茶屋の中もごった返している。由蔵はひとまず安堵の息を洩らした。普通なら臥竜梅の周辺にばかり人が寄り集まっているはずなのに、今日は庭全体に広がっている。これも目論見通りだ。由蔵は庭の奥に急拵えで設けられた茶屋に足を向けた。完四郎と芸者たちもそれに続く。庭の奥と言っても、それは庵を中心に考えた場合で、実際は道の方に近い。だが目ぼしい枝ぶりの梅が少ないせいか、やはり見物客も他よりはまばらだ。茶屋にも空席が見られる。

「これは藤由さん」

由蔵を認めて茶屋の奥から粋な年増女が笑顔で挨拶に出て来た。

「伊勢屋さんもごうつくだの。こんなに広い庭だ。もちっと人の集まる場所を貸してくれてもよさそうなもんだが……今度のことはお滝さんの手柄じゃねえか。昨日から案じていたがね。も一度俺が頼んでも構わねえよ」

由蔵は本心から言った。梅屋敷に人を集める工夫がないかと由蔵に話を持ち込んできたのは目の前のお滝なのである。お滝はその工夫を餌にして梅屋敷の中での茶屋商いを伊勢屋に掛け合ったのだ。もともと梅屋敷の中には伊勢屋が梅見の期間だけ営む茶屋がいくつかある。そこに食い込むことができれば、短期間とは言え結構な利益が見込める。広い庭園のことだ。

場所は余っている。目敏い連中たちがこれまでに何度となく打診したと聞いているが伊勢屋は断わり続けてきた。伊勢屋は本所一の呉服問屋で暮らしに困っているわけではない。茶屋を開いているのも、せっかく梅見に訪れた客の足休めになればとの考えでしかない。年に十日程度の商売に他人を巻き込んで面倒を起こしたくないというのが伊勢屋の判断だった。そこにお滝は由蔵の知恵を頼りに、人出を五倍にしてみせると請け合って話を進めた。儲けよりも梅試合の面白さに釣られて伊勢屋は承知した。賞金や由蔵や選者への礼金は恐らく投句料ですべて賄えるはずだとお滝は計算していたのだが、それについても伊勢屋は足りない分の面倒を見ようと約束してくれたのである。梅見の期間中に茶屋で売り出す梅干しは江戸名物の一つに数えられている。本当に人出が五倍も見込めるなら、梅干しの売り上げだけでも十分に採算が取れるのだ。こうしてお滝は念願の茶屋を梅屋敷の中に開けたわけだが……

「ここで文句はありませんよ。初日でこの人出なら伊勢屋の旦那にも顔向けができます。きっと来年はもう少しいい場所を……」

「欲のねえお人だの。見習いてえもんだ」

由蔵は感心してお滝を褒めた。由蔵たちが誘い水となってか、四、五人の客が飛び込んで来た。甘酒と団子を注文する。お滝の茶屋にあるのは他に饅頭だけだ。それでも桜の花見と違って、ここで腹一杯食ったり飲んだりしようとする客は居ない。

「投句の方はどうだい。まだ早《はえ》えか」

由蔵は庭の混雑を眺めながら訊ねた。

初日なので梅に木札はぶら下げられていない。投句箱もまだ新しい。

「紙がもう六百枚も売れたと伊勢屋さんが喜んでいましたよ。一人で二十枚も買ったご隠居も居るとか。好きなんですねぇ」

笑ってお滝は店の奥に引っ込んだ。

投句をする者は庵の方に十文を支払って伊勢屋の判が押してある紙を貰う仕組みだ。その紙でなければ投句しても無効となる。

「初日の昼までで六百枚とはなぁ」

由蔵は唸《うな》った。それだけで一両近い売り上げとなる。想像を超える人気だ。

「こいつはしくじったかね。無理しても梅試合をうちが全部仕切りゃよかった。下手すりゃ五十両にもなったかも知れねえ。そっから賞金や選者の礼金をさっ引いても三十両は儲かる。そうする手もあったのになぁ」

由蔵は悔しがった。五両の礼金を貰う方が安全と見て伊勢屋に任せることにしたのだ。

「甘酒は腹に溜まっていけねえの」

聞いていなかったらしく完四郎は梅を肴《さかな》にして由蔵の分まで飲んでいた。芸者たちは庭をのんびりと歩いている。

「酒を飲むのが仕事じゃねえですぜ。伊勢屋の手伝いや選者の案内が完さんの役目だ」

困るなぁ、と由蔵は舌打ちした。

4

梅試合の熱気は日ごとに高まった。残り二日となった段階で投句数は三万にそろそろ手が届くほどにまで達している。売り上げに直せばざっと四十五両。これからが本当の山場なので六十両を超すのはほぼ間違いない。これに茶屋や梅干しの売り上げを加えれば莫大なものになる。伊勢屋は大喜びで来年以降も梅試合を梅屋敷の恒例行事にしたいと由蔵に言って来た。が、やり方は分かっているので由蔵への依頼はびらの作成と選者の人選などで、さほど儲けにはならない。金儲けには興味がないと言ったくせして、蓋を開けてみたらころっと変わる。

「ったく、惜しいことをした。こんなことなら場所代を払ってうちがやるんだった。これほど儲けているってのによ、礼金に二分の上乗せをするだけたぁ、虫がよすぎらぁ」

ひさしぶりに梅屋敷に顔を見せた由蔵はお滝の茶屋の縁台に完四郎と並んであからさまな嫌味を口にした。

「完さんの弁当代と甘酒代もこっち持ちだぜ。最初《はな》っからの約束にゃ違いねえがの。商売人はこれだから付き合いにくい」

「確かな礼金を選んだのはとっつぁんだ」

完四郎は面白そうに笑い声を上げた。

「そりゃ、派手に盛り上げる気なら芸者とか名の売れた選者とかで銭がかかる。完さんにゃ俺の苦労が分かるまい。こっちは人のふんどしを借りての商いだ。その上、場所代までかかるとなりゃ怖くて身が縮むさ」

「だったら諦めるしかなかろうに」

「諦めてるさ。諦めてますよ」

それでも由蔵の目は広い庭が狭く感じられるほどの人込みに恨めしそうに向けられていた。特に臥竜梅の辺りは黒山の人だかりで茶屋からは花一つ見えない。もともと太い枝が地面を這う形で広がっている梅だ。背丈は他の梅よりずっと低い。

「それで、面白そうな書き手の方は？」

気を取り直した顔で由蔵に質した。実を言うと梅試合の狙いは由蔵の側にもあった。この催しを知れば高額の賞金目当てに江戸中の若い才能が集う。そのうちの何人かに目星をつけて仲間に引き込もうとの魂胆なのである。名の知れた狂歌師や戯作者《げさくしゃ》に頼めれば失敗もないのだが、たかだか一枚刷りのびらだ。文案に銭をかけてはいられない。こういう催しに身を乗り出して来る連中なら、たいがい暮らしに困っているはずだ。話の持ち掛けようでは安く使うことができる。

「五、六人はめっけたつもりだがな」

「そいつはありがたい。けど、名の売れてるお人とか大店《おおだな》のご隠居じゃまずい」

「野狐庵文蔵ってのと和堂開珍という者が面白そうだ。俺は初耳だが聞いたことは？」

完四郎の返事に由蔵は苦笑いして、

「どっちもおなじ野郎ですよ。今は花笠文京《はながさぶんきょう》先生んとこに弟子入りして仮名垣魯文《かながきろぶん》とかいう妙な名で戯作を書きまくってまさ」

「そうか、おなじ人間か」

「しかしさすがに完さんも目が利く。魯文はいけそうだ。書きまくってると言ったところで一向に売れねえらしくてぴーぴーしてる。なんで売れねえのか実は首を傾げていやした。あの野郎なら話に乗ってきやしょう。ほら話が得意なとこも広目のびらにちょうどいい」

「あちこちに今言った二つの名がぶら下がってるよ。小馬鹿にしたものが多いんで天はむずかしそうだが、地にはきっと入る」

完四郎は請け合った。今の時点で二十句以上が選ばれている。最終日にそのほとんどが勝ち残ると完四郎は見ていた。

「会ったことは？」

「ありやすよ。噂をすれば影が差すってやつだ。ほら、あの黒紋付が魯文でさ」

由蔵は目敏く見つけて指差した。しかめ顔《つら》をしながら変哲もない梅の前に佇《たたず》んで不精鬚《ぶしょうひげ》を抜いている。あの男なら完四郎もたびたび見かけていた。いつもおなじ格好だ。

「着た切りの黒紋付しか持っていねえ。どこに行くにしても黒紋付なら文句は言われねえやね。湯屋や屋台の二八蕎麦を食うときもあの格好で出向くってんだから恐れ入る」

「変わり者だな」

「銭がねえんですよ。実家《うち》は京橋辺りの魚屋だそうだが、跡継ぎのくせして稼業を嫌って飛び出たとか。偉く見せようとして十七、八の頃から黒紋付で狂歌なんぞを詠みはじめた」

由蔵は完四郎を縁台に待たせて魯文を呼びに行った。声をかけられた魯文は相手が由蔵と分かると太鼓持ちのような笑いを発した。見た目は完四郎と歳が変わらない。二十六、七といったところだろう。

「完四郎さん、このお人が魯文先生だ」

由蔵は茶屋に魯文を連れて来た。

「伊勢屋の人にしちゃ妙だと思ってやしたよ。藤由さんとこの身内とは気付かなかった」

魯文は人懐っこい目をして挨拶した。

「こっちこそ変な人だと首を傾げていた」

「なけなしの銭を八百文も使ってる。気になって毎日屋敷に足を運ばにゃいられねえ。今んとこ二十三枚残ってるようだが、これからが本当の勝負だ。体によくねえですぜ」

「なにか食うかい。と言ってもこの店にゃ饅頭と団子しか置いてねえがの」

由蔵が訊ねると魯文はどちらも所望した。

「朝からなにも食ってねえんでね。二百文は残しておかねえと土壇場で句を投げられねえことになっちまう。今日はいい人と会った」

「心配せずとも十枚は残る」

完四郎の言葉に魯文は笑いを浮かべた。

「伊勢屋さんの方もな、この景気に喜んで大盤振る舞いをするらしい」

「って言うと？」

魯文は運ばれた団子を口にして質した。

「額はまだ決めてねえが、天地人の他に三十句を選んで賞金を出すそうだ。そうなりゃ八百文は確実に戻ってこよう。安心しな」

「ありがたいね。田舎の呉服屋にしちゃ味なことをする。この行き来で草履を二足も履き潰しましたぜ。なによりの話だ」

「今はどっちに住んでる？」

「とっつぁんに近い……湯島の妻恋坂」

「そっから毎日歩きで通ってたのかい」

由蔵は呆れた。

「俺もそうだよ」

完四郎は由蔵を肘で突いた。上野の下谷広小路は湯島と目と鼻の距離にある。

「完さんの場合は仕事だから仕方ねえやね。こっちの暇人とは事情《わけ》が違おうに」

「梅試合をしくじったら、なにか面倒のねえ仕事でもありませんかね？」

饅頭を頬ばって魯文は由蔵に頼んだ。

「安い銭でいいならいくらでもある」

「そうはっきりと言わねえでも」

「ま、任せときな。妻恋坂に居るんなら早事《はやこと》が利く。これからは店に遊びに来なせえ。食うぐらいの仕事はいつでもあるだろう」

「地獄に仏とはこのことだ」

魯文は勝手にまた団子と甘酒を注文した。


由蔵が帰ると完四郎は魯文と並んで庭の梅を眺め歩いた。さすがに半月近くも詰めて見ているので感興は薄い。梅の甘い香りが心地好いだけだ。

「あの茶屋の甘酒はあんなものかね」

魯文はお滝の店を振り向いて口にした。

「もっと旨いか量があるもんだと思ってた」

「と言うと？」

「毎日七、八個の大樽が運ばれる。客の数がそれほどじゃねえのに大層な売れ行きだ。一人で何杯も飲むか丼で出してるもんだと……」

なのにそれほど旨くもないし茶碗の大きさも他と変わらない。

「そう言や、店仕舞いのときも重そうに樽を運んでる。足りねえときを案じて多めに樽を持ち込んでるだけかね」

「さすがに観察が行き届いているな」

完四郎は大きく頷いた。お滝の店については何日も前から完四郎も違和感を覚えていたのである。饅頭や団子もどこからか仕入れているものらしい。それでは利幅が薄い。店仕舞いの刻限には完四郎は庵の方で投句箱の整理にかかりっきりなので様子を知らない。

「重そうに樽を運んでいるとは妙だ」

「でしょう」

旗本の倅と知った魯文の口調は少しだけ丁寧になっている。

「あの店のお滝という女が今度の人出をとっつぁんに持ち掛けた。それで伊勢屋に食い込んで茶店を開けるようになったんだ。なのにあんな人気《ひとけ》のない場所でも文句一つ言わねえ。これはなにか裏がありそうだ」

なるほど、と魯文も同意した。

「今日は一緒に残ってくれ。確かめる」

完四郎は言って薄笑いを浮かべた。

5

夕闇とともに梅屋敷の表門が閉じられる。庭に残っている客は裏門からのんびりと出て行く。茶屋も店仕舞いをはじめる。その慌ただしさの中に完四郎と魯文が現われた。

「なにか？」

ぎょっとした顔でお滝は完四郎に質した。

「待ちな」

脇を甘酒の樽を担いで外に出ようとした二人の男に完四郎は声をかけた、と同時に樽の蓋を拳で叩き付ける。ぽんと蓋が外れた。二人は樽を下ろして店の出口を固めた。

「土泥棒とは近頃珍しいな」

樽にびっしりと詰まっている土を見やって完四郎はにやにやとした。お滝は青ざめた。

「梅屋敷の土は高く売れるのかい？」

うぬっ、と二人が懐ろの短刀を引き抜いて完四郎に襲いかかった。完四郎は難無く躱《かわ》すと樽に添えられていた柄杓を取って払った。二人の短刀が宙に飛んだ。二人は手首を押さえながら小さな呻《うめ》きを発した。すかさず完四郎は踏み込むと柄杓で頭を殴った。軽い音が響いた。二人はへたへたと腰を落とした。

「日に何度も足袋を替える。泥でよっぽど汚れるんだな。土間の商いだ。魯文から重そうな樽を担ぎ出していると聞かされて見当がついた。この場所を望んだのもあんたの方だと伊勢屋の者からさっき教えられたよ。大方、この店の脇の梅の下になにかが埋められているんだろう。図星のようだ」

お滝の表情を見て完四郎は続けた。

「掘りたくても人の家の庭じゃ好きにできなかろう。そこで工夫した。梅見の期間中、その間近に茶屋を開いて脇から掘り下げていけばいい。掘った土は甘酒の樽に詰めて運び出す。本当に宝があれば大した頭だと褒めてやろうが……その様子ではまだらしい」

「…………」

「十日以上も掘って出ないんだ。あんたが埋めたと言うなら別だが、聞いた話としたら嘘に決まっていよう。とんだ無駄働きだ」

言われてお滝は目を丸くした。

「だれから聞いた話だい？」

「八丈島《しま》に流されて来た吉蔵《きちぞう》という盗人です」

すっかり観念した顔でお滝は白状した。

「あたしは八丈島の生まれで、吉蔵が死ぬまで世話をしてやりましたのさ」

「なるほど。そういうことか」

「でも吉蔵は確かに梅屋敷のここに四百両を詰めた甕《かめ》を埋めたと……嘘じゃありませんよ」

「何年前の話だ？」

「埋めたのはもう十五年も昔のこととか」

「騙《だま》されたんだよ。それを教えたのは死ぬ間際だろ。あんたの世話を長続きさせようと嘘の話で気を持たせていたのさ。どうやらこっちの二人も江戸の者じゃないらしい」

「どういう意味です？」

「ここの梅が江戸の評判になってから伊勢屋は一度梅を増やした。臥竜梅にゃ手を付けなかったが、相当に梅を入れ替えた。あれは、七、八年前のことだったかの」

完四郎に魯文も大きく頷いた。

「梅は根が深い。だいぶ土を掘っくり返したはずだ。甕が出れば江戸の噂になる」

お滝たちはがっくりと肩を落とした。

「まだ最終日には二日ある。俺の言葉に得心できねえなら存分に掘ってみるがいい。伊勢屋にゃなにも言わないでおこう」

「本当ですか！」

「こっちはあんたのことが気になっただけだ。そんな頭があるなら他に使い道もあろう。江戸ならなにをやっても食っていける」

柄杓をお滝に放り投げて完四郎は魯文を促すと店の外に出た。

「ただし、本当に宝を見つけたときは、俺が今日までに飲んだ甘酒を無料《ただ》にしてくれよ」

完四郎の笑いにお滝は涙を溢れさせながらしっかりと請け合った。

「気に入ったねぇ。惚れ惚れとする腕だ」

梅屋敷を出て上野への道をのんびりと辿りながら魯文は何度も繰り返した。直ぐに柳島橋に差し掛かる。橋を渡ると左が北辰妙見で、右に見える大きな建物が会席茶屋の老舗として名高い橋本だ。梅試合の最終日にはこの広間で天地人が定められることになっている。

「賞金を貰えたらここで豪遊したいね」

空腹を抑えつつ魯文は完四郎に言った。

「三両は堅いな。選者の受けもいい」

完四郎は魯文の肩を叩いて、

「二百文もそっちの懐ろにあるなら縄暖簾で一杯やれる。今夜は前祝いとしよう」

「恐れ入ったね。この俺に酒をたかるやつがこの世の中に居るとは思わなかった。ま、よござんしょう。明日はとっつぁんの店に行けば食い扶持にありつける」

魯文は陽気に言って懐ろの財布を見せた。

「あら、香冶のぐうたら息子じゃないの」

橋本から出て来た女が完四郎を認めて駆け寄った。完四郎は身を縮めた。

「あたしよ。この前一緒に舟でここまで」

例の芸者である。完四郎は頷いた。

「帰るんでしょ。直ぐ先の業平橋のとこに舟を待たせているの。乗せていくわよ」

女は完四郎の袖を引いた。

「お、ありがたいね。綺麗どころと一緒に舟遊びしながら帰れるたぁ嬉しい」

魯文は完四郎の代わりに承知した。

「ここでまた会うなんて仏の導きじゃないのさ。あたしの名前覚えていてくれた？」

「お新」

完四郎はぼっそりと応じた。

「さてはあたしに惚れたな」

お新は嬉しそうに完四郎に取りすがった。

盛夏の毒

坂東眞砂子

鎌《かま》が陽光にきらめき、宙を切った。銀色の刃が茅《かや》の束を薙《な》ぎ払う。ぶつっ、という音とともに柄《え》が軽くなり、細い葉がまっ二つになる。慎司《しんじ》は切った葉束を投げ捨てると、軍手を嵌《は》めた手で次の茅の束をつかんだ。俯《うつむ》いた首筋に、夏の日射しが容赦なく照りつける。Tシャツはもう汗にびっしょりと濡《ぬ》れている。目にまで入ってくる汗を頭を振って払うと、彼は再び鎌を頭上にかざした。

「あんたぁ、そろそろ昼にせんかえ」

背後で大きな声がした。鎌を下ろして振り返ると、緑の波の中に、麦藁《むぎわら》帽子をかぶった貴《たか》子《こ》が立っていた。周囲に繁る茅の葉を背景にして、山の女神のように堂々としている。アーモンド形の黒い瞳《ひとみ》、すんなりと長い鼻。横に結んだ大きめの唇。造作の大きな日本人離れした顔を載せるにふさわしく、その躰《からだ》つきも力強い。白い木綿のブラウスの下で窮屈そうに膨《ふく》らんだ乳房。ジーンズに包まれた腰から大腿《ふともも》にかけての滑らかな曲線……。

「慎司さん、聞こえたぁ」

貴子が少し苛立《いらだ》った声をだした。

慎司はまた自分が妻の躰に見惚《みと》れていたことに気がついた。結婚して三か月経《た》つが、妻の肉体に飽きることはない。

彼は首にかけた手拭《てぬぐ》いで、顔の汗を拭った。

「刈った茅は集めたか」

「ちゃんとやったって。ほら」

貴子は、足許《あしもと》に積みあげた茅の山を指さした。

「これっぱあ刈ったがやき、もうええやろう。ちょっと休もうや」

慎司はあたりを見回した。彼らは、茅や雑草のおい繁る谷間の平地にいた。ここは慎司の家の地所だった。昔は畑だったが、休耕している間に荒れてしまっていた。もう一度、畑として利用しようと、この数日、頑張って草刈りをしているのだが、なかなかはかどらない。今日も午前中かけて、やっと十坪ほどの土地の草を刈り終えたところだ。もう少し仕事をしておきたかったが、妻の機嫌を損ねたくはなかった。

「昼にするか」

慎司は茅の茂みから出ていくと、荷物を置いてあるところへと歩きだした。

荒れた畑の縁に一本の椎《しい》の木がある。大きく枝を広げて、蓬《よもぎ》や薄《すすき》の背の高い草の上に涼しい木陰を作っている。この荒畑で作業する時は、そこを休憩場と決めていた。

慎司が椎の木の下に着いた時には、すでに貴子は草を踏みしだいて、木陰に座っていた。麦藁帽子を脱いで、バッグの中からいそいそと弁当や飲み物を出している。

鎌を脇《わき》に置いて、彼も地面に腰を下ろすと、裸足《はだし》になった。汗に濡れたTシャツを脱いで上半身を拭《ふ》きながら、妻の並べる半透明のタッパーを眺めた。

「今日はえらい豪勢な弁当やな」

貴子は上目遣いに彼を見て、一番大きなタッパーの蓋《ふた》を開いた。ぷん、と甘酢の香りが漂った。青灰色の魚の腹の中に寿司飯が詰められている。

「鯖《さば》寿司か」

顔をほころばす夫に、貴子は自慢気に頷《うなず》いた。

「昨日、須崎《すさき》に行った時、活《い》きのええ鯖があったき買《こ》うてきちょったがよ」

そういえば、貴子は今朝、暗いうちから起きて、台所で弁当の準備をしていた。あれは、俺の好物の鯖寿司を食べさせるためだったのだ。

――離婚歴のあるホステスなんぞを嫁にして、おまん、後悔するぞ。

そう罵《のの》った父に、今の貴子の姿を見せてやりたいと思った。

「こりゃ、うまそうや」

慎司ははしゃいだ声をあげると、寿司に手を伸ばした。一個つまんでほおばる。酢漬けの鯖と柚子《ゆず》酢入りの白飯の味が混じって、口の中に広がった。

「ああ、私もお腹ぺこぺこ」

貴子も慎司に倣《なら》って裸足になると、鯖寿司を手にした。しかし、一口で食べず、寿司を半分で嚙《か》み切ろうとしたために、飯の塊がぽろりと白いブラウスに落ちた。貴子は顔をしかめて、あーあ、といった。

「寿司、食うの下手やなぁ」

慎司は優しくいうと、妻の胸にこぼれた飯粒を手で払った。指が豊かな乳房に触れた。乳房は柔らかに揺れて、彼の掌《てのひら》を押し返す。慎司は手をすぼめて、それを握りしめた。指の中で乳房が弾《はじ》けた。

彼の下腹が熱くなった。視線を上げると、妻の目とぶつかった。瞳に艶《つや》っぽい輝きが混じっている。どこかで鳥が囀《さえず》っている。刈ったばかりの茅の匂《にお》いが鼻を衝《つ》く。

慎司は指先でブラウスのボタンをはずした。白いブラジャーに包まれた乳房が現れた。貴子が鯖寿司のタッパーを脇に押しのけて、にじり寄ってきた。彼女の息が、彼の頬《ほお》にかかる。片手が慎司の股間《こかん》に伸びて、ゆっくりと彼の男根をまさぐった。

慎司は、妻に覆いかぶさった。ブラウスを脱がして、ブラジャーをむしり取る。天を突くような円錐《えんすい》形の乳房が露《あらわ》になった。妻の尻《しり》に手をあててジーンズを剝《は》ぎ、白い尻をめくり出した。そのまま自分のズボンのファスナーを下ろしてズボンを脱ぎ飛ばすと、妻を抱きしめた。

全裸の貴子が慎司の肉体に絡《から》みつき、声を洩《も》らした。下半身を貴子の柔らかく熱い肉体に埋める。悦《よろこ》びを発散させる妻の顔。豊満な肉体の下に押し潰《つぶ》された緑の芝草。リボンがほどけて乱れ広がる黒髪。妻の全身に降り注ぐ木漏れ日。

眩《まぶ》しかった。何もかも眩しかった。

慎司は太い呻《うめ》き声とともに射精した。そして汗だらけのまま妻の横に倒れこむと、並んで仰向《あおむ》けになった。

椎の葉の向こうに、青い空が広がっていた。枝にひっかかった光の球のように輝く太陽。草の香りに、妻の内股《うちもも》から発散される女の匂いと彼の精液の匂いが混じっている。

全身、充実感に満たされていた。隣に顔を向けると、貴子もまた満ち足りた表情で静かな息を吐いていた。二人の視線が合って、貴子が呟《つぶや》いた。

「慎司さんと結婚できてよかった」

俺もや。

彼は心の中で呟き、微笑《ほほえ》んだ。そして手を伸ばして、微《かす》かに汗の滲《にじ》んだ妻の躰を愛撫《あいぶ》した。しなやかな首から弾《はず》む乳房。柔らかな腹からずしりとした大腿へ……。

ふと、大腿の内側にできた痣《あざ》に気がついた。彼は片肘《かたひじ》を突いて、上半身を起こした。楕円《だえん》形の赤痣だ。口紅のついた服地を指で擦《こす》ったように見える。誰かの唇の吸い跡を連想した。

「これ、どうしたがや」

思わずきつい口調になった。

貴子は首をもたげて、慎司の指さす場所を見ると、苦笑した。

「ああ、それか。昨日、車に乗る時にドアにぶつけてしもうてねぇ」

慎司は親指で赤紫の痣を押した。内股のかなり上のほうにできている。

「妙なところをぶつけたねや」

まだ疑り深い気持ちが残っていた。結婚前、貴子の男関係は派手だと聞いたことがあった。

貴子は横目で慎司の顔を見ると、彼に抱きついた。

「知っちゅうやろ、私がどんくさいゆうこと」

貴子の生温かい脚が彼の脚に巻きついた。二人の下半身がぴたりと吸いつき、慎司はまた興奮を覚えて、妻の左脚を抱えあげようとした。

「ふふふ」

貴子が含み笑いをして、焦《じ》らすように足を後ろにずらせた。踵《かかと》が背後の草の茂みに沈んだ。その脚を取ろうと、慎司は腕を伸ばした。

その時、草の中に木蓮《もくれん》の花に似たものが、にゅっと覗《のぞ》いた。三角形に尖《とが》った頭に、亀甲形《きっこう》の大きな鱗《うろこ》が光っている。口が裂けて、鋭い牙《きば》が剝《む》きだした。

「ハメじゃっ」

叫んだ時には遅かった。毒蛇は素早い動きで貴子の足に飛びかかっていた。

「きゃああっ」

悲鳴があがった。慎司は跳ね起きざまに鎌をつかんで、草の上を逃げようとする毒蛇に振りおろした。

どすっ。鈍い音がして、鎌の刃先が蛇の頭を貫いた。淡黄色の菱形《ひしがた》模様のついた太い胴体が、苦しそうにびくびくともがいている。やけに胴体が太くて、全長が短い。蝮《まむし》のようだが、このあたりでハメと呼ぶ普通の蝮とは少し種類が違う気がした。

「あ……あんた」

貴子の声がした。慎司は慌てて、背中を丸めてうずくまっている妻にかがみこんだ。

「嚙まれたかっ」

貴子は歯を喰《く》いしばって呻いた。見ると、左足首のアキレス腱《けん》のあたりに、ふたつ小さな牙跡がついている。そこから血がだらだらと流れていた。

「こりゃ、いかん。早う病院に行こう」

慎司は慌ててズボンを穿《は》いて、Tシャツを着た。貴子は首を横に振った。

「……よう歩かん。痛い……痛いがや」

嚙まれたところは、はや紫色に腫《は》れだしている。貴子は足を抱えて、かたつむりのように丸くなって呻き声を洩らしている。

慎司は血の気が引いていくのを覚えた。

一刻の猶予も許されない。すぐ病院に行かなくては。しかし血清のある高見病院まで、ここから車で二十分はかかる。間の悪いことに、今日、慎司は貴子とスクーターに二人乗りして山畑に来ていた。痛がっている貴子を山から背負って下ろし、スクーターの荷台に乗せて、病院まで運ぶのはいい方法とは思えなかった。以前聞いた話では、高見病院では、緊急の場合、血清を持って駆けつけてくれる医療体制も採っているということだった。

「ちょっと待っちょれ。俺、このへんの家で電話借りて、病院に連絡してくるわ」

慎司は椎の木の下から駆けだした。

「あんたっ、待ってや。私を一人に置いちょかんといてっ」

貴子が縋《すが》るような声をあげた。慎司は、椎の木陰で髪をふり乱している妻を眺めた。傷ついた彼女を、ここに置き去りにしたくはなかった。しかし、今は一刻を争う。手当てが遅れると死ぬかもしれないのだ。

「すぐもんてくるき、しっかりせえよっ」

慎司は怒鳴ると、一目散に走りだした。

畑から山を降りたところの集落まで、今はほとんど使われていない小道が続いている。杉の植林の中を貫く湿った道を全力で降りていく。途中で裸足のままだったことに気がついたが、戻る気にもならない。

貴子が死ぬかもしれない。

そう思うと、心臓が破裂しそうだ。

やっと貴子と一緒になれたんだ。こんなことで彼女を失うなんて、あんまりだ。

じーいじいじいじいじい。じーいじいじいじい。蟬《せみ》が単調な声で鳴いている。妻の生命の残り時間を刻む音に思える。

死なせるものか。せっかくつかんだあの女を、そう簡単に手放すものか。

彼は何度も心の内で叫んでいた。

慎司が貴子と会ったのは、去年の夏だった。農協の青年会に出席しての帰り、時々立ち寄るスナックで、ビールを吞《の》んでいた時のことだ。

「これ、お下げして、ええですか」

女の声に顔を上げた慎司は、目の前に張り出した見事な乳房に息を止めた。真紅の絹のタンクトップに双丘が盛りあがっている。その胸に触りたい衝動が湧《わ》きあがった。彼はうっとりと、深く抉《えぐ》れた胸の谷間から首、そして顔へと視線を移していった。

そこにあったのは、エジプトの壁画の女のように神秘的な顔だった。鈍く光る長い睫毛《まつげ》の奥の漆黒の瞳。唇にうっすらと笑みが浮かんでいる。下心が見透かされた気分になって、彼は目を逸《そ》らした。

この女は誰だろう。今まで、この店で見たことはない。新顔だろうか。

そんなことを考えながら、カウンターを睨《にら》みつけていると、「お下げします」というきっぱりした声が聞こえて、前にあった皿がするすると動きだした。レタスの葉とマヨネーズだけ残った皿にかかった女の指は、柔らかな水煮のアスパラガスを思わせた。と、どうしてかわからない。彼は、それがまだ皿に食べ残した食べ物であるかのように、衝動的に女の指を捉《とら》えていた。

女の手が止まった。彼は自分のしたことに気がつくと、慌てて彼女の指を放した。女は何事もなかったように皿を下げると、向こうに行ってしまった。

しかし慎司が首を巡らせた時、厨房《ちゅうぼう》の出入口の前で、女もまた振り返っていた。女は慎司が見ていることを承知の上で、先に彼が捉えた指を唇に持っていき、小さく嚙んだ。

その時から慎司の頭は、貴子のことでいっぱいになった。

杉林を抜けると、道が少し広くなっている。そこに慎司のスクーターが止めてあった。長い間、農作業に使っていたので、あちこちへこみ、泥で汚れている。彼はスクーターに飛乗ると、さらに道を下りはじめた。

すぐに渓流沿いの小さな部落に出た。細長い谷間に田圃《たんぼ》が作られ、ぽつんぽつんと家が点在している。落合だ。村境に近い不便な場所にあるせいで、最近は過疎化が進み、ただ一軒の家を除いて、誰も住む者はいなくなっている。

慎司は、その部落の唯一の家にスクーターを走らせた。

平屋の小さな家は、片田敏郎の家だった。退職した元国鉄職員で、年金生活を送りながら、妻と二人で農業をしている。慎司の父と同級生だったせいで、顔見知りだった。

「片田さん、片田さんっ」

慎司はスクーターを庭に乗り入れて、大声で呼んだ。

「なんじゃあっ」

家に隣接する畑のほうから返事があって、半袖《はんそで》シャツにステテコ姿の片田が現れた。手押しポンプ式の噴霧器を肩にかけている。作物に殺虫剤を噴きかけていたところらしく、顔の下半分を手拭いで覆っていた。

「こりゃ、慎ちゃんか」

片田は手拭いを取ると、子供の時の愛称で彼を呼んだ。しかし慎司は挨拶《あいさつ》を返す暇も惜しんで、玄関に走った。

「すまんが電話貸しとうぜっ」

片田の家では、前にも電話を借りたことがあった。確か電話機は靴箱の上に置いてあった。

慎司は玄関の戸を開けて、中を見回した。靴箱の上には、植木鉢や置き時計が置かれている。

しかし、電話がない。

「電話っ、電話はどこや、片田さん」

喚《わめ》く慎司に、玄関に入ってきた片田がいった。

「それがのう、ついこの前、息子が留守番電話やらファックスやらがついたもんを買うてくれたがやき」

「電話を替えたがか。それ、どこに置いちゃある」

片田は首を横に振った。

「ほいたらどっかしらんが壊れちょってよ。昨日、修理に出したところじゃ。明日、息子がまた持ってきてくれるゆうが……」

「もうええっ、それより、この近くで他に電話をかけれるところはどこじゃ」

その剣幕に驚いている片田に、慎司は早口で説明した。

「うちの貴子がハメに喰われたがよ。へんしも高見病院に連絡せにゃいかん」

「ハメじゃとっ」

片田は噴霧器を玄関に置いた。

「そら、急いだがええ。おまさん、下の雑貨屋の遠藤を知っちゅうか」

「ほら、県道に出るちょっと前の……。ええ、ええ。わしが一緒に行っちゃる。おまさんのバイクの後ろに乗せとうぜや」

慎司は片田と一緒に庭に出た。片田がスクーターの後部座席に跨《また》がっていった。

「とにかく県道のほうに走りや」

慎司はスクーターを発車させた。

落合の間を縫うでこぼこ道を疾走する。ほとんどの田圃は廃田となって雑草が繁っている。どの家も朽ちて、今にも崩れそうだ。人気《ひとけ》のない谷間の家々に、スクーターのエンジンの音が響く。

背後から片田の声が聞こえてきた。

「ハメゆうたらのう、ついこの間も小学校の前の安田の菊さんが喰われたゆうぜよ。墓掃除しよって、野苺《のいちご》の蔓《つる》かと思うてつかんだら、蛇やったと。すぐに高見病院に行ったけんど、えらい朝早うでの、医者がまだ来ちょらん。医者が来るのを待ちゆううちに手当てが遅れて、おおごとになった。後になって、救急車で来てくれたらよかった、ほいたら法律で、医者も駆けつけにゃいかんようになっちゅうといわれたゆうけど、そんなことわかるもんかの」

今は、そんな朝早くではない。医者も出勤しているだろうと思いながら、慎司は聞いた。

「その菊さんゆう人、助かったがかや」

「ああ。助かりゃしたが、二か月、入院せないかんかったと。おまけにたまるか、後になって、噛まれたところから順々に腫れてきたゆうぜよ。腫れたところが、ちょうどハメの鱗みたいな亀甲の紋々《もんもん》模様になったがやと。毒が強かったら、そこから腐ってくるゆうきねゃ。血清らあなかった昔は、腐らんように、喰われたところの肉をごっそり切った者も多かったぜよ」

腫れあがり、腐っていく貴子の姿が頭に浮かんだ。腐臭を漂わせ、紫色の肉塊となり、崩れ落ちていく肉体……。

慎司は裸足のままアクセルを踏んだ。スクーターの前輪が道路のへこみにぶつかって、大きく弾んだ。片田の悲鳴が聞こえたが、彼はスクーターを飛ばし続けた。

「あんたと寝たい、思うちょった」

そう貴子が呟いたのは、三度目のデートの時。初めて二人が抱き合った後だった。

彼女の働く店に毎日のように通ってデートに誘い、ラブホテルを訪れるまで、さほど時間はかからなかった。貴子は慎司の誘惑を待っていたらしかった。

国道沿いのうす汚れたラブホテルの一室で、二人は激しく交わった。念願の彼女の躰に触れることができて、慎司は興奮した。へとへとになるまで交わった後で、貴子は素足で彼のくるぶしを撫《な》ぜながら、耳許で囁《ささや》いたのだった。

「思うた通りや。あんた、強いねえ」

慎司は誇らしい気分になって、俺、強いか、と莫迦《ばか》みたいに聞き返した。貴子は頷いて、彼に抱きついた。

「強うない男らあて、気の抜けたビールみたいや。前の亭主がそうやったき、たまらんかったわ」

その時、はじめて貴子が離婚しているのを知った。

貴子は慎司の住む高見村の隣村の出身だった。二十歳そこその時、親戚《しんせき》の勧めで、同じ村の男と結婚した。父親の経営する建設会社の後継ぎで金はあったが、精は弱いし、酒も煙草もやらない。おもしろくも何ともない亭主だったといった。結局、二年前に離婚して、貴子は村を出た。しばらく須崎市内のスナックで働いていたが、今度、実家の近くの店に移ってきたという。今は、親元から店に通っている。

「春に、お母さんが躰の具合、悪うして、心配になったがよ。けんど、それもようなってきたき、また須崎に戻ろうと思いよったところやった」

「戻るがか」

慎司は、貴子が離れてしまうことを想像して不安になった。貴子は彼の小さな乳首を指で玩《もてあそ》びながら、かぶりを振った。

「……せっかく、あんたと会えたんやも」

慎司は、貴子の躰を強く抱き締めた。

二人はデートのたびにラブホテルに行くようになった。貴子の肉体は、粘土でできた海のようだった。慎司を包みこみ、飽きるまで遊ばせてくれた。お互い、口数は多いほうではなかった。二人の言葉は、熱い吐息と歓声。二人の理解は、肉体の交わりの中に育まれた。慎司は、貴子にのめりこんでいき、やがて真剣に結婚を考えるようになった。

知り合って四か月め、慎司は貴子にいった。

「スナックの仕事、辞めろや」

貴子はもの問いたげな視線を彼に送った。

「俺と一緒にならんかといいゆうがや」

慎司はぶっきらぼうに説明した。

貴子の顔が強張《こわば》った。怒ったのか、と彼が心配になった時、その唇が震えた。

「本気やの、慎司さん……」

「あたりまえや」

貴子は、嬉《うれ》しい、といって、泣きそうな顔をしたものだった。

慎司は、あっさりと貴子が承知してくれたことに天にも昇る気持ちになった。彼女は、その容姿で、店に来る男たちの注目を集めていた。一方、慎司は地味な農家の青年だった。口がうまいわけではないし、稼《かせ》ぎが多いわけでもない。だが、貴子は、この自分を選んだのだ。彼は鼻高々だった。

残念ながら、そのように考えたのは、彼一人だった。まず、彼の両親や兄たちが結婚に反対した。離婚歴のある水商売の女ということが、我慢できなかったらしい。両親ばかりではない。友人たちまで反対した。皆一様に、あの派手好きな女に農家の嫁が務まるはずはない、といった。

彼は肉親や友人の言葉に耳を塞《ふさ》いで、強引に貴子と結婚すると、使われなくなった農家を借りて新居にした。家業の農業の手伝いは続けていたが、相変わらず二人の結婚を快く思っていない両親や兄と同じ田圃で働くのも癪《しゃく》に障るから、荒れた山畑に手を入れて自分の畑として使おうとしていたところだった。夫婦で力を合わせて、あの畑を蘇《よみがえ》らせたら、両親も貴子のことを認めてくれるだろうと期待してもいた。その矢先に、こんなことになってしまった。

慎司は、今頃《いまごろ》、椎の木の下で苦しんでいるだろう貴子のことを想《おも》い、全身が苛《さいな》まれるほどの痛みを覚えた。彼自身は、怪我《けが》ひとつしていなかったというのに。

「ほら、あそこが遠藤じゃ」

脇から、片田の萎《しな》びた指が突きだされた。黒い土の挟まった爪《つめ》の先は、アスファルトの道端の一軒の家を指していた。

傾き加減の屋根から滑り落ちそうな灰色の瓦《かわら》。道路に面して並ぶ古ぼけた木枠の硝子《ガラス》戸。開いた硝子戸の間から商品ケースが覗いている。片田のいった通り、雑貨屋らしいが、これまで何度となく前を通ったくせに、店屋だと気がついたことはなかった。

慎司は店の前でスクーターを止めると、中に入った。薄暗い土間の奥は、座敷になっている。そこの上がり框《がまち》に腰かけて、もんぺ姿の女が、店番らしい初老の女と話していた。

「電話、貸しとうぜや」

慎司の声に、二人の女がぱっと振り向いた。店番の女が、戸惑った顔で団扇《うちわ》を動かす手を止めた。

「うちはもう赤電話は置いちゃあしませんけど」

慎司の横から、片田が顔を出した。

「違う、違う。あんたんところの電話じゃ。この人の奥さんが、今さっきハメに喰われて、おおごとなんじゃ」

「ハメやって」

二人の女は驚いて立ちあがった。店の女が手招きした。

「電話は中じゃ。こっちにきなさいや」

「すまんっ」

慎司は土に汚れた裸足を拭きもせずに家に上がりこんだ。女は少し眉《まゆ》をひそめたが何もいわずに、座敷の奥の台所に案内した。黒い旧式の電話機が、冷蔵庫の上に置かれていた。慎司は受話器を取りあげると聞いた。

「高見病院の電話番号、誰ぞ知っちゅうか」

店の女が慌てて電話帳をめくって調べてくれた。番号は、すぐに見つかった。慎司は病院のダイヤルを回した。

しばらく呼び出し音が続いてから、高見病院の受付の女が出た。

「うちの者がハメに喰われたがです。血清持ってきてくださいっ」

受付係は少し待ってくれといって、電話を切り換えた。保留を示す機械的な音楽が流れだした。

慎司は苛々《いらいら》しながら、薄暗い家の台所に立っていた。

背後から、ぼそぼそと話し声が聞こえる。肩ごしに見ると、他の三人は店の表に出ている。片田が二人の女に事態を説明しているらしかった。

――ああ、六蔵さんの息子さんか。つい先頃に結婚したゆうて聞いたけど、あの人のことやったか――ほんなら最近、ちょくちょくこのへんのストアで見るきれいな女の人が奥さんかねぇ――はあはあ、あの髪の長い人――

皆、外にいるので、慎司のところまでは聞こえないと安心しているのだろう。だが会話の断片は、昼下がりのむっとする空気と一緒に店を通り、家の中にまで流れこんでくる。

「はい。電話、替わりました。蝮に嚙まれたそうですが」

突然、受話器から、てきぱきした男の声が聞こえて、慎司ははっとした。

「そうなんです。うちの者が死にそうなんです。なんやら、そっちでは急いじゅう場合、血清を持って駆けつけてきてくれるとか……」

彼は受話器に縋りついた。

「わかりました。それでは、まず、患者さんのお名前と住所を」

こんな時に、悠長に身元を尋ねてくる相手に腹が立った。しかし、文句をいっている時間が惜しい。慎司は早口で妻の名と住所を告げた。

「場所はどこですか」

「落合の奥です」

「落合？　ちょっと待ってください」

男が誰かに地区を確認している声が聞こえてきた。慎司はじりじりして受話器を握っていた。

「その女の人やったら、私、昨日、見たで」

外の会話が耳に飛びこんできた。目を向けると、もんぺ姿の女が話している。

「須崎のホテルから出てきよったがよ。昼の日中《ひなか》からようやること、と思うたき、覚えちゅう。けんどおかしいねぇ、一緒におった人は、あの旦那《だんな》さんやなかったで」

「ほんなら、他の男の人と……」

店の女が驚きの声をあげ、片田が、しっ、といった。そして会話は聞き取れないほど小さくなった。

慎司は、台所で凍りついていた。

貴子が浮気？

受話器を握る掌に汗が滲んだ。

嘘《うそ》だ。

心の中で怒鳴った。

「お待たせしました」

病院の男の声が耳に響いた。

「落合のどこに行ったらいいですか」

「お……」といいかけて、喉《のど》がからからになっていた。慎司は唾《つば》を呑みこんだ。

「落合のまだ先の山の中です」

「もう少し具体的に教えてください」

片田の家の裏の山。しかし、片田の家といってもわかるだろうか。とにかく山の中だ。貴子のいるところだ。浮気をした貴子が横たわっている……。

慎司は受話器を握り潰したくなった。熱に浮かされたように、思考が溶解していく。

「今、どこからお電話しゆうがですか」

電話の男が尋ねた。

「遠藤ゆう……雑貨屋です。県道から落合に行く途中にあります」

彼はのろのろと言葉を押しだした。

「とりあえず、血清を持たせて、そこに車を差し向けますから、後は直接、現地に案内してください」

電話が切れた。慎司は受話器を持ったまま、しばらくぼんやりと立っていた。

「どうやったね」

店から片田に声をかけられて、やっと慎司は我に返った。彼は受話器を置くと、店に戻った。二人の女も店に入ってきて、興味津々に彼を見つめている。慎司は、病院の車が来るまで、ここで待たないといけないことを告げた。

片田の顔の緊張が緩《ゆる》んだ。

「連絡がついたか。そらよかった、よかった」

「病院の車やったら、すぐ来てくれるわ」

もんぺ姿の女も親切そうに口を挟んだ。

ほんまに昨日、貴子が別の男と一緒におるがを見たがかえ。

そんな言葉が喉許まで出かかった。しかし見知らぬ女に、妻の浮気を問い質《ただ》すのはためらわれた。

慎司は裸足のままむっつりと土間に下りると、店の外に出た。

盛夏の太陽が大地を炙《あぶ》っていた。黒っぽい舗装路面から、ゆらゆらと陽炎《かげろう》が立っている。その向こうの田圃の緑が滲んでいた。

確かに昨日、貴子は須崎市に行った。慎司が山の中で茅と格闘している昼間、妻はあの港町で数時間過ごした。その間、買物をしていたのではなかったか。

夕方、家に戻ると、貴子は明るい声で「おかえりぃ」といいながら、玄関に走りでてきた。すでに風呂が沸き、食事の支度もできていた。

慎司は首を横に振った。

信じられない。貴子が自分を裏切っているとは。

だが、あの痣は何なのだ。

貴子の内股についていた赤痣。長い間、唇で吸い続けると、あんな痣がつく。貴子が自分の口では吸えない場所だ。昨日、貴子と寝た男が、つけたものではないか。

莫迦なことを。もし、実際に浮気をしているなら、あんなものは残さないように注意するはずだ。……だが、その男が、貴子に惚《ほ》れこんでいて、無我夢中で内股のあそこに吸いついたとしたらどうだ。

慎司が野良仕事をしている昼間、貴子はちょくちょく須崎まで買物に行く。村のストアより品物が豊富だといっていたが、本当に、妻は買物だけのために須崎に出て行くのだろうか。その男とホテルに行くために、出かけているのではないのか……。

心の片隅に巣くった疑いが、どんどんと広がっていく。

慎司は大声で叫びだしたい衝動を覚えた。猜疑心《さいぎしん》に苛まれながら、病院の車を待っているくらいなら、貴子のそばにいてやりたい。このままここにいると、どんどん自分が妻から離れていく気がする。

慎司は、陽炎を睨みつけた。熱された空気の透明な揺らぎが、彼の内部で燃える暗い炎を思わせた。

「それにしても、このへんもハメが多うなったねぇ」

店の中から店の女の声が聞こえた。

慎司は暗い店内に顔を向けた。袋菓子や飴《あめ》の入った商品ケースの奥で、片田と二人の女が話をはじめていた。

もんぺ姿の女が頷いた。

「県道の向こうの石灰の山が、セメントを採るために崩されたきよ。あそこにおったハメがどっさりこっちに流れてきたらしいで。うちの旦那ゆうたら、草刈りに行くたびにハメに会うんで、喜んじゅうけど」

店の女と片田が怪訝《けげん》な顔で、なぜだ、と聞いた。もんぺ姿の女は取れかかったパーマの髪に手をあてて、照れたように笑った。

「うちの人、ハメの肉が好きなんや。畑で見つけるたびに捕まえて食べるがよ。弁当のお菜にぼっちりやと。皮をぺろりと剝いで、醬油《しょうゆ》を垂らして、火で炙るがよ。うちも時々食べるけど、わりにおいしいで」

慎司は無理やり、店の中の会話に注意を向けた。他人の話を聞いていると、猜疑心を体内に広がらせないですむ。

「わしも食うたことがあるけど、そのハメがちょうど孕《はら》んでおっての。腹から、こんまいハメの子が四、五匹、出てきたのにゃあ、まいったぜよ」

片田がステテコの裾《すそ》をぱたぱたと扇《あお》いで、口を挟んだ。

「子を持った母親を殺したがかえ。殺生なことして」

顔をしかめた店の女の膝《ひざ》を、もんぺ姿の女がなだめるように軽く叩《たた》いた。

「けどねぇ、あんた。ハメの雌《めん》ゆうたら、番《つご》うた後で雄《おん》を喰うんやと。ほんでハメの子は、お父さんの仇《かたき》に、お母さんの腹を喰い破って出てくるんやって」

「まさか。そんな話、聞いたことないわ」

店の女はますます不快そうに、団扇をせわしなく動かした。

「あんたら、ハメが番《つが》うのん、見たことあるかね」

片田が聞いた。二人の女は、見たことない、と答えた。片田は白い不精髭《ぶしょうひげ》の頬に皺《しわ》を寄せて、にたりとした。

「わしゃ、一遍だけ見たことがあるけどの。ありゃまあ、えらいもんでのう。なにしろ雄《おん》のおチンチンは二本もあるがじゃき。それが雌《めん》の二つ所にかっちり喰いついて、ちょっとやそっとじゃ離れやせん。捩《ね》じり棒みたいに雄と雌が巻きついて、一日中でもびっしり躰をくっつけちょるがや」

「一日中かえ」

店の女が素《す》っ頓狂《とんきょう》な声をあげた。

「そうちや。昼の日中《ひなか》も、木の陰でじっとり睦《むつ》み合いゆうがよ」

「たまるか」

もんぺ姿の女が興奮した口調で呟いた。

慎司の脳裏に、昼の木陰で絡み合う二匹の蛇の姿が浮かんだ。その姿が、貴子と自分自身の姿態に重なった。毒蛇に嚙まれる直前、二人は交わったのだ。蛇のように、激しく、濃密に。

妻の躰の感触が蘇ってきたとたん、あの豊満な躰を他の男も抱いたのだ、と思った。

昨日、彼が野良仕事に出ている間に、妻は他の男と寝た。さっきの貴子と慎司のように。暗いホテルの一室で抱き合う貴子と見知らぬ男。滑らかな肌から滲み出る汗。男が、貴子の内股に唇をつけて肌を吸う……。

誰だ、その男は。

慎司の喉に熱い怒りがこみあげてきた。

結婚前、貴子の男関係が派手だったと教えてくれたのは、幼馴染《おさななじ》みの隆平だった。前の亭主との離婚も、貴子の浮気が原因だといいもした。寄ってくる男が多いわりに再婚しないのは、皆、あの女の男癖を知っていて、結婚を申し込まないからだ。あんな女と結婚したがる男は、おまえみたいなお人好しくらいのものだ。どこで聞いてきたのか、隆平はそんなこともいった。

当然、慎司の心は揺れた。彼は愕然《がくぜん》として、貴子にその話をぶちまけた。貴子は、すべてでたらめだと断言した。自分の職業や態度がそんな誤解を招くのだ、といって泣いた。

慎司は貴子を信じた。信じたから、結婚したのだ。

しかし、信じてよかったのだろうか。

隆平のいうには、貴子は店の客、数人と並行してつきあっていたという。相手は誰だったのだろう。宮本理容店の主か、焼き肉屋の息子か。高知市内から流れてきた若い板前とも、やけになれなれしかった。

貴子と寝たのは、どの男だ。

店で会った男たちの顔が、頭の中で渦になって巡る。嫉妬《しっと》と猜疑がどす黒い奔流となり全身へと行き渡る。じっとしていると、その荒々しい力によって、躰が破裂しそうだ。

「俺、先に行くでっ」

慎司は店の中に怒鳴ると、スクーターに跨がった。片田が硝子戸の間から首を出した。

「待ちやっ。病院の車が来たら、何てゆうたらええんじゃ」

「うちの畑は、おまんくの上の山じゃ」

慎司はスクーターのエンジンをかけた。そして、まだ何かいっている片田を無視して発車した。

彼は立ち昇る陽炎の中を走った。吹きつける午後の熱風。襲いかかってくる田圃や山々の緑。夏の盛りの植物は、その生長の絶頂期を迎えて、歓喜の声をあげながら天に四肢を伸ばしている。

貴子のようだ。

椎の木の下で交わった時の貴子は、あの緑のように燃えていた。昼間からでも、野で男と寝るような女だ。他の男とどんなところで寝ているか、わかったものではない。車の中でも、道端の暗がりでも。

「くそっ、くそっ、くそっ」

慎司は罵りの言葉を路傍に吐いた。

スクーターのタイヤに当たって、小石が弾き飛ばされる。路傍に転がる石は、貴子が交わり、棄てた男たち。貴子は、何人の男と寝てきたのだ。

こめかみが、どくんどくんと打っている。喉が締めつけられるほど渇いている。今まで堰《せ》き止めていたものが、全身から溢《あふ》れでてくる。肉親や友人たちが語った言葉が、真実味を帯びて蘇る。

貴子は男癖の悪い女。

彼は、怒りと嫉妬の炎に全身を炙られていた。

片田の家を過ぎ、細い山道に入った。杉林の手前でスクーターを止めて、慎司は走りだした。

木漏れ日の降り注ぐ杉林を抜けて、再び強い日射しに包まれた。茅がおい繁る谷間が開けた。緑が波となって、彼のほうに押し寄せてきた。慎司はその波に抗《あらが》うように、椎の木に向かった。

最初、貴子の姿は見えなかった。

どこに行ったのだろう、ときょろきょろした時、椎の木の周囲の背の高い草むらの中から声がした。

「あん……たぁ……」

貴子の上半身だけ、草の中から現れた。すでに白いブラウスを着ていたが、ボタンをかけ違えていて、襟が歪《ゆが》んでいた。黒髪が汗で頬にへばりつき、腫れぼったくなった顔は苦痛に歪んでいる。

憔悴《しょうすい》した妻のほうに駆け寄ろうとしたが、慎司は足を踏ん張って止まった。

貴子は弱々しく彼に聞いた。

「病院に……連絡……ついたかえ……私、痛うて……痛うて……」

声が途切れた。貴子は俯くと、呻き声をあげた。

じーいじいじい。じーいじいじい。蟬がせき立てるように鳴いている。

慎司は口を開いた。

「おまん、他の男と浮気しゆうがか」

貴子の顔が上がり、汗と涙で濡れた睫毛をしばたかせた。

「な……何をゆうがで……」

「昨日、須崎で男と会うて、ホテルに行ったやろう」

妻の頰が震えた。それが苦痛のせいなのか、内心のおののきのせいなのか、わからなかった。

慎司は両手の拳《こぶし》を握りしめて怒鳴った。

「いえっ。正直にいわんと、ここに置き去りにしちゃるぞ」

「莫迦なこと、やめてやっ」

貴子は両手を突いて、慎司のほうに身を乗りだした。顔が赤紫色に変わっている。

「私がこんなに苦しみゆう時に、へ……変なこと、ゆわんといてやっ」

杉林の向こうから、微かに車のエンジンの音が流れてきた。病院の車だろう。音は次第にこちらに近づいてきている。

慎司は、妻のほうに一歩、足を踏み出した。

「電話を借りた店で会うた人がいいよったぞ。昨日、おまんが別の男とホテルから出てくるのを見たと。いえっ、ほんまのことをいえっ。他の男と寝えたがか。俺の目を盗んで浮気したがかっ」

貴子は大きな瞳を見開いた。土気色になった唇が半ば開き、わなわなと震えた。貴子はゆっくりと首を左右に振った。首を振るたびに、目に涙が溢れてきて、ぽろぽろと頰に滴り落ちた。

「なんてこと……ゆうがや……。私には、あんたしかおらんに……」

苦痛と悲しみの混ざった表情で、貴子は呟いた。そして両手に顔を埋《うず》めると泣きだした。白いブラウスの肩が震えている。泣きじゃくるたびに、黒髪が背中で揺れる。

妻の泣き声は、慎司の心にひたひたと流れこんできた。

俺は間違っていたのではないか。店で会った女が、貴子を知っている保証はない。全く別の女を見て、貴子だと思いこんだのかもしれない。

そうだ、そうに決まってる。なんてことだ、妻が毒蛇に嚙まれて苦しんでいるというのに、俺は嫉妬に目が眩《くら》んでいた。

「慎司さーん、どこぞーっ」

杉林のほうから、片田の声が聞こえた。

病院の車が着いたのだ。

慎司は、怒鳴り返した。

「ここじゃーっ。こっちの谷じゃーっ」

今、行く、という返事があった。

もう一度、妻を振り向くと、貴子は顔を上げて、ほっとしたように微笑んだ。

「貴子……すまん。変なこと考えて、俺が悪かった」

彼は妻の許に歩み寄った。貴子は草の中で、躰をくの字に曲げて、上半身を起こしていた。

気がつくと、下半身は裸のままだ。

まだ服を着てなかったのか、といおうとして、はっとした。

左脚全体が異常に腫れあがっていた。毒蛇に嚙まれた足首は南瓜《かぼちゃ》ほどになっている。赤紫色の腫れは、網の目のような斑《まだら》模様となって、右脚や尻にも広がっている。白いブラウスを着た貴子と、草に横たわる腫れあがった下半身は、別個の存在に見える。

貴子は自分の下肢に目を遣《や》って、顔を歪めた。

「脚が……痛うて……服も着れん」

片田がいっていたことを思い出した。毒が回ると、腫れあがり、蝮の鱗と同じ亀甲模様の痣が広がると……。

貴子の躰は、汗でぬめぬめと光っていた。二本の脚が二匹の蛇に見えた。ぎりぎりと躰を絡み合わせて、番う蛇。一日中でも、昼の日中《ひなか》でも交わり続ける蛇。

「いや……じろじろ見んといてや」

貴子が引きつるように笑って、下肢を捩じらせた。その腰を動かす仕種に媚態《びたい》が混じっていた。耐えがたい苦しみの中にも、男に秘所を見つめられていることに興奮している。

慎司は一抹の嫌悪感を覚えて、再び視線を妻の下半身に戻した。

その時、それが、蛇の鱗の模様ではないことに気がついた。

男の唇だ。

肌にへばりついた無数の唇。貴子の内股についていた赤痣そっくりの形だった。唇の輪郭まで、くっきりと見える。足の甲に、ふくらはぎに、大腿《ふともも》に、尻に。そして黒い毛に覆われた陰部の周囲までも。

男の唇がそこを這《は》い、そして吸ったのだ。何度も何度も。男たちの愛撫の痕跡《こんせき》が、蛇の毒で浮かびあがっていた。

「おまん……嘘ついたな」

慎司は震える声でいった。

貴子は怪訝な顔を上げた。

「おまん、浮気しちゅう」

貴子は一瞬、首を横に振ろうとした。しかし、人のざわめきの近づいてくる杉林に目を遣って、ふっと肩の力を抜いた。

「それが……どうやゆうの」

「どうや、やとおっ」

貴子は疲れたのか、片肘ずつ地面に突いて草の上に横になった。ボタンをかけ違えた白いブラウスの隙間《すきま》から、白い乳房が覗いた。その乳房にも、唇形の模様は広がっていた。この乳房まで、他の男たちが吸ったのだ。彼は両手の拳を握りしめて叫んだ。

「他の男と寝えたがやなっ」

苦しげに顔を歪ませながら、妻は投げ遣りに答えた。

「……ええかげんにしてや……そんなん……どうでもええやろ……」

「どうでもええことやないっ」

目の隅に、さっき殺した蛇が見えた。頭に鎌の刃を突きたてて、黒い血を流している。まだ死にきらないのか、太い尾の先がぴくぴくと震えている。躰の中央は太い竹筒ほどある。やはり、普通の蝮のようではない、と慎司は痺《しび》れたような思考の中で思った。

杉林から、あっちや、という人の声が聞こえた。

貴子がほっとしていった。

「ああ……よかった……これで助かった」

貴子の脚が草の褥《しとね》の上でがさりと動いた。肌に貼《は》りついた無数の男たちの唇が蠢《うごめ》いた。赤紫色の唇は、さまざまな形に口を歪めながら皆同じ言葉を囁いている。

おまんの女と寝えちゃったぞ、と。

慎司は震える手で鎌の柄をつかんで、蛇の頭から引き抜いた。尖った刃の先から、黒い血が滴った。

慎司は、妻の前に立った。

貴子が杉林のほうから、彼のほうにゆっくりと視線を戻した。その腫れた顔に恐怖が走った。

「あんた……なに……」

彼は鎌を空にかざした。太陽の光の中に、三日月形の刃がきらめく。貴子の口が大きく開かれた。

「ぎゃあああっ」

悲鳴が夏の青空を引き裂いた。

縁側の踏石の上に、茶色の蝉の死骸《しがい》が落ちていた。どこかの木の梢《こずえ》から風に飛ばされてきたのだろうか、かさかさに干からびていた。慎司はその死骸を爪先《つまさき》で蹴《け》ると、縁側に腰を下ろしてゴム底の地下足袋《じかたび》を履いた。

足袋の小鉤《こはぜ》を留め終わると、気持ちが引き締まる。

彼は腰を上げて、わずかに開いた硝子戸の間から、家の中に声をかけた。

「ほな、行ってくるわ」

硝子戸の奥の人影が、縁側のほうにいざり寄ってきた。

「戻りは、いつになるが」

硝子戸の間に、貴子の顔が覗いた。

長かった黒髪は耳の下までの短さになり、頰はやつれている。白いトレーナーの上下が、やけにだぶだぶとしていた。

慎司は庭先に立って、思案げに天を見上げた。爽《さわ》やかな秋空が広がっている。

「わからんなぁ。スナックでちょっと呑んでくるかもしれんき」

貴子の眉が神経質そうにぴくりと動いた。慎司は、日に焼けた顔に白い歯を覗かせて笑った。

「心配すな。呑んできても、晩飯は家で食べちゃるき」

貴子は硬い表情で頷いた。

慎司はスクーターに鍬《くわ》をのせて跨がった。貴子が硝子戸の間から躰を押しだすようにして、縁側に現れた。

「行ってらっしゃい」

貴子が手を振った。硝子戸の間に、トレーナーのズボンの先が見えた。左脚のほうだけ、足首から先がなかった。

慎司は片手を上げた。

「おとなしゅう家におれよ」

貴子の黒い瞳に一瞬、怒りが燃えあがった。しかし、それは火花のように、瞬時にして消え失せた。

慎司はスクーターを発車させて、門から出ていった。

見渡す限り、黄金色に稲の実った田圃が広がっている。所々、案山子《かかし》がにょきにょきと突っ立っている。稲刈りに行く農夫たちが、畦道《あぜみち》を歩いていた。

慎司は静かな気分で、スクーターを落合部落に向けた。

これでよかったのだ。

彼は、しみじみと思った。

貴子は、もう一人で須崎に出かけることはなくなった。じっと家の中にこもって、彼の帰りを待つだけだ。

血清を携えた医師が到着した時、彼は鎌で妻の足首を切断していた。医師は、彼が、妻の躰に毒が回らないように処置したのだと受け取った。実際、後になって、嚙まれた足を切断していなかったら、貴子は死んでいたかもしれないといわれた。どうやら貴子を嚙んだ毒蛇は、普通の蝮ではないらしかった。ずっと毒性が強く、台湾のほうにいる蝮に似ているということだった。慎司が特徴を語ると、ツチノコではないかという説も出たが、彼が鎌で頭を貫いたはずの毒蛇はいつか草むらに姿を消していて、何の証拠もなかった。

貴子は、二か月間の病院生活の後、最近やっと家に戻ってきた。自分の足を失ったことに、ようやくあきらめがついたようだった。

スクーターは、灰色の舗装道路を走っていく。その先に、落合のある谷間が見えてきた。谷の木々は、茶色や黄褐色に覆われはじめている。夏の燃えるような緑は、もうどこにも残っていない。貴子と彼を包んでいた、あの力強い緑の波は、この世界から退いていってしまった。

貴子が退院してから、何度か交わった。しかし、もう妻の躰を見ても、あの夏の日、椎の木陰で抱き合った時ほどの情熱を掻《か》きたてることはできない。しかたない。

枯葉色に変わりはじめた山々を眺めて、慎司は心の中で呟いた。

夏は終わったのだ。

超たぬき理論

東野圭吾

空山一平《そらやまいっぺい》が母に連れられて和歌山の田舎に遊びに行ったのは、小学校に入る前のことだった。そこには母の実家があった。井上《いのうえ》酒店という看板を上げているが、食料品や日用雑貨なども売っている何でも屋である。周りを山に囲まれているので、そういう店が一軒あるだけで、地元の人たちは大いに助かるのだ。その家に、一平にとっては祖父母にあたる老夫婦と、伯父夫婦、それから従姉《いとこ》が住んでいた。

一平は彼等から歓待を受けたが、じつのところあまり楽しくはなかった。従姉とは歳が離れているから、遊ぶ相手がいないのだ。それに都会の公園でしか遊んだことのない彼は、自然とどう親しんでいいのかわからなかった。

ある日一平は、店の倉庫に入った。何か目的があったわけではない。昼間だし、テレビを見ていても面白くないから、暇つぶしに入ったのだ。

倉庫の中には酒瓶やダンボール箱が積み上げられていた。それらをぼんやりと眺めている時だった。目の端で何かが動くのを彼は捉《とら》えた。

その何かは、素早く冷蔵庫の陰に隠れた。冷蔵庫といっても家庭用のものではなく、上部にガラス戸のついた業務用だ。

猫かな、と一平は思った。そのぐらいの大きさだったからだ。

彼はその小動物が逃げ込んだあたりを見た。しかし薄暗くて何も見えない。試しに冷蔵庫を、ぽんぽんと手で軽く叩《たた》いてみた。

すると、キュー、という鳴き声が冷蔵庫の裏から聞こえた。猫でも犬でもない、聞いたことのない声だった。

一平は何度か冷蔵庫を叩いた。そのたびに、キューキューとかわいい声が返ってくる。彼は何とかその正体を見極めようとした。しかしその動物は冷蔵庫の裏から出てこようとはしなかった。

このことを彼は誰にもいわなかった。そしてその夜、晩ご飯を食べている時、伯父さんに尋ねた。

「ねえ、このへんはどんな動物がいるの？」

ビールで顔を赤くした伯父さんは、愛想よく答えてくれた。

「そら、いろいろとおるで。キツネもおるし、タヌキもおる」

「へえ、タヌキも」

「おう、ぎょうさんおる」

「裏山に行ったら、なんぼでもおるがな」おじいさんもいった。

じゃああれはタヌキに違いない、と一平は思った。キツネならコーンと鳴くはずだ。

晩ご飯の後、彼はもう一度倉庫に行ってみた。冷蔵庫を叩くと、少ししてから、キューキューと聞こえた。彼は台所に戻ると、ごはんを掌《てのひら》に盛り、再び倉庫に入った。そして冷蔵庫の陰に落としておいた。

「おやすみ、キューちゃん」そう声をかけてから倉庫を出た。

一平とキューちゃんの密《ひそ》かな関係は、一平が帰る前日まで続いた。といっても彼は、キューちゃんの姿を見ることはなかった。冷蔵庫の裏から例の、キューという声が聞こえてくるだけだ。冷蔵庫を動かそうかとも思ったが、子供の力ではどうしようもなかった。だからといって大人たちに話すのもいやだった。そんなところに動物を隠しているとわかったら、忽《たちま》ちのうちに取り上げられてしまうと思ったからだ。

明日はここを去らねばならないという夜のことだった。一平は倉庫に入り、冷蔵庫の前に立った。そしてピーナッツを数粒、裏に落とした。

「さよなら、キューちゃん。ぼく、もう明日は帰らなきゃいけないんだ。元気でね。見つからないようにね」

そして彼はいつものように冷蔵庫をぽんぽんと叩いた。が、この時にかぎって返事がなかった。おかしいなと思って、もう一度叩こうとしたその時……。

小さな影が冷蔵庫の裏から現れた。それは素早い動きで床を走り、柱を上った。天井近くに小さな窓があり、開いたままになっているのだが、一気にそこまで駆け上がった。

「キューちゃんっ」一平は叫んだ。

その小動物は、窓枠のところで一度だけ振り返った。暗くてよくわからなかったが、黒い瞳《ひとみ》が月明かりを反射して、一瞬だけきらりと光った。

一平は急いで外に出た。見上げると同時に、キューちゃんが窓から離れた。

あっと思ったが、キューちゃんは落ちなかった。そのままふわふわと、山のほうへ飛んでいったのだ。その飛び方は、鳥のようでもコウモリのようでもなかった。今までに見たことのないものだった。

タヌキが飛んだ。彼はそう思った。キューちゃんがタヌキ以外の何かである可能性については全く考えなかった。

キューちゃんは妖精《ようせい》だったんだ、というのが、最初一平が考えたことだった。彼は『ムーミン』というアニメのことを思い浮かべていた。ムーミン谷には様々な妖精が住んでいる。そして彼等は大抵動物の姿をしていた。主人公のムーミンはカバに似ている。

でも、と彼は思った。ムーミンは空を飛んだりしないな。飛ぶのは、蝶《ちょう》の妖精とかだ。

やがて彼は、それが想像上の産物であることを知るようになる。外国には妖精の写真を撮影したという記録もあるのだが、残念ながらインチキであった。

ではキューちゃんは何だったのだろう。妖精でもないのに、なぜタヌキが空を飛べたのだろう。一平はそのことを考え続けた。そして一つのことに思い当たった。

タヌキは人を化かすっていうじゃないか。

何にでも化ける、ともいう。

自分が化かされた、とは思わなかった。キューちゃんが自分にそんなことをするはずがないと思った。きっと空を飛ぶ何かに化けたんだ、というのが彼の考えだった。

彼はタヌキに関する昔話を読み漁《あさ》った。いくつかの物語の中で、タヌキは化けたり、人を騙《だま》したりしていた。中でも一平の心を捉えたのは、文福茶釜《ぶんぶくちゃがま》の物語だった。

この話は、いくつかの地方に伝わっている。群馬県の茂林寺《もりんじ》にまつわる伝説では、守鶴《しゅかく》という老僧の愛用した茶釜は、汲《く》んでも汲んでも湯が尽きない不思議な品だったが、じつはタヌキの化身だったという話である。また、貧しい夫婦を助けるためにタヌキが金の茶釜に化け、寺に売られてその金を夫婦に与えるが、火にかけられたところで熱がって正体がばれるという話もある。さらに見せ物小屋に売られ、綱渡りの芸を見せるというエピソードが入っているものもあった。

文福茶釜の綱渡り……これが一平には引っ掛かった。空を飛ぶタヌキと、何となくイメージが近いと思った。

そして彼は一つの結論に達した。タヌキには超能力がある、文福茶釜の物語は実話である、というものだった。彼が小学校六年生の時だ。

これ以後、空山一平は、この研究に生涯をかけることになる。

もし自分の仮説が正しいなら、日本だけでなく外国にも、タヌキが化けたという伝承が残っていても不思議ではないはずだ、と一平は考えた。

真っ先に思い浮かんだのは狼男《おおかみおとこ》の伝説である。あれは狼ということになっているが、もしかしたら元はタヌキだったのではないか。どちらにしても毛むくじゃらなので、恐怖心をあおるために狼に変えられた可能性はある。

次に『美女と野獣』。魔法によって王子が野獣に変えられているわけだが、あれもタヌキと考えることも可能である。また『西遊記』には妖怪《ようかい》が大勢出てくるが、獣の化身というものが大部分である。

調べれば調べるほど、世界中に、人間が獣に変わる、もしくは動物が人間に化ける話の多いことがわかってきた。獣は大方の場合、毛むくじゃらである。それらはすべてタヌキに置き換えても何ら問題はないのだ。

ところでこの調査の途中、一平は奇妙なことを発見した。それはギリシャ神話の中にあった。

彼の目に留まったのは、獣の化身の話ではない。それはゼウスの息子の話だ。彼の名前が一平の気をひいた。タンタロスというのだ。

一平がずっと気にかかっていることの一つに、「たんたんタヌキ」というフレーズがあった。この、たんたん、とは何だろうと考え続けてきたのだ。「ねんねんネコ」とか「いんいんイヌ」とかはいわない。

もしかしたら「たんたん」は、タンタロスに由来しているのではないか、というのがこの時の彼の発見であった。こう考えるのには理由がある。

タンタロスは、小アジアの一地方の王であった。ところが神を冒瀆《ぼうとく》したために、冥界《めいかい》で永久の飢渇に苦しむことになる。具体的にいうと、顎《あご》まで地獄の水につけられるという刑だ。

ところが渇して飲もうとすると、この水は退いて飲めないのだという。

これは文福茶釜と全く逆ではないか、と一平は気づいた。かたや汲めども汲めども湯が尽きない文福茶釜、かたや顎まで水につかりながら飲むことができない地獄の水。正反対というのは、繋《つな》がりがあることの裏返しと考えられる。

こうしてタヌキ超能力動物説は、ますます揺るぎないものとなっていくようだった。だが一平としては、まだ不満だった。もっと多くの人間が、空を飛ぶタヌキを目撃していていいはずなのに、それに類する話は殆《ほとん》ど見つからないのだ。

そんな彼が、目から鱗《うろこ》の落ちるような発見をするのは、大学生の時であった。なぜこのことに今まで気づかなかったのかと、自分自身の迂闊《うかつ》さを呪《のろ》った。

目撃はされていたのだ。いくらでも見つかっていたのである。ただそれがタヌキだとはわからなかっただけなのだ。

彼にこの素晴らしいアイデアを与えてくれたのは、ジョージ・アダムスキーだった。

イラストに描かれたアダムスキー型UFOは、どこから見ても、昔の絵本にあった文福茶釜にそっくりだった。違う点といえば、タヌキの顔や手足が出ていないだけのことだが、飛行する時には引っ込めると考えたほうが合理的である。

また数多くの目撃証言に基づいて描かれた他のタイプのUFOも、基本的には文福茶釜の形をしているといって差し支えなさそうだ。窓のように見えたというのは、茶釜の模様だろう。上部に突起のあるものが多いが、茶釜の蓋《ふた》のつまみと解釈できる。

一平は確信した。間違いない。UFOは文福茶釜だ。

彼は、世界中の夜空に、タヌキの化けた茶釜が飛んでいる光景を想像した。それはかわいくもあり、ファンタジーでもあった。そしてその中にはきっと、あのキューちゃんもいるはずだった。

しかし彼にとって、あまり良くない話もある。数多くの目撃証言の大部分を、錯覚や見間違いの類《たぐい》だと断言する者が現れたのだ。欧米のUFO研究組織である。彼等は写真のコンピュータ分析を行ったり、目撃当時の航空機の飛行状況や天体の動きなどを分析することで、証言の九十五パーセントを誤認と結論づけてしまったのだ。

だが彼の立ち直りは早かった。九十五パーセントが誤認なら、そうでないものが五パーセントあることになる。UFOの目撃者は一説では、世界中に一千万人以上いるということだから、その五パーセントでも五十万人、ものすごい数である。それだけの人が、文福茶釜を見たことになるのだ。

一平はUFOに関する文献を徹底的に調べていった。UFO研究家の意見は、実質的には二つしかなかった。一つはそれが何らかの乗り物であるという説、もう一つは、どれもこれも何かの見間違いというものだ。

そうした意見を目にするたびに、一平は不思議でならなかった。なぜみんな気がつかないのだろう。研究家の中には日本人だっているのに、文福茶釜の話を知らないのか。

そしてある日彼は、またまた発見をする。それはタヌキという名称の語源についてだった。

『タヌキ』の語源は、なんと英語だったのだ。

そのヒントになったのは、UFO目撃証言の話だった。証言者の何人かが、旋回とか回転という言葉を使っている。

「旋回」や「回転」は英語で「TURN」である。

一平は閃《ひらめ》いた。この音の響きは「タヌキ」に似ていないか。彼は詳しく調べてみた。まずタヌキは英語で「RACOON DOG」である。「RACOON」とは本来アライグマの意だ。単に「COON」ともいうらしい。そこで一平は次のように単語を並べてみた。

TURNING COON（旋回するアライグマ）

彼は感動した。これを早口で発音すると、「タヌキ」にかぎりなく近いではないか。英米人たちは、文福茶釜状態で空を旋回するタヌキを目撃して、「TURNING COON!」といっていたに違いない。そしてそれが日本に伝わり、「タヌキ」という言葉になったのだ。

また「COON」には、「ずるいやつ」という意味もあるのだった。つまり欧米でも、タヌキは人を化かすということが知られていたことを暗示している。

一平はますます自分の考えに自信を深めた。そして彼が三十歳の時、ついに最初の本を出版した。その記念すべき第一作、『UFOはタヌキだった』は、忽ち話題となった。

『日曜ウルトラスペシャル』の司会者が、二人のゲストを紹介した後でいった。

「さあそれではただいまより、空山一平さんの『UFOタヌキ説』について、『UFO宇宙人の乗り物説』を唱えておられる大矢真《おおやまこと》さんに質問していただきたいと思うのですが、ええと大矢さん、まずはどのあたりから」

「まずはですね」小柄な大矢が身を乗り出した。顔つきに闘争心が滲《にじ》んでいた。「なぜそんなバカげたことをいうのかを訊《き》きたいですね。根拠は何ですか」

「第一が民間伝承です。文福茶釜の話は実話であり、茶釜の綱渡りは空を飛んだことを暗示していると私は考えます。第二に、目撃されたUFOと文福茶釜の形がそっくりだということです」

「ばかばかしい。私はタヌキが飛んだのなんて、見たことがない」

「えーと、それには説明が必要だと思います。じつはタヌキには大きくわけて二種類おりまして、一つはふつうのタヌキ、もう一つは超能力タヌキです。私がここで取り上げておりますのは後者のほうです。こいつは飛べるんです。私は子供の頃《ころ》、この目で見ました」

こういった時、空山一平の目に何ともいえぬ懐かしさに溢《あふ》れた光が宿るのを、テレビカメラはしっかりと捉えた。

「それにですね」と一平は続けた。「大矢さんは見たことがないとおっしゃいましたが、いろいろな本で空飛ぶ円盤を見たと書いておられるじゃないですか。あれは全部文福茶釜状態のタヌキなのです」

「な、何をいうんですか。私が見たものはUFOだ」

「いや、ですから」一平は落ち着いていた。「UFOとは未確認飛行物体の意味でしょう。つまり確認しておられないわけだ。だから私がタヌキだと教えてあげているのです」

「私が見たものは、宇宙人の乗り物です」大矢はテーブルをどんと叩いた。

一平はきょとんとした。

「宇宙人……ですか」

「そうです」大矢は大きく頷《うなず》く。

「なぜそう思うんですか。会ったことがあるんですか」

「いや、私は会ったことはないが、会ったという人はいっぱいいる。写真にだって撮られている」

「どういう写真です」

「質問してるのは、こっちなんだけどなあ」といいながら大矢は傍《かたわ》らに置いてあったパネルを二枚立てた。「たとえばこれとこれです」

その二枚には、どちらも小さくて体毛の全然ない、二足歩行をする不思議な生物が写っていた。一枚はそれが岩山のようなところを歩いている写真、もう一枚は、大柄な白人男性二人に両手を摑《つか》まれている写真だった。

しかし空山一平は動じることなく、「ああ、それですか」というと、自分のほうで用意してあったパネルを見せた。それは大矢が出した写真と同じものだった。

「じつは私も、これらの写真は重大な証拠だと考えているんです」

「なぜそれが、そちらの証拠になるんです」大矢は目をつりあがらせた。

「だって」一平は、にっこりしていった。「これらは全部タヌキですから」

司会者やアシスタントが大きくのけぞった。大矢は一瞬意味がわからなかったのか、ぽかんとした表情を見せた後、その顔を赤らめていった。

「ふざけるな。これのどこがタヌキだ。毛が一本もないじゃないか」

「じつはですね」一平はペースを崩さずにいった。「タヌキは脱毛するんです」

「脱毛？」

「超能力を持っているとはいっても、やはり獣ですからね、体毛の生え変わりというのがあるようです。しかもこいつの場合、こんなふうに、つるんつるんに全部抜けちゃうらしいんですね。で、こういう状態だと、保護色になりにくくて見つかりやすい。だから写真に撮られたり目撃されたりした時の格好は、いつもこんなふうなんです」

「しょ、証拠は？」大矢は唾《つば》を飛ばした。「タヌキだという証拠は？」

「残念ながら物的証拠はありません。でも大矢さん、これらの写真は、猿か何かの小動物の体毛を剃《そ》って宇宙人みたいに見せかけたインチキだという説もあるそうですね」

「ひねくれた考え方をする人間はいるものですからな」

「インチキではなく、実際に自然脱毛した小動物だと考えたらどうでしょう。ならば私の説を裏付けていることになるのですが」

大矢の口元がぴくぴくとひきつった。しかし一平は構わず、自分の話を続けた。

「タヌキの脱毛ですが、これについては一つヒントがあるんです。それはやはり日本の伝承に残っています。皆さん御存じの河童《かっぱ》です」

「河童とタヌキは全然違うじゃないか」

「一見したところではそうです。でもタヌキが完全脱毛した姿が河童だと考えれば、驚くほど納得できる点が多いのです。まず河童のあの甲羅です。あれはまさしく茶釜です。脱毛したタヌキが文福茶釜に変身すると、河童のような姿になるわけです。だからＵＦＯの正体は、河童だということもできます、さらに河童特有の頭の皿。人間の男性の脱毛と酷似していることからも、脱毛中の姿であることは明らかです」

「河童も宇宙人だ」大矢が喚《わめ》いた。「背中の甲羅は酸素ボンベ、嘴《くちばし》はマスクなんだ」

「理由は？」と一平は訊いた。「異星人が貧相な池に住みつく理由は？」

「そんなのはわからんよ。人間世界の調査だと思うが」

「空山さん、タヌキが水の中に棲《す》む理由はあるんですか」司会者が尋ねた。

「あります。というより、超能力タヌキにもいろいろと種類があって、水棲《すいせい》のものもいるんです。陸上のものと区別するために、超能力カワウソと私は呼んでいます」

「カワウソ、ですか」司会者は虚をつかれた顔をした。

「これもタヌキと同様、ふつうカワウソと超能力カワウソがいると考えてください。この超能力カワウソが脱毛したものを人々は河童と呼んだ、というのが正確な表現です。我が国古来の俗説に、カワウソは水の底に棲んで悪事を働き、人語を真似《まね》て人を騙し、水の中に引き込むという話があります。これは河童の伝承と一致するところがありますし、タヌキが人を化かすという言い伝えとも見事に合致します」

ははあ、と司会者は感心したように目を丸くした。隣でアシスタントの女の子も頷いている。それを見て焦ったか、大矢はマイクを摑んでいった。

「二足歩行している点はどうなる？　目撃された宇宙人は、みんな二本足で歩いているぞ。河童だって、二本足で立っている姿が描かれている」

しかしここでも空山一平はびくともしなかった。

「あなた、タヌキの置物を見たことがないんですか。全部二本足で立っていますよ。昔の人々は、タヌキの中には二足歩行するものがいることを知っていたんですよ。で、それが超能力タヌキだった」

大矢は立ち上がった。

「そんな、そんな言い方をしたら、何でも通るじゃないか。超能力タヌキなんて、そんな、実在するかどうかわからんものを出してきたら」

「超能力を持っていると自称している人間はいくらでもいますよ。だったら、超能力を持っているタヌキがいても不思議ではないと思いますが。それに、実在を証明されていないものを出しているのは、あなただって同じじゃないですか」

「宇宙人はいるっ」大矢はじたばたした。「それはもう証明されているんだ。宇宙人と会ったという人は大勢いるし、コンタクトして不思議な体験をしたという人もいる」

「ははあ、よその星に連れていかれたとか、奇妙な手術をされたとかですね」

「そうだ」

「ははは」一平は笑った。「それはね、タヌキに化かされたんです」


CMの後、論争が再開された。

「少し論点を変えてみたいと思います」少し気持ちが落ち着いたらしい大矢が、口元をハンカチでぬぐいながらいった。「あなたの言い分は大体わかりました。しかしですね、本当にUFOタヌキ説で全てが説明できるとお考えなのですか」

「私はそう思っています」

「ではたとえば人体自然発火はどうです。あるいは動物の身体《からだ》の一部が鋭い刃物のようなもので切り取られているキャトルミューティレーションについてはどうですか。これらはUFOと密接な関係があるとされています。これを説明できますか」

するとー平は、ここで初めて顔をうつむき加減にした。それを見て意を強くしたらしく、

「どうなんです」と大矢が重ねて訊いた。

一平は顔を上げた。

「それについてお話しするのは、じつは非常に心苦しいのです。といいますのは、私が愛する文福茶釜のタヌキたちのことを、悪くいわねばならないからです。まあこういう悪さをするのは、ごく一部のタヌキだとは思うんですが……」

「空山さん、空山さん」司会者が口を挟んだ。「何をおっしゃりたいんですか」

「いや失礼」一平は咳払《せきばら》いした。「仕方がありません。何もかもお話ししましょう。残念ながら人体自然発火もキャトルミューティレーションも、タヌキの仕業に間違いありません。まずキャトルミューティレーションですが、これは現象を詳しく調べてみますと、鋭い刃物で切り取られているというより、食われているといったほうが適切なんです。特に目や睾丸《こうがん》、舌、唇といった体表の柔らかいところがやられています。臓器についてもそうです。そこで私が思い出しますのは、タヌキが肉食であり、極めて貪欲《どんよく》だということです。私はキャトルミューティレーションされた牛の死骸《しがい》を見て、ああタヌキの仕業に違いないと確信いたしました」

これには周りにいたテレビスタッフたちも納得した顔で頷いた。タヌキが牛の死骸を食うという光景は、想像しても全く違和感がなかったからであろう。

「じゃ、じゃあ人体自然発火は」大矢は早くも余裕をなくしていた。

「それについては少し説明が必要なのですが端的に申しますと」一平は一呼吸置いてからいった。「タヌキは火を吐くのです」

えっ、という声がスタジオに上がった。

「ええと、空山さん、タヌキが火を吐くというのは」司会者があわてて尋ねる。

「タヌキは、いくつかのガスを体内で作ることができるのです。その一つにメタンガスがあります。これはまあ人間のおならにも含まれておりますね。それが肛門《こうもん》から噴出される時、何らかの方法で点火すると、火炎放射器のように炎が出るわけです」

ふーん、という顔を周りの人間はした。人間のおならも燃えるというのは、よく知られたことだから、これも聞いてみると合点がいくのだ。

「そしてこの現象も、古来日本ではよく知られています。世界でも伝承が残っています。日本の場合は狐火《きつねび》と呼んでいますが、これはどこかでタヌキとキツネが入れ替わったのでしょう。あるいは昔の人のジョークかもしれません」

「こじつけだ」大矢がまたテーブルを叩いた。上に載っていたジュースのグラスが倒れたが、構わずに彼は叫んだ。「なんでもかんでも、自分の都合のいいようにこじつけてるだけじゃないか」

「私は」と一平はいった。「あなたをはじめ、多くの超常現象研究家のやり方を見習っているつもりですが」

大矢は、ぐっと一瞬言葉に詰まった。それから一平の顔を指差していった。

「飛行のメカニズムは？　タヌキが空を飛ぶというなら、その仕掛けを説明してみろ」

「御説明しましょう」一平は頷いた。「でもその前に、大矢さんも説明していただけませんか。ＵＦＯが宇宙船だというなら、どうやって飛んでいるのかを」

「ふん。いくらでも説明してやる。あれはな、反重力で飛んでいるんだ」

「反重力？」

「そうだ」驚いたか、というように大矢は胸を張った。

「それはどういうものなんですか」

一平の問いに、これだから素人は困るという顔を大矢はして見せた。

「重力に逆らう力だ。だから空間に浮いていられるんだ」

「ですから、その力はどういう仕組みで作られているのかとお尋ねしているんです」

するすると大矢は途端にたじろいだ目になった。

「そ、それは、宇宙人の超高度な文明が作りだしたものだから、我々にはわからんよ」

「つまり、飛んでる仕組みはわからんということですね」

「反重力であることは間違いない。宇宙人とコンタクトした者が、そう聞いてきたんだ」

「ははあ、そうですか」

「それよりそっちはどうなんだ。タヌキが飛ぶ仕組みを説明できるのか」

「もちろんできます。というより、さほど難しくありません」空山一平はカメラの位置を確認してからしゃべりだした。「先程もいいましたように、タヌキはいくつかのガスを体内で作っています。その一つにヘリウムガスがあります。それはおそらく肺から進化した臓器に蓄えられていると思われます。通常は強い力で圧縮され、体積が小さくなっています。ところが文福茶釜に変身すると同時に、そのガスが解放されるのです。タヌキの腹が風船のように膨らんでいる置物を、見たことがある人は多いはずです。あれはガスが腹に充満していることを現しています。風船のように膨らむと、中に入っているのがヘリウムですから、当然身体は浮きます。こうなればしめたものです。後は肛門からガスを噴出すれば前進します」

「なるほど」司会者が腕組みをしていった。

「それならたしかに飛べそうですね」

「でもちょっと臭《くさ》いみたい」とアシスタントの女の子が顔をしかめた。

「問題はそこです」と一平は答えた。「ガスを放出するというのは、超能力タヌキだけでなく、ふつうタヌキやキツネ、イタチ、スカンクなどに共通することなのですが、超能力タヌキの場合、ただ臭いだけでは済まない場合があります」

「どういう場合ですか」と司会者が訊く。

「それはガスの中に、幻覚ガスが混じっている時です。どういう時にタヌキがこれを放出するのか、まだ詳しいことはわかっていませんが、これをくらうと激しい幻覚作用に襲われます。体験しないことを、体験したように錯覚したりもするのです」

「つまりタヌキに化かされた状態になるわけですね」アシスタントが嬉《うれ》しそうにいった。

「そういうことです」一平も笑顔で応じた。

「馬鹿馬鹿しいっ」ばーんとテーブルを両手で叩き、大矢は立ち上がった。「何をみんな真剣に聞いているんだ。こんな話が信用できるはずがないじゃないか。そんな、UFOが、俺《おれ》たちの大切なUFOが、タヌキだなんて、文福茶釜だなんて、そんなこと、そんなこと、ぜったいに絶対にあるわけがない」彼は半分泣き顔になっていた。

あまりの剣幕に、一平は少しの間ぼんやりと論敵の様子を見ていたが、やがて彼は数枚の写真を持って立ち上がった。

「大矢さん、この写真を見てください。一枚目のこの写真は、有名な『マイヤーUFO』です。あなたもこれをネタに番組をお作りになったことがあるから、よく御存じでしょう。一九七五年六月十二日午前十時半頃、スイスの田舎町に住むエドワルド・ビリー・マイヤーが撮影したとされるフィルムの一つです」

その写真は高台から見下ろす角度で写されていた。中央に、つば広帽のようなものが浮かんでいる。

「この元のフィルムを科学者が徹底的に分析した結果、いくつかの疑問が生じてきたこともあなたは知っているはずです。その中で最も大きな疑問は、撮影したマイヤー自身がUFOの大きさを直径約七メートルといっているにもかかわらず、フィルムから計算した大きさはわずか二十五センチということです。この矛盾について科学者は、インチキだったのだといいます。でも私はそうではないと思います。本当に直径二十五センチのUFOが現れたのですよ。文福茶釜タヌキとしては、まあ手ごろな大きさです。そしてマイヤーはたぶん、幻覚ガスにやられて大きさを錯覚したのでしょう」

さらに彼は数枚の写真を並べた。

「これらはすべて大矢さんの著書でも取り上げられているUFOの写真です。このすべてが、現在ではトリックだと決めつけられています。小さな模型を空に投げて、それを写したに過ぎないというんですね。でも私はその意見には納得できません。これらは全部タヌキです。文福茶釜です。特にそれを証明してくれているのが、この写真です」

そういってかれが取り上げたのは、屋根の上を平たい円盤が飛んでいる写真だった。円盤の上部には黒い突起が見える。

「この写真を専門家は、もっとも安易なトリックだといいます。拡大してみれば、これが鍋《なべ》の蓋であることは明らかだというんです。ふざけるなといいたいです。これは文福茶釜です。茶釜なんですから、蓋に見えて当然なんです。大矢さん、どうか僕に力を貸してください。そして頭の固い科学者たちを、見返してやろうじゃありませんか」

一平は大矢に近づき、彼の手をぎゅっと握った。

大矢は視点のさだまらぬ目をしたまま黙っていた。


収録が終わると空山一平は和歌山の自宅に帰った。

母の実家の近くに、自分の家を建てたのである。その目的は無論、文福茶釜について研究するためである。また、いつかキューちゃんに再会したいという思いもあった。

自分の部屋に帰ると、彼はビデオ機器を操作した。裏山にセットしてあるカメラで、毎日森の様子を撮影しているのだ。空飛ぶタヌキを写すのが目的だが、まだ一度も成功したことはなかった。

彼はこの日の撮影分を丁寧に見ていった。

しかしやはり、タヌキは写っていなかった。

モモンガは時折画面を横切るのだが——。

さよなら、キリハラさん

宮部みゆき

1

それはとてもひそやかに始まったので、最初のうちは誰も深刻に受けとめていなかった。

もともと、我が家は騒々しい家だ。小さな呟《つぶや》きやささいな物音をうっかり聞き落としてしまうことなど、いくらでもある。築十年、木造二階建のこのうちの中では、五人の人間の発する音声と、その家族の必要や趣味を満たし、不便を取りのぞくために持ち込まれている様々な機械機器のたてる音とが、常に過当競争をしているのだった。

たとえば、全員が揃《そろ》って家におり、それぞれが与えられた自分の部屋に引っ込んでいるときなら、テレビだけでも四台がついていることになる。食堂兼居間に一台。ここで両親が観《み》ている。一階の南側にある六畳間に一台。ここには祖母がいる。そして、二階のわたしの部屋と、弟の研次《けんじ》の部屋にもそれぞれ一台。しかも、たいていの場合、てんでに違う映像を映している。

電話にしても同じようなものだ。父の名義で引いてある、いわば我が大杉《おおすぎ》家の代表電話と言えるものが一本。これはホームテレホンになっており、親機が居間に、子機は台所と、祖母と研次の部屋に一台ずつある。ただ、研次は内線で呼んだぐらいでは言うことを聞きやしないし、今年七十歳の祖母は耳が遠い――まったく、東京と南アフリカ共和国ほどにも遠いのだ――ので、この二人を呼ぶためには、直接部屋へ行った方が早い。とりわけ、研次の部屋のドアは蹴《け》り飛ばしてやる必要がある。

わたしの部屋には、わたしが就職してから、最初にもらったボーナスをはたいて引いた、わたしの専用線がある。わたしにとって、自分専用の電話を引くということは、「プライバシー」という王国の門を開く鍵《かぎ》を手にすることだった。

時折、ホームテレホンがふさがっているときに、研次が「貸してよ」とくることがある。わたしはゼッタイに貸さない。それは領土を明け渡すようなものだから。

「ドケチ」と、弟は退却する。先に生まれていてよかったと思うのは、こんなときぐらいだ。

わたしの電話は「ルルル」とわたしを呼ぶ。ホームテレホンは「プルプルプル」と鳴る。ときどき、「ピンポン」ともいう。インタホンを兼ねているからである。

電子レンジは、「ピー」と鳴る。食器乾燥器は、一仕事を終えると「ピン！」という。タイマーが切れたときの音だ。洗濯機は、満水になるとブザーが鳴る。洗い終えたときも「ブー」という。洗濯物を乾かすためのガスの乾燥器は、作業の終了を「ピーピーピー」と報《しら》せる。「ピピピピピピピ」と連呼するときは、フィルターを掃除しなさいというサインだ。

アイロンは、設定温度まで暖まると「プー、プー」と鳴る。全自動式の給湯器は、風呂《ふろ》が沸くと「ピピ、ピピ、ピピ」という。わたしの部屋にあるビデオは、録画予約しておきながらテープをセットするのを忘れていると、「ビービー」と警告音を鳴らす仕組になっている。

これらの音を正確に聞き分けることができるのは、母だけだ。母はわたしのように、風呂が沸いたと報せているのに、電子レンジの中を覗《のぞ》き込みに行くようなことはしない。「主婦の耳よ」と、母は言う。わたしは、それを言うなら「共働きをしている主婦の耳」だと思う。週末にまとめて、いくつかの家事を同時進行で片付けなければならないから、自然と、たくさんの警告音やブザーを聞き分けられるようになるのだ。

両親の目覚し時計は、「リリリリリン！」と鳴る。わたしのは合成音で「オキナサイ！」と連呼してくれる。研次のはパトカーのサイレンみたいな音を出す。

さらに音楽の問題もある。弟は、彼専用のラジカセでロックを聴《き》く。わたしはわたしのミニコンポで、好きなニューミュージックや、時にはクラシックにも耳を傾ける。わたしと弟は、音楽の好みが全然違うくせに、それを聴きたいと思う時間帯だけが共通している。しかたがないので、わたしは時々ウォークマンを使う（でもやっぱり、ヘッドホンで頭の中だけに鳴り響かせるのではなく、身体《からだ》全体を優しく音楽で包み込んでほしいときがある。そういうときは、研次と張り合ってボリュームを上げ合いながら頑張る。たとえその結果として、カラヤンのコンサート会場の客席で筋肉少女帯がライブをやっているように聴こえてしまっても、姉には姉の意地というものがあるから）。

おまけに、わたしたち一家はみな声が大きい。筆頭は父だが、これは一種の職業病だろう。父の職場では、隣にいる同僚に、「そろそろ飯にするか？」と声をかけるためにさえ、怒鳴るようにしなければならないのだそうだから。

母は、わたしと弟が利かん気の盛りには、子供のために声を張り上げていた。現在では、祖母のために大声でしゃべる。わたしも弟も、それに倣《なら》う。そして祖母本人は、自分で自分の声を聞くためにさえ、大声を出さねばならない。ちょうど、ウォークマンをしているときのわたしのように。

我が家はこういう状態で暮らしていた。毎日が喧嘩《けんか》ごしである。蚊のなくような声を出していては、生きていけない。

だから、最初の兆候は、かなり長い間気づかれないまま見過ごされていたのかもしれない。少しずつ、カタツムリが這《は》うように進行していた異常は、誰のアンテナにもひっかからないままでいたのかもしれない。

それがあらわになったのは、四月下旬のある暖かい夜のことだった。新入社員の歓迎コンパで飲み歩き、深夜に帰宅したわたしは、台所で水を飲んでいるときに、自分の耳が聞こえなくなっていることに気がついたのだ。

2

わたしは酔っていた。一人でうちに帰ることができないほどではないけれど、しっかりと酔っていた。玄関で靴を脱ぐときは、いささか足元が怪しかったほどだ。

廊下を歩くとき、途中で一度、壁に手をついた。父が起きていたら、怒鳴られていただろう。女の酔っ払いは故障した浄化槽と同じぐらい汚らしいと思っている人なのだ。

わたしは食堂のテーブルをまわり、キッチンのシンクにたどりついた。水切りからグラスを取って、蛇口をひねり、水をいっぱいに満たす。立ったまま、水道も出しっぱなしにしたまま、肘《ひじ》をぐっとあげるようにしてまず一杯。

飲み干すと、しゃっくりが出た。もう一杯。蛇口の下にグラスをもってゆき、水がしゅうっと泡をたててグラスの内側をせりあがっていくのをながめ、溢《あふ》れだしたところで蛇口をとめた。きゅっと音がして、余った水が水滴になってステンレスのシンクにしたたり始める。だいぶ前からパッキンがゆるくなっているのだ。

ぽたり、ぽたり、ぽ
そこで聞こえなくなった。

水はまだしたたっている。もう一滴。もう一滴。そこで完全に停まった。でも、ぽたりという音は聞こえなかった。

わたしはちょっと首をかしげた。わあ、酔っちゃってるな、と思った。

グラスの水を飲み干す。二杯目は、一杯目ほどおいしくはなかった。胃がだぶつく感じがする。

ほう、と思わず吐息がもれた。ああ、いい気分と口に出して言おうとして、今度は自分の吐息が聞こえなかったことに気がついた。

もう一度、空に向かって息を吐いてみる。

何も聞こえない。耳のなかは沈黙したままだ。

わざと声を出して「はあ」と言ってみた。

聞こえない。

わたしはグラスを手に持っていた。思いついて、それで水切りの縁を軽く叩《たた》いてみた。歯の浮くような「キン、キン」という音がするはず――

しなかった。

心臓がどきどきしてきた。それは感じることはできた。膝《ひざ》から腿《もも》にかけて、なにか柔らかいものでささあっと撫《な》でられたような感じがして、力が抜けてきた。

シンクの縁につかまって、深呼吸する。ラマーズ法の講習を受けている妊婦さんのように、大きく息を吸ったり吐いたりする。

それなのに、その呼吸音が聞こえない。

わたしはグラスを放り出した。それはシンクの中に転がり落ち、三角コーナーにぶつかってとまった。割れなかった。それに、音もしなかった。

心臓が、胸の奥で跳ね躍っている。わたしはかっとなって、自分の胸に耳をあててその鼓動を聞いてみようかしらと思った。それなら聞こえそうな気がした。だって、自分の身体なんだから。

用心深く、慎重に、テーブルに手をつきながら廊下の方へと戻った。目が見えなくなったのではないけれど、なにかにつかまらないと怖くて歩けないのだ。

廊下を進んでいる途中、思いついて両手のひらをぽんと打った。強く打ちすぎて、手のひらがじんとした。それなのに、音は一切聞こえなかった。酔ってるんだ、と、自分に言い聞かせた。だから感覚がマヒしてるんだ。アルコールが抜ければきっと正常に戻るんだから、怖がることなんかないんだから。

這うようにして、階段をのぼった。自分の部屋のドアを開け、手探りで明かりをつける。今朝あわてて出ていったときのまま、ベッドの上に、水玉模様のパジャマが脱ぎ散らかしてある。わたしはそこにどすんと腰をおろした。

ベッドのスプリングがきしむ音がしない。

もう一度、どすんとやってみる。結果は同じだ。

落ち着いて。落ち着いて。

動悸《どうき》が静まるまで、しばらくじっとしていてみよう。そう思って、目をつぶってみた。でもそうすると、真っ暗でなんの音もしないところにいるような気持ちがした。ここはホントにわたしの部屋かしら。

目を開ける。

正面の壁に、ミュージカルのポスター。クリーニングから戻ってきたばかりのブルーのジャケットが、ビニール袋に包まれたまま、椅子《いす》の背にかけてある。パイン材のベンチチェストの上にはコードレスホンとミニ鏡台。長い髪の毛のからみついたブラシが転がっている。

間違いなく、あたしの部屋よね。

リモコンでテレビをつけてみる。

パッと画面が映る。深夜のトーク番組だ。化粧の濃い女性タレントが、せわしなくくちびるを動かしている。その声が聞こえない。

チャンネルを切り替える。ＮＨＫだ。画面は荒い粒子の乱舞。でも、ザーッという音は聞こえてこない。

またチャンネルを切り替える。ロックバンドが映る。こぶしを振り上げる観客たちに向けて、マイクを飲み込まんばかりのボーカルが歌っている。

何も聞こえない。音量を最大にしても、テレビに近づいても、ドラムの響きさえ聞き取ることができない。

わたしはテレビを消すと、誰かと競争でもしているかのように、上着を脱ぎ、スカートを脱ぎ、ストッキングをはがすようにして脱ぎ捨てた。ベッドにもぐりこんですっぽりと布団をかぶった。悪酔いしちゃったんだ、全部そのせいだ、と自分に言い聞かせて。

とにかく眠ってみよう。一晩眠って目が覚めれば、治っているに決まってる。

アルコールが眠りに引っ張りこんでくれるまで、ずいぶん時間がかかった。ようやく眠ったあとも、夢をみた。大きなテレビの前に座り込んでいて、どこにチャンネルを回しても、「しばらくお待ちください」の画面が出てくるだけ――という夢を。

そして翌朝、母の大声で起こされた。

3

「遅刻するわよ！」

その声がはっきり聞こえた。わたしは横になったままカッと目を開いた。

「道子《みちこ》、道子！　聞こえないの！」と、母が呼んでいる。

「聞こえてる！」と、わたしは叫び返した。布団を抜け出すと、ブラウスが惨《みじ》めにもくしゃくしゃになっており、身体は汗ばんでいた。顔もべとべとだ。化粧も落とさずに寝てしまったのだから、無理もない。

時計を見ると、七時二十分だった。大急ぎで行動し朝食を抜けば、シャワーを浴びて出勤することができる。

階下に降りてゆくと、父はもう朝食を終えて新聞を読んでいるところだった。紙面の端から、刑事が容疑者を見るようにわたしを見た。

「昨夜《ゆうべ》はずいぶん遅かったな」

「うん」わたしは努めて明るく言った。「新人さんの歓迎会で盛り上がっちゃった」

「酔っ払ったんだろ」と、研次が言う。その言い方が小憎らしいのと、その質問への返事を待っている父の顔が怖いのとで、わたしは言いそびれた。

(お父さん、酔っ払ったとき、一時的に難聴になったことある？)

「あたしは飲まなかったもん」と答えて、父の顔は見なかった。

シャワーを浴び、髪を乾かして台所に戻ると、母はもう片付けを始めていた。毎朝遅くまで眠り、十時ごろに少しだけ朝食めいたものを食べる祖母のために、テーブルの上に甘いロールパンが置いてあった。

毎日、こうしておいて母は出勤する。勤め先は歩いて行ける距離にある。お昼に一度帰宅して、祖母と一緒に昼食をとる。そしてまた職場に戻り、四時まで働き、買物をしながら帰ってくる。職場での仕事は、質も量も正社員と同じだが、母の身分はただのパートタイマーである。それに甘んじていて得な面といえば、よんどころない用事があって休暇をとるとき、たとえば祖母を病院に連れていくときなどに、正社員ほどは肩身の狭い思いをしないで済む――せいぜい十センチぐらいだが――ということだけだ。

これから大学にあがろうという(しかも、わたしに言わせればまず間違いなく一浪はするに決まっている)息子を抱え、住宅ローンを払いながら、二十一歳になる娘の、いつ来るかわからない結婚に備えて少しは貯金もしなければならないが、家には老人がいる――という安サラリーマンの家庭では、

「こんなもんよ」と、母は言う。

だから、朝には、たとえ「ゆうべね、子持ちやもめの課長さんに、後妻になってくれってプロポーズされたの」ということでも、話すことができない。時計をにらみつつ、洗濯物を干し終えてから身支度して出勤しようという母は、うわの空で、

「あらそう、よかったね」と答えるだろうから。

だから、昨夜耳が聞こえなくなったことは黙っていた。わたしはコーヒーを飲みながら階段をのぼり、足でドアを開け、閉め、クロゼットの中をかきまわして着ていくものを決めた。スカーフどめを取り出そうと、チェストの二段目の引き出しを開けたとき、失せ物《うせもの》に気がついた。

この引き出しには、アクセサリーを整理して入れてある。就職して二年目のわたしは、まだ大して価値のあるものを持っていない。18金のデザインリングが一つ。成人式に両親が贈ってくれた、誕生石のルビーの指輪。ダイヤのプチネックレス。あとはひと組がせいぜい一、二千円どまりの、イヤリングがいくつか。その程度だ。

その中から、イヤリングがひと組、なくなっていた。

バレリーナの赤い靴をかたどったデザインで、プラスチック製のやつだ。それを置いておいた場所が、ぽっかり空いている。こればかりは間違いない。わたしが持っている中でもいちばん安っぽいもので、もうずっとしていないものだから、いつも所定の位置にしまったままにしてあるのだ。

引き出しに手を置いたまま、しばらく考えた。それからぴしゃりと閉めて、スカーフをした。

階段を降りていくと、母はいなかった。靴を履いて玄関を出ると、外をほうきで掃いていた。

た。


「お母さん」

　わたしは声をひそめて呼びかけた。母は振り向いた。

「今度は、あたしのイヤリングがないわ」

　母はほうきを手にしたまま、目にゴミでも入ったかのようにまばたきをした。そして言った。

「高いヤツ？」

「ううん。おもちゃみたいな安物よ。ほら、高校のときに、正田《しょうだ》君からもらったやつ」

　正田君というのは、わたしの高校生のときのボーイフレンドで、現在では、たとえご対面番組で会わせてやると言われてもお断りしたいと思っている人である。別れ方がまずかった。それでも彼からもらったイヤリングを後生大事に保存してあるのは、やっぱりそれが思い出の品だからだ。初めて、一対一で付き合った人の。

　母は考え込んだ。わたしたちは、申し合わせたように、祖母が眠っているはずの部屋の窓を見やった。

「そのこと、しばらく内緒にしとこうね」と、母は言った。わたしはうなずき、共犯者を残していくような気持ちで駅へと歩きだした。

　出勤する電車の中では、このところ、ルース・レンデルという女流作家の『ロウフィールド館の惨劇』という本を読むことにしている。読んだことのある人なら、朝から目を通すには少しばかり陰鬱《いんうつ》すぎる小説だと思うかもしれないが、重い暗い物語だからこそ、少しずつ読むのに適しているのだ。

それでも、今朝は物語に引き込まれなかった。頭の中には現実の問題があった。昨夜の「難聴」の件ではない。そんなことはもうどうでもいい。治ってしまったんだから。問題はイヤリングだ。

このところ、我が家の中で、細々《こまごま》としたものが紛失する事件が続いていた。

最初は、母の財布に付いていた根つけだった。千《せん》なり瓢箪《びょうたん》のデザインで、もう相当年季が入ったしろものだ。それが突然、なくなってしまった。一週間ほど前の夕方のことだ。財布は台所の食器棚の引き出しにしまってあった。新聞の集金がきたので、母はそこを開け、財布からお金を出して支払った。そのときは根つけはちゃんとあった。

ところが、それからしばらくして町会費の集金がきたとき、財布を取り出すと、根つけが消えてなくなっていた、というのだ。

紐《ひも》を取り替えたばかりだったから、切れたはずはないという。財布の金具にしっかり結んでおいたから、ほどけてしまうことも考えられない。万に一つそうだとしても、財布は食器棚の引き出しにしまってあったのだから、そのままそこに落ちているはずだ。

そのとき、家の中には母と祖母しかいなかった。母は消えた根つけのことを、胸の中にしまっておいた。それから三日ほどたって、似たような状況で父のキーホルダーが消えてしまうまで。

そのキーホルダーは、父のお気にいりだった。わたしが修学旅行で北海道に行ったとき、小樽《おたる》のガラス工芸店で買ってきたものだったからだ。十六面カットのクリスタルの球がついており、光を受けてコバルト・ブルーに輝く。父はいつも、それを上着の内ポケットに入れていた。

それが消えてなくなったのだ。キーだけは、ちゃんとポケットの中に残っていた。

まず、父がそれを母に報告、驚いた母は父に根つけのことを打ち明け、それからわたしを呼び、三人で相談した。父の話によると、それがなくなる少し前、祖母が、父の上着が掛けられているハンガーのそばでうろうろしていたというのである。

「なんだろう、とは思ったんだがねえ」

あまり気分のいい話し合いではなかった。母は、職場の同僚から聞き込んできた話をした。

「ほら、道子も知ってるだろ、宮坂《みやさか》さん。あの人のお姑《かあ》さんも、かなりボケてきててね。子供のおもちゃみたいなもんを、やたらに欲しがるんですってよ。お孫さんのぬいぐるみが気にいって、隠しちゃったりするんだって」

うちのおばあちゃんも、軽いボケが始まっていて、きれいなものに目がひかれているのかもしれない、という。

「そうでなかったら、根つけやキーホルダーなんか持っていかないでしょう。欲しけりゃ欲しいって言えばいいんだし」

確かに、祖母はだいぶ「耄碌《もうろく》」してきている。耳が遠いというだけでなく、判断力や記憶力も落ちているし、足腰も弱っている。一日、眠っているかテレビを観ているか、という生活である。

「決めつけるのは早いと思うけど……」

「しかし、ほかには考えられんよ」

「まさか研次じゃないでしょうね」

そっときいてみると、弟は目をむいて否定した。わたしたちは、当分静かに様子をみようという結論を出した……

そして、今度はわたしのイヤリングである。

夜の間に盗《と》られた（イヤな言葉だが）のではないと思う。眠っていたって、誰かが部屋に入ってくればそれとわかる。昨夜わたしが帰宅したときには、もうなかったのだ。

昼間、ひとりぼっちで留守番をしている祖母になら、いくらでも機会がある。

会社についても、そのことが心から離れなかった。気が重かった。立ち直ったのは、自分のデスクに向かったときだ。

昨日の歓迎コンパの主役だった新入女子社員が、二人とも、「ゆうべ飲みすぎちゃったんです」という理由で休暇をとっているというのである。

わたしと、同僚の女子社員たちは目線をあわせ、それぞれの目が不審人物を追いつめる警察犬のそれのように光っているのを確認しあった。イヤリングのことは頭から消えた。わたしはカッカして仕事にかかり、時間を忘れた。自然とそうなってしまうほど、仕事の量は多かった。

憤激は、昼休みに同僚たちとぶちまかしあった程度では治まらなかった。帰りの電車の中でも、「ロウフィールド館」で誰が殺されようと知ったこっちゃないという気持ちだった。

家の玄関を、がらりと開けた。

「ただいま！」と、わたしは大声で言った。台所まで歩きながら、さっそく文句を並べ始めた。

「ねえ、聞いてよ呆《あき》れちゃう。図々《ずうずう》しいにもほどがあんのよ。うちの
そこで音が消えた。

いや、わたしはしゃべっているのだ。うちの新人の女の子、今日さ、二人して休んでんのよ。なんだと思ってんのかしら、と。

それが聞こえない。

台所には母がいた。母はぽかんと口を開いていた。

お母さん？　と、わたしは言った。

道子？　と、母のくちびるが動いた。

わたしたち二人とも、何も聞こえない。

この家の中から、すべての音が消え失せていた。

4

しばらくして研次が帰ってきた。恐慌《きょうこう》状態に陥ったのは、弟も同じだった。

（なんだよ、これ？）と、口をとがらせる。目が泳いでいる。

（あんただけじゃないわよ）と言うわたしに、弟は大げさに顔をしかめた。

（なんだよお？）

（おんなじことばっかり言わないでようるさいわね）

弟はカバンの中をさぐり、ノートのページを破りとって、ボールペンで殴り書きするとわたしに見せた。

「ねえちゃん、もっとゆっくり口を動かしてくれないとわからねえよって、オレは言ってんの」

わたしはバツの悪い思いがして、一言一言ゆっくりと、

（わ　か　っ　た　わ　よ）とくちびるを動かした。研次は自分の耳たぶを指で引っ張ってみせながら、母に、

（か　あ　ちゃ　ん　も　か　よ）ときいた。

母がうなずいた。棒立ちになっている。わたしは手振りで母のうしろを示した。コンロにかけたやかんが沸騰し、お湯がふきこぼれている。母はあわててガスを消した。

（ピーピーケトルだもんね）と、わたしは母の背中に言った。

おかしなもので、気配というのはちゃんと感じる。研次が騒いでいるような気がしたので、わたしは振り向いた。

弟はラジオをつけていた。ちゃんと赤い電源ランプがつき、チューニングすると、周波数があったときに点灯するグリーンのライトもともる。

でも、音が聞こえない。

（集団中耳炎かなあ）

わたしは頭を振って、（今あんたの言ったことは読み取れなかった）ということを伝えた。研次はまたノートの切れ端に書いた。それにしても、汚い字である。

「集団チュージエンかなあって言ったんだよ」

わたしは殴り書きを返した。

「そんなバカなことがあるわけないでしょ。それと、中耳炎てのはこう書くのよ、マヌケ」

研次はわたしの手からボールペンをひったくって書いた。

「ヒステリー女」

わたしは弟にハンドバッグを投げつけた。クレジットで買ったグッチのバッグは壁にぶつかり、止め金がはずれて中身が床にこぼれ出した。それがすべて、音声を消したドラマの一場面のように見えた。もうすぐ、「しばらくお待ちください」という画面に切りかわり、テレビ局がコンピュータの故障を修理するあいだ、クラシック音楽が聞こえてくる……

母がわたしの肩を叩いた。くちびるがあまり早く動くので、最初は何を言っているのか読み取ることができなかった。

（ゆっ　く　り　しゃ　べ　っ　て）と、わたしは発声練習をするタレントのたまごのように口を動かした。母はうなずいて、額《ひたい》に手をあて、気持ちを落ち着かせた。

(おばあちゃん　はどうかしら)

(みて　くる)

わたしは答え、廊下を引き返した。

引き戸をそっと開けてのぞいてみると、祖母はテレビで、外国の刑事ドラマの再放送を観ていた。近づいて肩に手を置くと、祖母はぼんやりとした眠たそうな顔を上げてわたしを見た。

(お　ば　あ　ちゃ　ん)

そこでふと、おかしくなった。祖母に話しかけるときは、いつものとおりでいいのだから。

(え?)と、祖母は片手を耳にあてた。これもいつもと同じだった。

(お　ば　あ　ちゃ　ん　耳　おかしく　ない?)

(聞こえないよ、道子)

祖母は義歯をのぞかせて笑った。しょっちゅうどこかに置き忘れられては、わたしや弟に「ギャッ!」と悲鳴を上げさせる義歯である。単独でぽんと置かれていると、これほど気持ちのワルイものはない。

(あのねえ)と、わたしは祖母のそばにしゃがんだ。祖母はわたしの髪に触れた。

(道子あんた、ずいぶん毛が伸びたねえ)

わたしは鼻白んだ。そんなことにかまけている場合ではないのだが、「毛が伸びた」というのは心外である。「髪が伸びた」と言ってほしい。「毛」では、研次の喜ぶ怪しげな場所のものが伸びたように聞こえてしまう。

(おばあ　ちゃん　も　聞こえない　のね)

わたしが口を大きく開けてくちびるを動かすと、

(聞こえないよ)と首を振り、そこで初めて、祖母は不安そうに眉《まゆ》を寄せた。そりゃそうだろう。わたしだって、だてに祖母と生活しているわけではない。いつもなら、この程度の声を張り上げれば絶対に聞こえているはずだ。喉《のど》の感じでわかる。

(道子聞こえないよ、おかしいねえ)

祖母は子供のように首をかしげる。

わたしは急に泣きたくなった。そうなのよおばあちゃん、わたしたちみんな、耳が聞こえなくなっちゃった。

ああやっぱり昨夜のあれが兆候だったんだ。わたしたち、みんなどこか悪いんだ。もう二度と聞こえなくなっちゃうかもしれないんだ。その思いがどっとうち寄せてきて、下くちびるが震え始めた。

(道子どうしたんだい、泣くこたあないよ)

祖母はわたしの頭を抱えてくれる。おかしなことに、祖母はなんにも事態を把握していないのに、だから意識してゆっくり口を動かしているわけではないのに、わたしには祖母のくちびるを読むことができた。

慣れているからだ。祖母はこういう暮らしに慣れているのだ。これが祖母の生活なのだ。そのとき、誰かに突き飛ばされて、わたしも祖母も畳に転がりそうになった。わたしを突き倒した手は、今度はわたしの腕をぐいぐい引っ張る。研次だった。

（痛いわねなにすんのよ！）

研次はわたしを引きずるようにして、玄関の方へと進んでいく。廊下を進み玄関に降り、靴下裸足《はだし》のまま外へ出ていく。

（なんだっていうのよあんた頭おかしいんじゃないの**この野蛮人！**」

わたしは唖然《あぜん》と口を開いた。

「この野蛮人」と、はっきり聞こえた。

わたしも研次も表にいた。街灯がともっている。ライトを点灯した自転車に乗った人が、びっくりしてわたしたち姉弟をながめながら通りすぎる。買物カートを引いたお向かいのおばさんが、

「あらあ、姉弟げんか？」と、にやにやしながら商店街の方へと歩いていく。

「聞こえるだろ」と、研次が平べったい声を出した。「どういうこと、これ？」

「外に出ると聞こえるわよ」と、わたしは答えた。

「聞こえるんだよ」

研次はうちの方へ手を振った。

「だけど、あんなかに入ると聞こえなくなるんだよ」

わたしはうちを見上げた。モルタル塗装にあちこちしみの浮いた壁。窓際には植木鉢が並んでいるが、半分ぐらいが枯れている。北側の雨樋《あまどい》が一ヵ所、くの字に曲がって屋根からはずれてしまっている。

古い家だ。でも間違いなくわたしの家だ。昨日までは――少なくとも深夜のあのひとときを除いては――誰もなんの異状もなく生活してきた家だ。

「おまえたち、裸足でこんなとこに立って何やってるんだ？」

父の声に振り向いた。灰色のジャケットを着て、片手にランチジャーをさげている。

「お帰りなさい」と、わたしは反射的に言った。挨拶《あいさつ》なんておかしなものだ。葬式で会ったって、こんにちはって言うもの。

父はむっつりとわたしを観察した。

わたしが説明するより早く、研次が母の手を引っ張って玄関から出てきた。外に一歩足を踏みだすなり、母は「聞こえるわ！」と叫んだ。

父は怒りの一歩手前まできていた。

「なんだ、こりゃ。なにかのまじないか。そろいもそろって裸足で出てきて」

祖母も玄関まで出てきている。壁をつたい、下駄箱《げたばこ》につかまって、サンダルをはこうとしているところだ。母が走っていって手を貸した。

「お父さん、騙《だま》されたと思ってなんにも聞かずにうちに入ってみてよ」

父はじっとわたしを見つめた。冗談ごとではないと――とりあえずは――判断してくれたのか、ランチジャーをわたしに渡すと、玄関へと向かった。まるで、うちの中に怪獣でもいて、それと闘うにはランチジャーを持っていると邪魔になるとでもいうかのように。

父が家の中に消えてしまうと、残された四人は判決を待つようにして立っていた。隣のご主人が窓から顔を出して、

「大杉さん、ガス漏れですか？」と訊《き》いた。母は笑って、「すみませんねえ」と答えた。何がすまないのかよくわからないが、隣のご主人には通じたらしい。顔を引っ込めた。

父が戻ってきた。

「こりゃ、どういうことだ？」と訊いた。

「わかんねえよ」と、研次が答えた。

「おや、さっきよりはよく聞こえるよ」と、祖母が言う。

「わかんねえよとはなんだ」

「だからよ、親父《おやじ》だって聞こえなくなったろ？　うちに入ると」

「何が聞こえないってんだ？」

わたしたちは顔を見合わせた。母の顔色といったら、漂白した布巾《ふきん》のようだった。

研次が最初に動いた。家の中に駆け込み、また走って戻ってきた。

「ちゃんとしてる」と、報告した。「ちゃんと聞こえるよ」

「おまえらみんな、どうかしとるぞ」父は言って、顎《あご》でわたしたちを促した。

「とにかくうちに入ろう。みっともなくてしょうがない」

わたしたちは叱咤《しった》された駄馬のようにのろのろと動きだした。また、隣のご主人が顔を出している。カートを引いたお向かいのおばさんも、買物から戻ってきたのか、足をとめてこちらをながめている。ずっとランチジャーをさげていたわたしは、にわかにそれが滑稽《こっけい》なことに思えてきた。

「あんた、これ持ちなさい」と、研次の手に押しつけて、わたしは玄関をあがった。台所まで戻ってきたところで、遠くからサイレンが聞こえてきた。

ガス会社の緊急車だった。すぐに玄関で、「大杉さんはこちらですか？　ガス漏れはどこです？　シューシュー漏れる音が聞こえるらしいと通報があったんです」と声がした。

わたしは頭を抱えた。

5

その夜、わたしと母と研次は、誘拐犯に命乞《いのちご》いをする人質のように、必死に父を説得した。

「ホントなんだってば」

「こんなバカみたいなウソをつくはずねえだろ」

「信じられないだろうけど、本当なのよ」

祖母一人だけ、何事もなかったかのように部屋に引っ込んで、またテレビを観ている。さっきちらりとのぞいてみたときは、歌謡番組をながめていた。

父は、突然世の中のすべてが自分を裏切り始めたらしいという顔で、わたしたちをにらんでいた。いったい、家族全員が同時に「アタマがオカシクなる」ということほど、一家の柱に対する手酷《てひど》い裏切り行為があるだろうか、と考えている顔だった。

「俺《おれ》はこんなに一生懸命働いているのに」と言う。「おまえらは何を考えているのかさっぱりわからん」

「誰もお父さんが怠けてるなんて言ってやしませんよ。どうして話がそういうとこにいっちゃうのよ」

母は偏頭痛を起こしたかのようにこめかみを押さえた。

「じゃあなんだ。何が不満だ。どうしてこんなことをやらかすんだ」

「やってらんねえよ、親父」

研次が椅子を蹴って立ち上がる。父はぎょろりと目をむいた。

「悪いのはみんな俺か」

「そういうことじゃないんだってば」

「もういいんじゃねえの？　親父にはいくら説明したって無駄だよ」

「無駄とはなんだ、無駄とは」

父が椅子を引っ繰り返して立ち上がり、研次とにらみあう。これだから男はイヤだ。

「よしなさいよ。真面目《まじめ》な話なんだから。またああいうことがないとは限らないのよ。どうすんのよ」

「そうですね。そのことをお考えになった方が建設的だと思いますよ」

突然、第三者の声が割って入った。わたしたち四人、糸で引かれたかのように一斉に振り返った。

そこには、男の人がひとりいた。銅の色の光沢があるスーツを着て、えんじのネクタイをしめている。髪は七三に分け、縁なしの眼鏡をかけている。四十歳そこそこというところだろうか。色白の顔を、妙にニコニコさせていた。

「あんた、誰？」と、研次がまず聞いた。相手は（いけませんねえ）というふうに首を振った。

「とりあえず誰何《すいか》するというコンタクトのとりかたは、未開人のするものですよ」

「いいのよ、研次は未開人なんだから」と、わたしは言った。我ながらうまいことを言ったと思ったが、誰もほめてはくれなかった。

「あなた、どこから入ってきたんですか？」と、母が聞いた。

「玄関からまいりました」相手は答え、つるりと髪をなでた。「必要とあらば、私はどこからでも入ることができるのですが、最初は礼儀というものがありますので」

「どこからでも入れるって——あんた誰だね？」と、今度は父が質問した。うちの中にあがりこんできた野良猫を見るような目つきで。

「わたくし、キリハラと申します。もっとも、お国の言葉でいちばん似通った音をあてれば、ということですが」

わたしたちは、誰かの顔に答えが書いてあるのではないかと期待をかけて、それぞれの顔を見回した。でも、どの顔も白紙だった。

「どちらのキリハラさん？」と、父。

「それは説明が難しいのです」

キリハラという人は気の毒そうに答えた。本当に遺憾《いかん》であるという表情で、たとえ芝居だとしても、国会答弁をする大臣よりはうまい演技だった。

「ただ、これだけは申し上げることができます。私が、このお宅で起こっていることの回答なのですよ」

「うちで起こって」

また音が消えた。発言していた研次は、ただ口をパクパクさせているように見える。

「このことですね、もちろん」と、キリハラという人は満足気に答えた。また聞こえるようになっている。

「これ、あなたがやってるの？　あなたがうちの中の音を消してるの？」

わたしは椅子の背をつかんで乗り出した。

「そうです。ところで道子さん、右目の中に抜けたまつげが入っています」

わたしはまばたきし、指先で目をこすった。そういえば、さっきから何かチクチクすると思っていたのだ。

「ありがとう」と言ってから、どうしてこの人はわたしの名前を知ってるのかしらと思った。

「どうやって音を消すなんてことができるんだね」

父が質問する。キリハラという人は、

「それも説明が難しいことです」と答え、あたりを見回した。なにをしているのかと思えば、腰掛ける椅子を探しているのだった。空いている祖母の椅子を見つけると、すとんと座った。

「ご説明しますが、質疑応答はあとまわしにして、とにかく最初は私の話を聞いてください」

わたしたちはちらりと目くばせをしあい、彼の方に視線を戻した。キリハラという人は始めた。

「私は、元老院直属の音波管理委員会の太陽系第三支部から派遣されて来た者です。いちばんわかりやすいお国の言葉で言うならば、『音波Gメン』とでも申しましょうか」

ちっともわかりやすくなかった。

「元老院て、どこの?」と、研次が訊く。コイツが「元老院」なんて言葉を知っているのは、SFファンタジーの「英雄伝説」のたぐいが大好きだからだ。

「もちろん、銀河系共和国のですよ、研次さん」

わたしは開いた口がふさがらなかった。研次は身を乗り出した。

「じゃ、あんたがさっきから『お国』って言ってるのは――」

「まずはこの地球の、そしてその中のこの日本国のことですね」

縁なしの眼鏡にちょっと触れて、

「まさか、地球以外に知的生物は存在しないなどという、非現実的なことをおっしゃいますまいね？」

誰も答えられなかった。父は低く、わたしに言った。

「道子、警察を呼べ」

わたしは現実と妄想の間でひっぱりっこをされている子供のように、身動きがとれなかった。キリハラという人は、そんなわたしと父に向けて、人差し指を立て、諭《さと》すように言った。

「警察というものの存在は、私も承知しております。この任務についておりますと、皆さんが一度はその言葉を口にするのを聞くことがありますので。しかし、それは賢明な処置とは思えません」

「どうして？」

「警察が乗り出してきましたら、私は支部に報告を入れ、即座にここでのプロジェクトを打ち切ります。場所はほかでもよろしいのですからね。第二候補のお宅はこちらより多少条件が悪くなるのですが、それはまあなんとかなるでしょう。そうしますと、問題は我々より、こちらのご家族の方に残ることになりますよ」

キリハラという人は、初めて「我々」という言葉を使った。それがなんとも薄気味悪かった。

「よろしいですか。私はすぐに退散します。いや、ここに引き止められたとしても、本当の任務のことなど、警察には話しません。言い訳もいくらでもできます。もちろんプロジェクトは中止なのですから、もう音が聞こえなくなることもありません。と、なると――」

研次があとを引きとった。「警察を呼んでも、アタマがおかしいのはオレたちの方だってことになっちまう!」

「そうですねえ」キリハラという人は、気の毒そうにわたしたちを見回した。「ですから、ご協力を願います」

もう主導権を握ったぞという顔で、続けた。

「ほんの一ヵ月ほどのことです。一日中音がなくなるということはありません。それに、音がなくなるのはこのお宅の中だけのことです。外での生活にさしつかえるようなことはありません。それはお約束できます」

否《いや》も応《おう》もない。わたしたち家族全員、バカされたような気分で声が出せなかった。

「ねえ、教えてくださいよ」と、研次がめずらしく丁寧な言葉で言った。「うちの中から音を消して――消してんでしょ? オレたちの耳が聞こえなくなるわけじゃなくて」

「そうです」

「それで、いったいなんになるのさ? あんたたちの委員会は、なんのためにこんなことをしてんの?」

キリハラという人は即座に答えた。「音波の総量規制ですよ」

母がわたしの顔を見た。わたしは言った。

「排ガスの総量規制みたいなの？」

「そうです。地球というこの天体は、太陽系の中でもことのほか音波の量の多い星でして」

「だけど、それでほかの星が迷惑するわけないでしょ。宇宙空間で音が聞こえるわけないんだから」

わたしが思わず言うと、キリハラという人は眉をひそめた。

「他人の迷惑にならないからと言って、自己破壊的なことをしてもいいということにはなりませんよ。このまま音波をたれながしておりますと、地球には遠からず、ひびが入ります。音波というのはすなわち振動ですからね。我々としては、それを放っておくわけにはいきません」

それまでずっと黙っていた父が、たまりかねたように口を開いた。

「だったら、もっとでかい工場とかでやればいいだろうが」

キリハラという人は落ち着いていた。

「はい、やっています。皆さんがご存じないだけのことで」

「じゃ、どうしてうちみたいな一般家庭で——」

「これは微調整というものでして」キリハラという人は困ったように言った。

「大きな調整には大きなツマミを、小さな調整には小さなツマミを回さないといけません。こればかりは、大は小を兼ねるというわけにはいかないのです」

よろしいですね、ご納得いただけましたね、と立ち上がる。

「運が悪かったと、少しご辛抱願います。なに、世論調査にあたったとでも思っていただければいいのです。それに、音がなければ夜は安眠できますよ。これまでにも、そうですね、一週間ほど前から、テストのために時々音を消していたのです。だいたいは、皆さんが寝静まっている時間帯を選びまして。そうでないときは、ごくごく短時間に、ほとんど分単位にするようにしていました。ですから、気がつかなかったでしょう？」

わたしはまず母を見た。母はくちびるをなめていた。

「目覚しが鳴らなかったことはあるのよ」と、まるでそれが悪事ででもあるかのように困った顔をした。「だけど、そんなことはよくあるでしょう？　無意識に止めて、また寝ちゃったんだろうと思ってたわよ」

「ほかには？」

「二度ばかり、洗濯機の満水ブザーが聞こえなくて、水が溢れそうになったことがあったわね……」

「そりゃ、ただおまえが怠慢なだけじゃないか」と、父は不機嫌に言った。母はきっとなった。

「あたしが怠慢ですか？　あたしが？　じゃあお父さん、日曜日にあたしに代わって洗濯からアイロンかけからしてごらんなさいよ。それならいいでしょう？　お父さんはなんでもできるんでしょう？　ただ、やらないだけで」

「ばかもん」

父が決まり文句を言い、母が言い返した。わたしも研次も、二人をとめようと中腰になり、

「ちょっと、やめ

また音が消えた。

わたしたちは栓を抜かれた浮き輪のようにくたくたと座り込んだ。キリハラという人はニコニコした。

「これは、喧嘩の仲裁にも使えますね」

また音が戻ったのだ。なんにせよ、この男が音を出したり消したりできることは——信じがたいことではあるけれど——確かなように思われた。

わたしはキリハラという人をにらみ返した。

「あたしは気づいてたわ」

「ははあ」と、相手は顎を撫でた。「よく、パニックになられませんでしたね？」

なぜ黙ってたんだというみんなの視線を浴びて、わたしはぼそぼそ答えた。

「その時、ちょっと飲んでたから、そのせいだろうと思ったのよ」

「ばかもの」と、父がまた短く言った。父は怒ると、痰《たん》を吐くように言葉を吐き捨てる。まるで、そこらじゅうにそれを受けとめる見えない痰壺《たんつぼ》が存在しているかのように。

「まあ、いいではありませんか」と、キリハラという人は言う。「では、みなさんよろしくご協力ください」

そう言い残して、帰ろうとする。研次が呼び止めた。

「ねえキリハラさん、地球には何に乗ってきたの？　円盤？」

キリハラという人は足を止め、ちょっと考えた。

「研次さんが『円盤』とおっしゃるのは、こちらで『アダムスキー型』などと呼んでいるもののことですか？」

「うん」

キリハラさん——もうそう呼んでもいいだろう。本人がそう名乗ってるんだし、ほかに呼びようがないらしいから——は、軽蔑《けいべつ》したように鼻で笑った。

「あれはいけません。燃費が悪くてね」

彼が姿を消すと、わたしたちはたっぷり一分間、どうすることもできないまま座り込んでいた。それから、弾《はじ》かれたように表に走り出た。

誰もいない。なんの変わったこともない。一つ先の街角を、タクシーが滑るように走っていくだけだった。

「頭おかしいんじゃない？」と研次が呟いた。

家に戻ると、祖母が居間にいた。新聞を見ようとしていた。

「綱子《つなこ》さん」と、母に言う。「今夜のサスペンスドラマ、何チャンネルだったかね？」

父がぶっきらぼうに答えた。「母さん、テレビばっかり観てないで、早く寝なさい」

祖母は悲しそうに背中をまるめて部屋に引っ込んでしまった。わたしたちは悄然《しょうぜん》と壁を見つめた。

6

家の中から音が消えていく。

キリハラさんが「頭のおかしい人」であろうとなかろうと、それだけは事実だった。

翌日から、それは頻繁に起こり始めた。それも、必ず家族全員が揃っているとき。圧倒的に夕方が多い。

母に聞いてみると、昼間、祖母と二人で昼ご飯を食べているときには、何も起こらないという。これもプロジェクトとやらのうちなのだろうか。

「なるべく大勢いるときでないと、やる意味がないんじゃないの」と母は言う。

「そんなふうに考えるということは、キリハラさんの説明を真《ま》に受けてるの？」とわたしが言うと、顔を赤らめる。

バカバカしい。銀河系に元老院などあってたまるものか。

だが、現実に音は消えていく。これはどういうことなのかと考えていくと、わたしの頭は混乱してくる。

「なんかトリックがあんじゃないのかなあ」と、研次はのんきに言っているが、たとえそうだとしても、でも誰がなんの目的でそんなトリックを仕掛けているというのだろう。まさか、町内の人たちが、安心して我が大杉家の悪口を言えるように、ここだけを「音の村八分」にしたというわけでもあるまい。

「悪い病気の始まりかもしれん」

父はわたしたちに、揃って耳鼻科で検査を受けることを提案した。わたしたちも承知した。

父の勤める会社は、自動車製造業界では最大手のところである。社員のための大きな病院があり、わたしたち一家はずっとそこがかかりつけだった。だから今回も、頭を並べてそこに出かけていった。

実を言えば、わたしたち全員、つい一ヵ月ほど前に、定例の健康診断をこの病院で受けて、すべて異常なしのお墨付きをもらっていた。その健康診断は徹底したもので、社員とその家族全員が、無料《ただ》同然の料金で受けることができる。一般的なレントゲン検査や血液検査のほかに、女性には婦人科の検診もあるし、視聴覚の検査もしてくれていた。

だから、異常なんてあるはずがない。第一、耳そのものがおかしいのだとしたら、家の中でしか「聞こえない」状態が発生しないことは不自然だ。それでも出かけていったのは、なにかしないとおかしくなりそうだったから。それだけである。

わたしたちは家族で——祖母は別として——事前に相談しあい、耳鼻科の先生には、「ときどき耳が聞こえにくくなることがある」と話すだけにとどめることにした。ありのままを話す勇気が、どうしても出てこなかったのだ。

それでも、一家で出向いていったことに、担当の先生は複雑な顔をしていた。健康診断のとき耳を診《み》てくれたのと同じ先生だったから、なおさらである。

「異常ありませんよ」と、予期していた答えを言った。「まあ、おばあちゃんは別ですが、これはもう老齢からくるもので、どうしようもないからね」

「そうすると、わたしらはどうなんでしょう。耳に異常がないのに聞こえないというのは」

父は食い下がった。

「ストレスでしょうねえ」と、先生は即、答えた。「ただ、大杉さんの場合は、長年騒音の激しい職場にいるから、難聴が始まっているとしても無理はないと思うんですよ。こりゃもう、うちの会社じゃ労災に認定すべきことだからね。多いですよ、そういう人は」

「家内や子供らはどうなります？」

「お嬢さんや息子さんは、ウォークマンを持ってる？」

わたしたちがうなずくと、先生は（それが答えかな）という顔をした。

「奥さんは、耳だけじゃなくて全身、疲れてるんだと思いますよ。お年寄りを抱えての共働きじゃ、主婦の負担は大きいからねえ」

「あのお」と、わたしは上目遣《うわめづか》いで先生を見た。「一般的に——あくまで一般的にですけど、ある特定の限定された場所だけで難聴になる、ということはあるんでしょうか」

先生は破顔した。「ロック・コンサートの会場なんかでは、ありそうですなあ」

「はあ」

「皆さん、どこか特定の場所でのみ、耳が聞こえにくくなるんですか」

先生は真面目な顔に戻って訊いた。わたしたちはあわてて首を振った。

「いえ、そんな馬鹿なことは——あったらどうでしょう？」

先生はじっとわたしたちを見た。

「そんなことがあるとしたら……そうですね、あるかもしれないし、ないかもしれない。皆さん、そんな話を聞いたことはないんですか？」

念を押すようなきき方だった。わたしは逆に質問した。

「先生はあるんですか？」

「いや、ありません」と、否定した。わたしたちは釈然としないのに、先生はいやにきっぱりしていた。

わたしたちが診察室を出るとき、先生は言った。

「こんなことしか言ってあげられなくて、申し訳ないですね」

理性というものを捨ててしまうなら、キリハラさんの述べた途方もない説を受け入れるのがいちばん楽だった。わたしたちは地球にひびを入れないために、尊い犠牲を払っているのだ、と。

冗談じゃない。

キリハラさんは、よくうちにやってくるようになった。ほとんど毎日、一度は顔を見せる。ひとりだけ事態を把握していない祖母は、彼を父の同僚だと思い込んでいる。

不思議なのは、玄関に鍵をかけておいても、彼がいつのまにか家の中に入りこんでいて、わたしたちのすぐそばに立ってニコニコしている、ということだった。試みに、玄関の鍵を替えてみたけれど、無駄だった。彼はちゃんとやってきた。

「いかがです？　少しは慣れましたか？」

したり顔で言う。何か投げつけてやりたくなる。わたしたちがそういう狂暴なそぶりを見せると、彼は悲しそうに眉毛をさげて、こう諭す。

「少しの辛抱だと申し上げたでしょう？　どうか騒がないでください。ことを大きくすると、委員会の方であなたがたを処分しようとするかもしれません。我々から見れば、地球の壊滅を防ぐためには、一家庭を抹殺することなどなんでもないことなのです」

いよいよこの人はどうかしてるのだ。秩序だった妄想で頭がいっぱいなのだ。わたしたちはてんでにそう思う。思うけれど、表立った行動はとれないでいる。怖いのだ。「委員会」とか、「地球のひび割れ」が怖いのではない（当たり前だ！）。こんな人を――不本意ながらも――うちにあげているわたしたちが、世間から、この人と同じように思われてしまうかもしれないということが怖いのだ。

そして、実際に家の中から音が消えることがあるのも怖いのだ。

「とにかく、しばらくじっとして様子をみよう」

父の言葉が、わたしたちの心境をいちばんよく表していた。

家の中だけに限定的に起こる現象でも、音がないことは非常に不便だった。

聞こえなくなると、わたしたちはまずしゃべることをあきらめる。どうしても用のあるときは、筆談に切り替えることにした。

口をはっきり開けてしゃべるにしろ、お互いにくちびるを読むことには限度がある。父はとりわけこれが下手《へた》で、しまいにはこっちの方が腹が立ってきてしまうのだ。

でも、筆談というのもそれはそれで面倒臭いものだ。いつも小さなメモ帳とボールペンを用意しておいて、ちまちまとそれに書かねばならないのだから。

土台、会話と同じテンポで筆談すること自体が無理なのだが、そういう状態に慣れないわたしたちは、せっかちに書き殴り、結局意思が通じなかったりする。いちいち漢字を使うのがまどろっこしくて、ひらがなやカタカナばかり書くようになる。

「ミチコ　フロ入レ」などと書いた紙を見せられて行動するのは、滑稽を通りこして情けなくさえある。

困るのは、トイレだった。入っているときに「無音」になるのは別にかまわないのだが、そのとき外を通りかかった誰かが、中で音がしてないのだから、電気がついているのは消し忘れたからだろうと、勝手に思い込んで——というよりはむしろ習慣的に——明かりを消してしまうことがあるのだ。

音もなく光もないところで、トイレに入ってごらんなさい。これほど恐ろしいことはない。

「何があってもトイレの電灯は消すな」と、わたしは大書してドアに張りつけた。

音なしの状態は突然やってくるので、会話が宙ぶらりんになることもしょっちゅうだ。始まると、わたしたちはため息をついて、口をつぐむ。テレビ番組は、どんなに面白くても、いや、面白ければなおさら、音が聞こえなくなると腹立たしくて観ていられないので、スイッチを切ってしまう。わたしと研次は、この状態が解消したら（キリハラさんの言う『微調整』が終わったら！）全部観てやろうと、めぼしい番組はまめにビデオを取るようにした。

確実な娯楽といえば、読書だけだ。わたしはもともと嫌いな方ではないし、研次はこれ幸いと大手を振って漫画を読むことができるので、これはさほど辛《つら》くはなかったが、父は閉口しているようだった。十数年ぶりに、「ベースボールマガジン」などを買ってきたりしている。母は女性週刊誌を読んでいる。

祖母はどうしているかって？　テレビを観ている。もともと、ほとんど聞こえなかったのだから、あまり影響を感じないのだろう。「無音」のときがやってきても、祖母の六畳間だけには、テレビの青白い光がちらちらしている。

あらゆる種類の家庭電化製品は、いつアラームがあてにならなくなるかわからないので、ひとつひとつ、そばにつきっきりで使用しなければならなくなった。勢い、今までのように母一人に任せておいたのでは追い付かなくなり、わたしはもちろん、父も弟も手伝わねばならなくなった。

これだけは、母はまんざらでもなさそうだった。父がキリハラさんをつかまえて、

「なんでもいいが、いつ聞こえなくなるのか、それを事前に教えてもらうわけにはいかないのかね」と文句を述べ、

「私にはその権限がありませんので」と言われると、母はにやにやしていた。

最大の悩みのたねは、電話だった。

無音のときにはもちろんかけなければいいのだし、かけられないし、かかってくる電話については留守番電話にしておけばいい。緊急にどうしてもかけたいときには公衆電話を使えばいい。それは問題ない。

でも、無音の状態ではないときに、電話をかけたくなったら——用はないけどかけたくなったらどうする? だいたい、わたしの電話なんて、用がなくてかけるものの方が多いのだ。

わたしは受話器を手にする。今は無音ではない。ミニコンポからはお気にいりのメロディが流れている。ちゃんと聞こえる。さあ、かけよう。

でも、駄目なのだ。話している最中に「無音」がやってきたら、と思うと。

我慢するしかない。

「道子ったら、このごろちょっとおかしいんじゃない? 電話してると、急にうんともすんとも言わなくなっちゃうんだもの」なんて、おしゃべりな同僚に言い触らされては困る。

辛抱、辛抱。こんなことが終わるか、終わらせることができれば、何もかも元どおりになる。わたしたちはそれなりに、時々いっさいの音が聞こえなくなる、という事態に慣れつつあったのだ。

だが、世の中それほど甘くはなかった。

7

事件が起こったのは、五月半ばのことだった。

夜九時すぎ、わたしの部屋の電話が鳴った。その日は、夕食時に一度「無音」の状態があり、一時間ほどで解除になっていたから、わたしも気がゆるんでいて、留守番電話にしていなかったのだ。

出てみると、上司からの電話だった。

「大杉君か？　緊急連絡だ」と、張りつめた声で言った。「大至急
そこで聞こえなくなった。また「無音」が始まったのだ。

わたしは全身が冷たくなった。無駄なことであるのはわかりきっているのに、何度も「もしもし？　もしもし？」と叫んだ。そこでようやく我に返って、テレホンカードを手に公衆電話のある商店街まで走った。

だが、会社の代表番号にかけてみても、「本日の営業は終了いたしました」のテープが聞こえてくるだけ。上司はどこか別の場所からかけていたのだ。

わたしは家にとって返し、手帳を持って公衆電話のところに戻った。同僚の家に電話をかける。

最初にかけたところでは、留守番電話が応答した。ひとり暮らしの人だから、緊急連絡を

受けてもう出かけてしまったのだろう。次にかけると、家の人が出て、なんだか知らないけれど、たった今急いで出かけていきましたという。

「どこに行くと言ってました？」

「さあ」

なんて無関心な家なんだ！　と、わたしは受話器を叩きつけた。

もう一度、祈るような気持ちで会社にかける。今度は人が出てくれた！　隣の部の次長で、今きたところだという。

「おかしいね、君の自宅には緊急連絡が行きませんでしたか？　緊急電話連絡網を使って連絡していたはずなんだが」

「かかってきたんですけど、途中で切れちゃったんです！」

「へえ、そう」と、次長は怪しむような調子で言った。

会社の独身寮で、火事があったというのだ。かなりの大火で、怪我人《けがにん》が大勢出ているらしい。独身寮に入っているのは、地方に実家のある男子社員ばかりだから、肉親もすぐには駆けつけることができない。それで、怪我人の世話や炊き出しを手伝うために、女子社員に召集をかけたらしい。

わたしはタクシーを拾って独身寮に向かった。現場についたときには、自宅通勤の女子社員で、いちばん遠距離から通ってきている娘《こ》と一緒だった。彼女は言った。

「あれえ、大杉さん、わたしよりずっと近いのに」

わたしは夢中で働いた。一生懸命に手伝った。幸い、死亡者は出なかったが、寮は全焼してしまった。寮住まいの人たちはみんなショックを受けていた。

明け方になって、怪我人の収容されている病院の廊下で、電話をかけてきた上司に出会った。煤《すす》けた顔をしていた。

「なんだ、君、きてたのか」と、冷たく言った。「無理をすることはなかったんだ」

「電話の調子が悪くて、途中で切れてしまったんです。わたし、気が気じゃありませんでした。すみませんでした」

上司は微笑した。怒鳴られた方がましだ、と思わせる笑顔だった。

「途中で切れる電話なんてのは、現代には存在してないと思っていたがねえ。そりゃ、骨董《こっとう》品《ひん》だ。大事にしなさいよ」

「すぐには信じていただけないと思いますが、本当なんです。わたしの電話は――」

「君が切ったんだ」と、上司はそっけなく言った。「だから、私の方も切ったんだよ。非常事態で、ほかにもたくさん電話をかけなければならなかったからね」

そして行ってしまった。

そばで聞いていた同僚の女の子が、「気にすることないわよ。今はみんな気がたってるから」と、わたしにささやいた。彼女は一番乗りでやってきたのだった。

わたしは「うん」と言った。

そして、自分自身も、彼女も、「気にしない」ですむことではないと知っているのに、と思った。

「あたしたち、道子が電話を切っちゃったこと、寮の人たちにはしゃべらないから。楽しいことしてるときには、誰だって邪魔されたくないもんね。そういうことあるわよ」

「あたし、楽しいことしてたから電話を切ったわけじゃない」

「わかってるわよ。そうよね」

わたしは振り向いて彼女を見つめた。彼女の目は笑っていた。西部劇のなかに登場する、丸腰の人を背後から撃ち殺す殺し屋の笑いだった。


家に帰りついたのは、翌日の昼すぎだった。母と祖母が昼食を食べていた。

「お帰り、たいへんだったね。ニュースでもやってたよ」と、母がいたわってくれた。祖母は蜂蜜《はちみつ》をつけたパンをモグモグ嚙《か》んでいた。

「あたし、寝る」と言い置いて、わたしは階上にあがり、ベッドにもぐりこんだ。

夕方目を覚ますと、また無音になっていた。空腹と脱力感で、ふらふらしながら階段を降りていくと、キリハラのやつが玄関から滑るようにして歩いてきた。

わたしは腹が立っていた。頰《ほお》が熱かったし、頭の中はわんわんしていた。だからできたのだと弁解してから打ち明けるけれど、わたしは彼の胸ぐらをつかんで表へ引きずっていった。

「何事ですか」と、彼はネクタイをなおしながら言った。顔色がしらっちゃけているのが、街灯の光のせいばかりではないことが気持ちよかった。

「このとうへんぼく」と、わたしは凄《すご》んだ。「これからあたしの質問にパキパキ答えなかったらヒキチギッてやるから」

「何をひきちぎるのですか？」と、彼は至極真面目に質問した。

「あんた、いったいどこからきたのよ？」

「ですから私は――」

「宇宙なんて言わないでよね、もうたくさんなんだから。あんた、いつもタクシーで帰るじゃない」

キリハラがうちに出入りするようになってから、研次が何度か、彼のあとを尾行してみたことがあるのだ。わたしたち一家だって、それなりに打開策を求めていたのだから。

彼はいつも、タクシーを拾ってどこかへ帰ってゆく。父の反対にあって単車の免許をとれないでいる研次は、そこで追跡をあきらめて帰ってくる――その繰り返しだった。

「どこからきてるのよ？　あんた誰なのよ？」

わたしは声が割れてしまうのを感じた。近所で窓が開く音がした。みっともなかろうと噂《うわさ》になろうと、もうかまわなかった。

「道子さん、なにかあったのですか？」

キリハラは、わたしの目のなかをのぞきこむようにしてきいた。わたしは彼の胸ぐらをつかんでいた手を離した。その手で自分の口元をおさえ、何度か息をついた。

「どうやって音を消してるのよ？」

また強い調子の声を出すことができた。

「それは申せません」

「ホントにひきちぎられたい？」と、わたしは彼に十本の爪《つめ》を見せた。

「できれば願い下げにしたいですが、私は職務に忠実なものでやっぱり申し上げるわけにはいきません」

わたしたちは、何も知らない他人が見たなら、誤解してしまいそうな姿勢をとっていた。

わたしは不意にそれに気づき、身体を引いた。

「道子さん、何をそんなに怒っているのですか。何か辛いことがあったのですか」

縁なしの眼鏡をかけたこの男は、その眼鏡の縁にちょっと触ってから、心から同情したように質問した。

(バカみたい)と、わたしは思った。(みんなあんたのせいじゃないのよ)

「私のせいだと思うということは、私の『銀河系共和国元老院』を信じたということになる」

わたしはびっくりして顔を上げた。キリハラさんがニコニコしていた。

「今、あんたが言ったの？」

「そうですよ」

「あたしの心が読めるの？」

「ちょっとした洞察力があれば、今のようなことは誰でもできますよ。道子さんだって、きっとやっていることがあるはずです」

種明かしをすれば、なんでも簡単――と、彼は呟いた。

わたしはがっくり肩を落とした。急に疲れた感じがした。

「いいわよ。帰んなさい」

キリハラさんは首を振った。

「私はご隠居さんと約束があるのです」

彼はいつのまにか、祖母のことを「ご隠居さん」と呼ぶようになっていた。

「なんで？」

「これから五目並べをするのです。ご隠居さんは、なかなかお上手ですよ」

わたしはちょっと言葉を失った。「ねえ、待ちなさいよ！」と呼ぶことができたときには、彼は玄関にいた。靴下を脱いでいた。

玄関の内側は、もう「無音」である。わたしは手振りとくちびるの動きで質問をした。

(なんで　靴下　脱ぐの？)

キリハラさんはさっさと道路の方に出てゆき、わたしを手招きした。わたしも道路へと一歩出た。

「さっき道子さんが、私を靴下のまま道路に引っ張りだしたからですよ」

「あんたの脱いだ靴下なんか、そこらに置いておいてほしくないわ」

「それなら大丈夫です。私のポケットにしまいます。そんなことをきくために私を呼び止めたのですか」

「違うわよ」そう、靴下のことなんかどうでもいいのだ。「一度ちゃんと聞いてみたかったの。あんた、どうしてうちに来るの？　プロジェクトだかなんだか知らないけど、それはそれとして、あんたはどうしてうちにしげしげやってくるのよ。誰があんたに入っていいって言った？」

彼は落ち着いていた。

「ご隠居さんが、私に、遊びにおいでと言ってくれるのです」

「嘘《うそ》ばっかり。おばあちゃんはあんたなんか呼ばないわよ。テレビ観てる方が好きなんだもの」

キリハラさんは真顔で考え込んだ。

「でも、ご隠居さんは五目並べもお好きですよ」

祖母が五目並べを好きだなんて、わたしは知らなかった。それを他人から告げられるのは、うしろめたいものだった。

キリハラさんは黙ってわたしを見ている。コアラみたいに無表情だった。そのくせ、わたしは彼に責められているような気がした。

(これまで、どなたも、ご隠居さんと五目並べをしてあげたことはないでしょう）と言われている気がした。

思わず、言葉が乱暴になってしまった。

「なによ、その顔は」

「これが私の顔なのですよ」

「ねえ、わかった」と、わたしはまた彼に詰め寄った。「わかったわよ、あんたがどうして勝手にうちに出入りできるのか。おばあちゃんでしょ。あんた、おばあちゃんを丸め込んで鍵を開けさせてんのね」

キリハラさんは頭を振った。

「ご隠居さんは、私ごときに丸め込まれるようなお年寄りではありませんよ」

それだけ言うと、さっきの言葉どおり、玄関で脱いだ靴下を上着のポケットにつめこんで(不潔！)、彼は祖母の部屋へと入っていった。

わたしは台所へゆき、詰め込むようにして食事をとった。電話の最中に「無音」が訪れたことと、その結果起こったことについては、誰にも話さなかった。

両親はそれぞれ、新聞と文庫本を読んでいた。母がわたしのためにコーヒーをいれてくれた。水槽に入っているかのように、わたしたちは静まりかえっていた。

自分の部屋に戻ると、留守番電話にメッセージが三つ入っていた。「無音」の状態が解除になってから、巻き戻して聞いてみた。

三つとも、同僚がわたしを慰めようとしてかけてくれた電話だった。それは本当にその気持ちがあるからだと信じたかった。

それでも、わたしはまた「無音」に包まれたかのように、何も感じることができなかった。

本当のことを言っても、みんなこんなふうに慰めてくれるだろうか。それともわたしを病院につれていくだろうか、と思った。

ふと、読み終えたばかりの「ロウフィールド館の惨劇」のことを思った。上流家庭に雇われた家政婦が、文字が読めないことを知られたばっかりに、主人一家を皆殺しにしてしまうという物語だった。

「ユーニス・パーチマンがカヴァデイル一家を殺したのは、読み書きができなかったためである」

わたしはベッドに腰をおろし、両手で顔をおおった。わたしもユーニスのように、途方もなくひとりぼっちだ、と思った。

8

翌日、わたしは会社を休んだ。

母には、くたびれたから一日寝ている、と言い訳をした。会社には電話をかけなかった。このまま辞めたっていいんだ、とさえ思った。

昼ごろ、「一緒にご飯食べない?」と呼ばれたが、生返事を返しただけでベッドから出なかった。

二時をすぎたころ、さすがにおなかがすいて、何か食べようと思った。パジャマの上にカーディガンをひっかけてドアをそっと開けると、廊下に祖母が立っていた。研次の部屋に入ろうとしている。

わたしは息をひそめ、細く開けたドアの内側にはりついて、隙間《すきま》から様子をうかがっていた。祖母は研次の部屋に忍びこみ、すぐに出てきた。右手を握りしめている。何か持っているのかもしれない。

祖母は階下に降りていく。わたしは急いで着替えると、足音を忍ばせて階段を半分ほど降り、廊下を見おろした。

祖母は玄関でサンダルを履いていた。どこかへ出かけるつもりらしい。

あとを尾《つ》けるのは簡単だった。祖母の丸い背中はよく目立ったし、まったく警戒というものをしていなかったから。

祖母は、たよりない足取りでよく歩いた。通りを一つこえ、二つこえ、橋を渡り、歩道橋も一つ渡った。そのときは、くたびれたのか途中でしゃがんでしまった。わたしはよっぽど出ていって、手を貸して家に連れて帰ろうかと思ったが、ぐっと我慢をした。

ついたところは、小さな児童公園だった。狭いところだが、まだ学校がひける時間ではないので、人けがなかった。

わたしも研次も、ここには昔、よく遊びにきたものだ。おばあちゃんたら、こんなところで何をするつもりなんだろう、と思ったとき、祖母がよちよちと歩いていって、公園の端の方にある、煉瓦《れんが》づくりのベンチに近づいていくのが見えた。

あっ、と思った。

このベンチの裏側に、煉瓦がはずれる場所があるのだ。そしてその場所は、小さなころのわたしと、研次と、おばあちゃんの三人で決めた秘密の「宝物箱」だった。

わたしの両親は、わたしが生まれてすぐに、祖母と同居を始めた。母にとっては、祖母は姑《しゅうとめ》である。子供、つまりわたしや研次を育てていくうえで、意見が食い違うことは多々あったらしい。

「おばあちゃんはすぐ甘やかすから」というセリフを、わたしも耳にしたことがある。とりわけ、わたしたちが成長して、両親にねだるよりは、祖母にねだったほうが確率が高いことを理解するようになると、これは結構大きな摩擦の原因になった。

そこで、祖母は「宝物箱」を考えだしたのだ。わたしや研次に、お菓子やお小遣いをやりたいと思うとき、祖母はこの公園までやってきて、ベンチの煉瓦をはがし、そこに隠しておく。わたしたちはここへやってきて、それを食べたり、もらったお小遣いでゲームをして遊んだりした。ただし、それをうちに持ち帰ってはいけない。

そうしておけば、母の顔も立ち、わたしたち姉弟も楽しい。祖母も決して無闇《むやみ》に甘いだけの人ではなかったから、わたしたちをスポイルするほどの宝物を隠したわけではなかった。万事うまくいっていた。

ずっと昔の思い出だった。とうに忘れていたことだった。祖母は今、そのベンチの裏側の「宝物箱」に、何かを隠している。

祖母は煉瓦を元に戻し、来た道をとことこと帰っていく。足が重そうに見える。昔、わたしたちのために宝を隠しにきてくれたころは、あんな歩き方はしていなかった。背中もしゃんと伸びていた。

祖母の姿が視界から消えるのを待って、わたしはベンチに近づいた。煉瓦のどこがはずれるのか、ちゃんと覚えていた。

そこに、父のキーホルダーがあった。母の根つけがあった。わたしのイヤリングも隠されていた。そして、さっき祖母がここにしまったのは、研次の学生服のボタンであるとわかった。

はずした煉瓦を手に考え込んでいると、ぽんと肩を叩かれた。

キリハラさんだった。

「なんであんたがここにいるのよ」

びっくりしたことも手伝って、わたしは乱暴な口をきいた。彼は気を悪くしたふうもなく、淡々と言った。

「ご隠居さんは、あなたがたの思い出を集めておられるようですね」

「思い出？」

「そうですよ。一緒に持っていけるようにね」

「持っていけるって……おばあちゃんが家出するとでもいうの？」

それは考えられないことではない。わたしの父は長男だが、弟がいて、横浜で暮らしている。祖母はそこにでも行くつもりなのだろうか？

「私も、今夜でお別れです」と、キリハラさんは空を仰いだ。「今夜でプロジェクトが終わりますのでね」


夕食が済み、祖母が部屋に引き上げてしまったあと、まだ「無音」が訪れないうちに、わたしは、今日あったことを両親と研次に説明した。

「おばあちゃん、やっぱり昔に戻っちゃってるんじゃないかしら」

母は呟いた。ずっと秘密にしておいた「宝物箱」のことを打ち明けても、さすがにもう嫌な顔は見せなかった。

「あんたたちが、やけにお小遣いを持ってるな、と思うことはあったんだけどね」

「そんなに大金はもらわなかったぜ」と、研次が弁解した。

「うちから持っていったものをあんなとこに隠して、どうするつもりなのかな。おばあちゃん、横浜の叔父さんのとこにでも行きたいのかしら」

「そりゃあないだろう」と、父は言下に否定した。「おふくろは、幸子《ゆきこ》さんと折り合いが悪いんだから」

幸子というのは叔父の奥さんの名前である。

「それに、おばあちゃんひとりじゃ電車にものれないんだからね」

「じゃ、なんであんなもんを集めてると思う？」

「だから、昔やったことを思い出して、懐かしがってるんでしょうよ。そっとしておいてあげた方がいいんじゃないかねえ」

キリハラさんは姿を見せなかったが、わたしは家族に、彼が「今夜で終わりだ」と言っていたことを話した。

両親も研次も、少し拍子抜けしたような顔をした。わたしも同じような表情を浮かべていたかもしれない。

「なんだったんだろうね、アイツ」と、研次は言った。誰も答えなかった。

十時ごろ、「無音」がやってきた。わたしたちは少しわくわくした。これが最後だ、という解放感のわくわくと、最後なんだからこういう希有《けう》の体験をちゃんと味わっておこう、という思いと。

「無音」は二時間ほど続いた。それが終わったのを知ったのは、祖母の部屋をのぞきに行った母が、

「おばあちゃんがいないわよ！」と叫ぶのを聞いたときだった。

母は交番に走った。研次は近所を探し回り、わたしと父はあの児童公園に向かった。

「どっかへ行くつもりなんだとしても、まずあの宝物を取りに行くと思うの！」

だが、わたしたちは一足遅かった。キーホルダーも根つけもイヤリングもボタンも、宝物箱のなかからなくなっていた。祖母はそれを持って、どこかに行こうとしているのだ。

事情を告げると、交番はパトカーを手配してくれた。町会の人たちも手伝ってくれて、一緒に探し回ってくれた。わたしたちは、五月も半ばを過ぎているというのに、手も足も冷えてしまうような気がした。

二時間後に、二駅離れた町の交番から連絡が入り、祖母が無事に保護されたと伝えてくれた。

「それが、おひとりじゃないそうなんですが」

「誰と一緒なんですか」

父の質問にこの町のお巡りさんが答える前に、わたしにはそれが誰だかわかった。

「自分で、キリハラと名乗ってる中年の男の人じゃないですか？」

「大杉さんのおばあちゃんは、彼に説得されて自殺を思いとどまったんだそうです」

「自殺？」

「ええ。もう歳《とし》で身体もきかないし、生きていたってみんなの邪魔になるだけだから、ってね。それを、一緒にいた男が、そんなことはないって言い聞かせたんですね」

わたしは思わずつぶやいた。

「キリハラさんが……」

お巡りさんは、首を振った。

「その人は、そういう名前ではないですよ。それにこの男性は——」と、父を見やって、

「ご主人、あなたと同じ会社に勤めているそうです。身分証明書を持っていて、それによる

と、研究室のスタッフらしいですねえ」

9

祖母はそのまま、保護された町にある病院に入院させられてしまった。風邪《かぜ》を引いているという。母が着替えを持ってとんでいった。

会社と何度か電話でやりとりをした挙げ句、父は困惑顔で受話器を置いて、

「さっぱりわからん」と言った。「会社の偉いさんたちが、これからうちにくるそうだ。あの——キリハラという男を連れて。あの男、研究員としては優秀なんだそうだ」

「親父、あいつが自分の会社の人間だってこと、気がつかなかったのかよ？」

研次に呆れられて、父は頭をぼりぼりかいた。

「父さんたちは現場にいるから、研究室の連中の顔なんて、見かけることがないからなあ」

「あんただって、一つの工場だけで従業員が何百人もいる会社に就職できたら、そういうこともよくわかるようになるわよ」

わたしが言うと、研次は黙った。

会社の偉いさんというのは、研究室の室長と、父の直属の上司だった。やあやあご迷惑をかけました、という感じであがりこんできて、わたしを「お嬢さん」、研次を「坊ちゃん」と呼んだ。

キリハラさんは、ぼんやりとした顔で、彼らの後に従っていた。わたしが呼んでも、目も上げなかった。

「いや、我々も事情を知って驚いているところなのです」と、研究室の室長は額の汗をふいた。褐色にむらなく日焼けしているのに、手の甲だけが白い。ゴルフ焼けである。

「うちで起こっていたことと、会社の研究室でやってることとは、何かかかわりがあるんですか」

父が尋ねた。「伺う」という口調だった。わたしは嫌になった。仕方ない、サラリーマンなんだからと思いながらも、嫌になった。

実はね、と前置きして、研究室長は説明した。

ここ数年、父の会社では、騒音の中で長時間働く現場作業員の中に、難聴を訴える患者が増えていた。それも生易《なまやさ》しい勢いではなく、このままいけば、労災として認定しなければならなくなるほどだった、という。

「そこで、研究室では、現場マンに使ってもらえるような、軽くて、装着したときの異物感のない、高性能の耳栓の開発を始めたというわけでね。耳栓というと、ゴムや綿を丸めたようなものを連想してしまうのでみもふたもないが、これはそんな安直なものではない。簡単に言ってしまえば、いわばハイテク耳栓でね。内耳に張りつけて、外部からのリモコン操作で作動させることができるんだ。性能のよさは、大杉さん、もう説明する必要はないでしょう。体験ずみなんだから」

わたしは研次の顔を見た。弟は父を見つめていた。父は壁をながめていた。

「努力のかいあって、これは今年の年頭にはもう実用段階に入っていたんだ。あとは現場で実験するだけだった。我々は、現場従業員の中から、職長以上の地位にいて、勤務態度が良好な社員を数名、選びだした。そして――」

「春の健康診断のとき、聴力検査にかこつけて、その人たちとその家族全員の耳に、そのハイテク耳栓とやらをくっつけたんでしょ」

先まわりしてわたしが言うと、研究室長はハンカチで額をぬぐった。

「そうなんですよ、お嬢さん。しかし、あのときは何も気づかなかったでしょう？　それほど、装着は簡単なんですよ」

わたしは思い出した。耳が聞こえなくなり始めたとき、一家で会社の病院に行ったときのことを。

耳鼻科の先生は、（こんなことしか言ってあげられなくて申し訳ない）と言った。あれは、事情をすべて承知していたからなのだ。

「しかし、それなら、私だけでいいじゃあないですか。現場で実験するんなら」と、父が不満そうに言った。わたしは頭を振って席を立った。

企業というのはどこまでも抜け目のないものだから、自社の従業員の聴力障害者を減らすためだけの目的で、研究室に開発を命じたりはしないだろう。

「ハイテク耳栓」とやらを創《つく》りだしたのは、それ自体に商品価値があるとそろばんをはじいたからに違いない。

そうよねえ、と、わたしは思った。

高速道路や空港の周辺の住民に、これをつけさせることができたらどうだろう。なにより も、リモコンで作動させることができるということに価値がある。スイッチ・オンで、騒音はすべてカットできるのだから。

でも――本当にそれだけだろうか。

そのリモコンを、個々の耳栓の装着者以外の人物が操作するとしたら、どうなる？　その人物は、百人なら百人の、耳栓をしている人間の音を聴く自由を、その手の中に握ることになるじゃないか。

スイッチ一つ。はい、もううるさくないでしょう？　夜間発着もできますし、制限速度など要りませんよね。だって住民の皆さん、夜は眠るものですよ。それだけじゃない。ビル建築現場の近くや、下水道の工事をするとき、近所の人たちにつけさせることもできる。はい、スイッチを入れました。静寂。いいでしょう？

そういう形で商品化するためには、一般家庭でもテストしてみる必要がある。いや、そっちの方がメインだったんだろうと、わたしは思った。

「ええ、まあ、しかし、実用化への実験は幅広くする必要がありまして」

研究室長は汗をふきふき言った。

「ですから、実験にとりかかる際は、一家庭にひとりずつ研究員を派遣して、丁寧に目的を説明し、協力を要請するように計らったつもりなのです。実験に協力してもらった現場従業員には、今後昇進・昇給その他で優遇されることが約束されていますし、危険はないし、いやまったく理想的な実験のはずだったんですが、ここの担当のこの研究員が――」

　室長はキリハラさんの本名を言ったけれど、わたしは聞きたくなかった。キリハラさんでよかった。

「――あなたがたに、とんでもない出鱈目《でたらめ》を言っていたそうですねえ。彼に聞きまして、我々もびっくりしたという次第で……どうしてそんな、いまどき子供だって笑い飛ばすような作り話をしたのか……」

　うつむいていたキリハラさんが、そのときやっと顔を上げた。わたしに向かって、気の抜けたような笑い方をした。

「私は、誰かに腹を立ててもらいたかったのです」と、彼は言った。

「おい、君！」と、室長が制したが、独り言のように呟き続けた。

「私は誰かに逆らってほしかったのです。馬鹿な出鱈目を言えば、誰かがそうしてくれるんじゃないかと思いました……」

「とんでもない了見だ。そのために、どれだけ大杉さんご一家に迷惑をかけたか考えてみたことがあるかね？」

　室長はそう決め付けておいて、わたしたちに笑いかけた。

「いやしかし、こういう形で我々が気がつくことになってよかった。今夜交番から連絡があって、彼の言動がおかしいということがわからなかったら、我々はずっと彼に実験を続けさせていたことでしょう。報告書はちゃんとあがってきていましたから、我々はてっきり、大杉さんも実験についての説明を聞いたうえで協力してくれているとばかり思っていたのです」

ここで、わざとらしく声をひそめた。

「実は、どうやら彼はノイローゼらしいのです。この研究のために、九州の支社からこちらに呼び寄せたのですが。単身赴任でね。どうもそれがストレスの原因になったらしい」

「どれぐらい、単身赴任しているのですか」

「七年です。いやまったく、この研究は大仕事だったのです」

「その間、休暇は？」

「ありますが、事実上はないも同然ですよ。いや、それは彼だけじゃありません。私もです。研究員全員です」

室長は、そっくり返ってそう言ったけれど、わたしは聞いていなかった。七年、と考えていた。七年。生まれたての赤ちゃんが小学校一年生になるまでの間だ。

逆らえなかったので、ひとりぼっち。

わたしはキリハラさんが祖母と五目並べをしているところを思い浮かべた。

家族でありながら、切り離されている。ちょうど、この家の中で祖母がそうであったように。

わたしの目に、音のしないテレビの前に座っている祖母の背中が浮かんできた。引き出しからイヤリングを持っていく姿が浮かんできた。

祖母は今夜、死のうとしていた。わたしたち家族の思い出の品を持って。以前からそのことを考えて、品物を集めては隠していたのだ。

キリハラさんも祖母も、ひとりぼっちだった。だから、今夜一緒にいたのだ。祖母は最後のさよならを、自分と同じようにひとりぼっちの人に告げていこうとしていたのだ。

そうなる前に、キリハラさんがとめてくれた。

そしてそのキリハラさんは、我が家でこう言っていたのだ。逆らってください。私は誰かに逆らってほしいのです。私は逆らうことができなくて、ひとりぼっちだから。

壁を向いたまま、わたしは、「出てけ」と低く言った。室長と父の上司が、誰のことかというようにきょろきょろした。

「出ていって。あんたたちよ。このうちから出ていって」

「大杉さん──」と、父の上司は助けを求めるように父を見る。父は黙って腕組をしている。

「ほら、お帰りはあちらだよ」と、研次が彼らを押しやった。

「しかし、彼を置いてゆくわけには──」

「出てけったら出ていけ！　出ていけ！　出ていって！」

わたしは叫んだ。叫ぶたびに、自分の中からも何かを追い出しているような気がした。わたしだけでなく、父も、研次も、そしてキリハラさんも「出ていけ！」と叫んでいた。

「出ていけ！　出ていけ！」

そしてわたしたちは笑い始めた。笑って笑って、心から楽しく笑い続けた。

もう音が消えることはなかったし、笑い声が途切れることもなかった。

キャンパスの掟

群ようこ

地方の高校から、東京の大学に入学したとき、私はあまりの華やかさに頭がくらくらしそうになった。私は地方の県庁所在地から、ずずーっと離れた場所で生まれ、育った。本屋さんも、よろず屋と合体したようなものしかなく、注文しても届くのに三週間かかり、そのうえよろず屋のおばあさんが半分ボケていたので、注文した本が記憶の彼方《かなた》にとばされたことは数知れなかった。そんな町で私は秀才と呼ばれていた。父は高校の教師をし、母は近県の短歌の同好会に入り、隣近所からは「文化的一家」とみなされていたのである。

(こんな小さな町にずっといるなんて、絶対に嫌だ)

私は口には出さねど、いつもそう思っていた。近所のおばさん連中は、面とむかって、

「ユキエちゃん、頭がよすぎるのも考えもんだよ。女っていうもんは、万事、ひかえ目がいいんだ。あんまり頭がよすぎると、お嫁さんに行けなくなっちゃうよ。せいぜい短大にしときなさい」

と大きなお世話をやいてくれた。それだけでは足りず、母の姿を見ると、

「やっぱり女の子は、かわい気がなくちゃあねえ」

と口々にいった。

「はあ」

母が気のない返事をすると、おばさんたちは、

「んまあ、呑気《のんき》ねえ。ひとり娘なのに。どうせ結婚させるんだったら、大学なんか行かせたって無駄だわ。お料理でも習わせたほうが、ずーっとマシだ」

と呆《あき》れかえっていた。

いまだにこんなおばさんたちが棲息《せいそく》しているのは、私にとっては心底がっくりすることだった。地元で生まれ、育ち、地元の学校に通い、就職して、地元の人と結婚する。そこで○○の妻、母として生活し、何の疑いもなく何十年も過ごし、そして地元の墓に入るのだ。

(あー、うっとうしい)

そんな生活はまっぴらだった。さすがに、私が東京の大学を受験するといったら、両親はびっくりしていたが、

「まあ、お前が好きなようにやりなさい」

といってくれた。それでも父は、受験案内を学校から持ってきて、

「ほれ、遠くまでいかなくても、こんなにいい学校があるぞ」

と、さりげなくアピールしたりしていた。だけど私は東京に行ってみたかった。東京には今まで知らなかった世界が山のようにあると確信していたからである。

いちおう親の手前、近県の大学も受験した。両親が私に聞こえないように、

「東京のほうは第一志望だけど、難しそうだから、ま、大丈夫だね」

とこそこそ話し合っているのを耳にしたこともあった。二人がいうとおり、受験する六つの学校のうち、東京の大学がいちばん偏差値が高かった。しかし私はただ一校だけのために

受験する気持ちでいた。秀才といわれた私であるが、必死に勉強し、見事、合格したのである。

「よかったねえ」

両親は泣き笑いの顔をした。

「本当によかったねえ……」

母はちょっとしゅんとして台所に入っていった。

「よろしくお願いします」

私は入学手続きの書類を二人の前に差し出し、頭をぺこりと下げた。

「うーむ、見たいような、見たくないような……」

父は手続きの書類にさっと目を通し、黙って母に手渡した。

「おめでたいことですけどねえ」

母は書類を見て、はーっとため息をついた。

「んまあ、いい金額だねえ」

「お願いします」

私はまたぺこりと頭を下げた。

「そりゃ、もちろん出してあげますよ。だけど、あなたの月々の仕送りもあるし。お金、足りるかしら」

そのあと、小声で、お父さんの保険金がどうのこうのということばが、ばっちり聞こえてしまい、父は露骨にいやな顔をした。

「お金のことは心配しなくていい。第一志望に合格したのだから、一生懸命に勉強するように」

高校教師らしく父はいった。

「はい」

私もしおらしくしていた。そして一か月後、淋し気な二人を郷里に置いて、東京へ出てきたのである。

住まいになるワンルーム・マンションもどうにか片づき、私は今までとは全く違う環境で驚くことばかりだった。家と家とがびっちりとくっついているのにも、お祭でもないのに人出が多いのにも、車が多いのにもびっくりした。それ以上にびっくりしたのが、大学にいる人たちの姿だった。私が合格した大学には付属の高校があり、卒業生のほとんどが入学してくる。彼らは一目でわかった。仲のいい友だち同士で徒党を組んでいるから目立つこともあったが、それ以上に、着ているものが豪華だった。

(あの人たちが、ついこの間まで、私と同じ高校生だったなんて)

呆然《ぼうぜん》とするしかなかった。男の子は顔はともかく髪型が江口洋介みたいだったり、ミュージシャン風だったりした。女の子は茶色く髪の毛を染めていて、大きなアクセサリーを両手、首につけ、あざやかな色の服を着ている。私は冬の寒いときに、セーラー服の下に白いハイネックのセーターや、ブラウスを重ね着していた。ほっぺたはもちろんまっかっかで、私はそんな自分の姿を恥じた。このとき私は、雑誌のグラビアに載っていた、「東京の女子大生」が、本当にいるのだということを知ったのである。彼らは、男女一緒になって、キャーキャーと楽しそうに声を上げていた。男女が平気で肩を組んだり、抱き合ったりする。私の田舎《いなか》であんなことをしたら、大騒ぎになる。男も女も垢抜《あかぬ》けていて、ミニスカートから、すらりとした脚を出している彼女たちの姿を見ると、やるぞ、と決意して上京した気持ちも萎《な》えそうになった。

「ねえ、知ってる？」

第一回目の英語の授業のとき、私の左隣に座った女の子がささやいた。私と似たりよったりの格好をしている。

「なあに」

「あの子たちよ」

彼女がちらりと目をやったほうを見ると、机の上に腰かけた男女八人が、相変わらずキャーキャーと楽しそうにしていた。

「ああ、付属の人たちね」

「先輩がいってたけど、あの人たちのこと、『付属上がり』っていうんだってさ」

彼女はすでに剣道部に入部していた。

「付属上がり？」

「そう。あの人たち、私たちみたいに受験してないじゃない。ぜーんぜん勉強しなくても大学に行けるし、金持ちの子ばっかりで遊び放題だったんだって。だからものすごく頭が悪いらしいよ」

「ふーん」

教室の中を見渡すと、たしかにおとなしく座っている子は頭がよさそうにみえた。だけど外見は私も含めてみんなぼさーっと垢抜けなかった。女の子はまだしも、男の子のなかには、黒ブチの眼鏡をかけた、

「どうしてここにいるの」

と聞きたくなるような、二十年前の素朴を絵に描いたような人もいた。クラスの中は、「頭は悪いけどかっこいい付属上がり」と「頭はいいがダサい受験組」の二派にくっきりと分かれていたのである。

授業中も付属上がりはうるさかった。ときおり、

「きゃー」

という女の子のはしゃいだ声も聞こえた。

「何をしに来てるんだ！」

教授が怒ってやっと静かになったので、彼らが座っているほうに目をやってみたら、今度は付属上がりは、

「がーっ」

と机につっ伏して寝ていた。左隣から、

「あーあ」

と呆れ返ったようなため息が聞こえた。

そのとき「バーン!!」とものすごい勢いで後ろのドアが開いた。ふり返ると、派手な女の人が立ちつくし、ブレスレットを何本もはめた両手で口をふさいでいた。

「こら！　授業中だぞ」

さっきから怒りっぱなしなものだから、教授の顔はまっかっかになっていた。

「さっさと座れ！」

彼女はきょろきょろと空席を捜していたが、あいにく最前列の、私が座っている右隣しか空いていなかった。彼女は、じゃらんじゃらんと音をさせて、こちらに近づき、どすんと腰かけた。ものすごい香水の匂いがする。付属上がりにみえたが、歳がずいぶん上のようだ。体にぴったりした、黄色にオレンジ色の花柄プリントのワンピースにハイヒール。色黒の面長の顔で、茶色いウェーブのかかった髪が肩の上でふくらんでいた。私は彼女の姿を見たら、目が離せなくなってしまった。イヤリング、ネックレス、ブレスレット、指輪。どれも私がこれまでの人生で見たアクセサリーとは違っていた。いかにも、

「高そう」

なものばかりであった。両手の爪にはきれいにマニキュアがぬられ、おまけにラインストーンまでついていた。

（こんなの、間近でみたことないわ）

私はディケンズよりも、隣のお姉さんに興味を奪われ、横目でじーっと観察した。彼女はすらりと長い脚を組み、何度も何度もため息をついた。バッグの中をごそごそとさぐっていたが、いつまでたっても教科書を出さない。それどころか、髪をかき上げたかと思えば鼻の先に毛先をもってきていじくりはじめる。そしてそのうち、ポーチの中から小さなハサミをとり出して、枝毛切りに精を出しはじめたのである。

（あらーっ）

着ている服も大胆だが、やることも大胆だ。教授の目の前で堂々の枝毛切り。私はいつ彼が頭から火を噴くかと気が気じゃなかったが、彼はちらりと彼女のほうを見たものの、無視していた。

（さすが年上のお姉さんは、物に動じないんだなあ）

私はいろいろな意味で感心しながら、ディケンズに戻った。テキストに目を落としていると、すっと視界にマニキュアをして、ブレスレットをいっぱいつけた左手が入ってきて、つんつんと机の上を叩《たた》いた。

「はっ？」

顔を上げた私にむかって、隣のお姉さんはにかっと笑った。

「ねー、教科書、見せてくれない」

そういって、もう一度、彼女は笑った。

「あっ、いいですよ」

私はガタガタと机をくっつけて、教科書を見せてあげた。教授が嫌な顔をした。彼女はいちおうテキストは見ていたが、ぼわーっと大あくびをしたり、退屈そうに髪の毛をいじくったりしていた。

チャイムが鳴ると彼女は、

「はーっ」

とため息をつき、バッグを膝《ひざ》の上にのせて帰る準備をしはじめた。

「それでは、今日はここまで」

教授はそういいながら、彼女をにらみつけた。

「ありがと」

「いいえ、どういたしまして」

そういったとたん、彼女は一瞬、びっくりした顔をしたが、ゲラゲラ笑いはじめた。

「どういたしましてなんて。あんた、いいとこの子？」

「えっ……」

「あたし、カシマユカリっていうの。よろしくね」

「はあ……。私はヤマダユキエっていいます」

「じゃ、またね」

彼女はひらりと立ち上がって、教室の後ろに陣取っていた、付属上がりのグループのところに行き、

「まいっちゃったわよー。車で来たらゲロ混みでさあ」

と髪をかき上げながら、大声でわめいていた。グループの態度を観察していると、彼女は私と同い歳のようだった。

（東京っていろんな人がいるのね）

どんなに若くみても二十代半ばだ。田舎にもふけた子はいたが、華やかさに欠けていて、何でも知っているお姉さんという感じはしなかった。その点、カシマユカリさんは、学生がいちばん似合わない人だった。

あるとき、英語の抜き打ちテストがあった。授業に出ていれば、そこそこの点がとれる、それほど難しいものではなかった。しかし、教授がテストを返すときに、得点をいいながら返したものだから、教室内はパニックになった。私は百点満点だった。

「すげーっ」

「おーっ」

江口洋介みたいな子も、華やかな女の子たちも拍手をしてくれた。ところが、彼らの点数を聞いて私はびっくりした。

「十点」「八点」でド胆を抜かれ、「二点」と聞いては、あっけにとられるしかなかった。

「へへへへ」

頭をかきかきテストを受け取りにきたのは、カシマユカリさんだった。付属上がりは頭が悪いという言葉を思い出さざるをえない。教授は何も小言をいわず、完璧《かんぺき》に彼女を無視している。

「やだー、あたし、付属の中でも最低ランクだったんだもーん」

悪びれずに彼女は大声でいった。どっとみんなは笑った。私にはとてもじゃないけど、あんなことがいえるなんて、信じられなかった。あんな点をとったら、恥ずかしくて顔も上げられないし、自分の口から「最低ランク」なんていえやしない。たしかに、頭がよさそうにはみえないけれど、テストではいい点を取るものだ、取らなきゃいけないと信じきっていた私には、ある意味で衝撃だった。

その日、構内の図書館で調べ物をして、夕方、校門を出ると、ちゃんと道路のはじを歩いているのに、背後で車のクラクションが鳴った。

ふりかえると赤いアウディが近づいてきた。

「ねー、帰るんでしょ。送ってあげるよ」

中から顔を出したのはカシマユカリさんだった。

「あ……、でも」

「いいじゃん、ねっ、乗っていきなよ」

彼女が熱心に誘ってくれるので、助手席に乗せてもらった。さすがに父が乗っている中古の国産車とは乗り心地が格段に違う。

「えーと、えーと、ヤ、ヤ」

「ヤマダです」

「そうそう、ヤマダ、えーとユキエちゃんだったよね。ごめん、あたしって、ホントに頭が悪いからさあ」

「そんなことないわ」

「そんなことあるんだってばさ。そういえばあなた、頭いいのよね。英語のテスト、百点だったじゃん」

「うーん、でも、あれは……」

「あたしなんかさ、二点！」

彼女は、ぎゃはははと笑った。私は笑っていいものか悪いものかわからずに、薄笑いでごまかしていた。

「ねー、どこに住んでんの」

「小平《こだいら》」

「ええっ、遠いじゃん」

「うん、でも家賃が安いし」

「そうかあ。でも毎日、通うのが、かったるそうね。あたしだったら月に一度しか行かないな」

彼女は人通りと車の中をするりするりとうまく通り抜けていった。

「ねー、うちに遊びにこない？」

「でも……」

「いいじゃん、どうせ家に帰ったって一人なんでしょ。気にすることなんかないからさ。そうだ、教科書を見せてもらった御礼っていうことにしよう。そうしよう。ねっ」

彼女は勝手に決めて、方向転換をした。

青山の目抜き通りから、少し入ったところに、彼女の家があった。とんでもなく広い敷地で、高い塀の中には木が繁《しげ》り、屋根だけが見えていた。ガレージにはベンツやサーブなど、車が三台並んでいる。

「さあ、どうぞ」

ドアもものすごく大きい。彼女がドアを開けたとたん、ハスキーとボルゾイがとびついてきた。こんな大きな犬がお座敷犬になっている。

「ひゃっ」

びっくりしている私にも、二匹の犬は愛想をふりまいて尾を振った。

「お帰りなさい」

品のいい女性が奥から姿を現わした。

「あっ、こんにちは。私、ヤマダユキエです。今日は図々しくお邪魔してしまいました」

「どうも、いらっしゃいませ。お嬢さま、奥さま、お戻りでございますよ」

お手伝いさんだった。

「あっそ」

広い庭に面した廊下を、彼女は足早に歩いていった。庭には滝まで造られていた。田舎の裏山には小さな滝があったが、庭に滝がある家なんて、見たことがない。私はきょろきょろしてはいけないと思いながらも、廊下のそここに置いてある、壺や彫刻に目を奪われた。

「ちょっと、ここで待ってて。適当に冷蔵庫から冷たいものでも出して飲んでて」

三階の彼女の部屋は二間つづきだった。一間だけでも私の部屋の四倍はある。小さなキッチンもあり、子供部屋というのではなく、立派なひとつの家みたいになっていた。ドレッサーの前には、デパートの香水売り場でさえ、こんなにないだろうというくらい、どっさりときれいな瓶が並んでいた。少なくとも県庁所在地にあったデパートよりも、品数は充実していた。壁一面にはクローゼットがあり、中を開けなくてもどんなに色鮮やかかわかる。私は椅子《いす》に座ったまま、この部屋にあるものを目に焼きつけていた。雑誌のグラビアで見たことがある、かわいい雑貨、家具。それと同じものがこの部屋にはあった。まるで撮影用のスタジオに来ている気分だ。ドアをノックして、彼女が戻ってきた。

「この人、うちのママ」

「いらっしゃい」

私の姿を見たお母さんは、あれっという顔をした。日に焼けてパールのマニキュアをして、ピンクと黄色の大きな花柄のニットに、白いミニスカートをはいている彼女からしたら、ぽっとでてきた田舎の高校生みたいな私の姿は、変に見えたに違いない。

「まあ、今までのお友だちと、タイプが違うのね」

「そうよ。だって、ものすごく頭がいいんだもん。今日のテストだって百点だったんだから」

「あら、すごいわね。少しはあなたも見習ってちょうだい。それじゃ、ごゆっくり」

私がひとことも発する間もなく、お母さんは残り香《が》をふりまいて去っていった。

「学校、面白い？」

椅子にどすんと腰かけて、彼女は煙草《タバコ》を吸った。

「そうね、まだよくわからないけど」

「友だちできた？」

「仲のいい人はいるけど、友だちかどうかはまだよくわからないわ」

「あなた、おとなしいもんね」

彼女はどうして私を連れてきたのかなと、答えながら考えていた。私と彼女とでは、あまりにも接点がなさすぎる。

「あたしさあ、付属じゃん。付属の子って、ずーっとグループで遊ぶようになっちゃうのよ。まあ、それもいいんだけどさあ。なんかこう、騒いでても退屈っていうの？　そんな感じなのよ」

「ふーん」

「あなた、勉強いっぱいしたでしょう」

「うん」

「うちの学校、受かるの大変みたいだもんね。私なんか小学校からだからさ。おまけにお金積んで入ったんだ」

「…………」

「うちはみんな出来が悪いんだけどさ、お金で救われたんだよ。ま、パパに感謝しなきゃいけないんだけどさあ。人に自慢できるようなことやってるわけじゃないし」

お父さんは風俗関係のチェーンのオーナーだという。

「他にもいろいろやってるんだけどね。ママもブティックとエステを経営してるし」

私は親から、「人間、こつこつとまじめに働くのがいちばん」と教えられてきた。貧しくても地道な仕事をして、平凡だが平穏な人生を送るのが幸せだともいわれた。実家の近所にツネさん、という正直者のおばあさんがいて、子供たちを他県に嫁がせ、一人で仕立て物をして生計をたてていた。収入が少ないというのに、寄付をするのが大好きで、人々からは「人間の鑑《かがみ》」といわれていた。お前もああいう人になるようにと、何度親にいわれたかわからなかった。もしもユカリさんを、友だちだといって家に連れていったら、両親は仰天し、

「あんな子とつき合うのはやめなさい」

というだろう。中学生のとき、私は両親に、

「成績が落ちるから」

と、ある子とつき合わないようにといわれたことがあったからだ。派手な人はすべて悪い人だと、両親は信じきっているのだ。

「大学に入るときだってさ、私、ビリから二番目だったんだよ。もう、サイテーでしょ。で、

パパにお金を払ってもらって、やっと入れたの」

「ふーん」

「勉強、嫌いだし、あたし、普通の会社なんか、入れないし、入りたくないもん。頭がいい人はどこでも何やっても生きていけるけどさあ」

「………」

「利用できるものは、何でも利用しちゃうんだ、そうしなきゃ損だし」

そういって彼女は笑った。

「ブティックとかやったとしてもさ、そこにプラス○○大学卒っていうブランドがくっつけば、みんな『おっ』て思うじゃん。見た目はそうは見えないけど、頭いいんだな、なんて思われたりしてさ」

「ふーん」

「あたしって、変？」

「変じゃないと、思うけど」

ちょっと変かなと思ったけど、いちおうはそう答えておいた。お手伝いさんが運んできてくれた、中華の晩御飯を食べて、帰ろうとした私に、彼女は服がぎっしりとつまったクローゼットから、二着の服を出し、ドレッサーの引き出しから化粧品をいくつかとり出して、シャネルの大きな紙袋に入れた。

「これ、よかったら使って。嫌だったら捨ててもいいからさ」

「捨てるなんて、そんな……」

私はシャネルの袋を胸に抱えて、彼女のアウディで、私のマンションの前まで送ってもらった。ここの全建坪は彼女の家より狭いと思った。

「じゃあね」

彼女は手を振ってあっさりと帰っていった。

私は急いで部屋に戻り、もらったクリーム色とグリーンの無地のワンピースを交互に体に当てて、鏡の前に立ってみた。東京で学生生活を送るという気負いもあって、私なりにファッションには気をつけているつもりだったが、やはりちょっと違う。服には一三万円と書いてあるタグがついたままだった。もう一着はクリーニングに出したあと、着た形跡はないイタリア製のものだった。両方とも私が着ている服とは一桁《ひとけた》二桁違った。着てみた。何だかとってもうれしくなった。似合わないかと心配になったけれど、鏡の中の私はそれなりの、お洒落《しゃれ》をした娘さんにみえた。うちの両親は私のこの姿を、

「いいね」

というだろうが、値段を聞いたとたんに、

「贅沢《ぜいたく》だ！」

と怒るに違いない。次に彼女がくれた化粧品をつけてみた。封を切っていないディオールの口紅が三本、アイシャドウもある。鮮やかなピンクの口紅を塗ってみると、顔がぱっと輝いて、また何だかとってもうれしくなった。鏡にむかってにっと笑った。私もまんざら捨て

たものではない。今までは紺とかグレーの地味な色ばっかりだったけど、こういう色を着ると気持ちがうきうきするのもわかった。私は鏡にむかって一人でにこにこしながら、くるくる回ったり、ポーズをとったり、とても楽しい夜を過ごした。

どうしてももらった服を着たくて、服に合うようなバッグも靴もなかったけれど、私は次の日、教科書を抱えて学校に着ていった。口紅はちょっと恥ずかしかったので、リップ・クリームだけにしておいた。いつものグループの人たちと、わいわい騒いでいたユカリさんは、私の姿を見て、

「あー」

といいながら走り寄ってきた。

「どうもありがとう。とっても素敵なのをいただいちゃって」

「やだー、いいのよ、そんなこと。よく似合うよー」

といいながら、彼女は私のはいていた靴を見たとたん、声が小さくなった。思わず私はつっと後ずさりした。

「じゃあね」

またあっさりといい捨てて、彼女はグループの輪の中に入っていった。やっぱりこの靴は変だったんだ。このワンピースに、九八〇〇円の黒のローファーはまずかったな、と、授業中も自分の足元が気になって仕方がなかった。お金が届いたら、靴を買おうかな、でも、予算はギリギリだし。まだ授業が忙しくてアルバイトはできないし。私はローファーをはいた

足をこすり合わせながら、このワンピースにぴったりのバッグと靴を身につけた、自分の姿を想像してはにやけていた。

　何日かたち、高校生みたいな格好をして歩いていた私の肘《ひじ》を、ぐいっとつかむ人がいる。びっくりしてとび上がると、そこにはユカリさんが、にかっと笑って立っていた。

「これ、あげる」

「えっ？」

「もう使わないから。じゃあね」

　彼女はヴェルサーチの紙袋を私に押しつけて、校門から出ていった。トイレで中を調べたら、中ヒールが二足とハンドバッグが入っていた。それもフェラガモだ。雑誌の特選品ページでしか見たことがない。ここまで気を遣ってもらって申し訳がないのと、うれしいのとで、私は意味もなくへらへらしてしまった。どうして彼女はこんなに私に親切にしてくれるのだろう。お互い、ないものを求めているんだろうか。こういう二人ほどつき合いが永続きすると本で読んだことがある。二日後に英語のテストが控えているのにもかかわらず、私はワンルームの床に新聞紙を敷き、靴をはいてみた。ちょっと大きかったので、近所のコンビニに行って敷き皮を買ってきた。英語のテストのときは、ユカリさんも来る。そのときにワンピースを一緒に着ていったら、彼女も喜んでくれるだろう。

　そう思った私は、全身、彼女からのもらいものに身を包んで、学校に行った。ものすごく大人になったような気がした。男の子も私を見ている。着ている服で、こんなにも反応が違

うのは驚きだった。教室に入っていくと、珍しくユカリさんが遅刻しないで来ていた。そして、

「あー、うれしい。靴もバッグもちょうどよかったわね」

といいながら、私を柱の陰の席へとひっぱっていった。いつも一番前に座っている私は、あら、あら、とあせったものの、彼女にひきずられてそこに座らされてしまった。

「どうしたの？」

「ねー、お願い」

彼女はバッグの中からシャープ・ペンシルを一本取り出し、胸の前で両手を組んで、体をくねくねと動かした。

「あたし、ぜーんぜん勉強してないの。だから、ねっ、答えみせて」

「…………」

教授が入ってきて、テスト用紙を配りはじめた。

「ねー、お願い。ね、ね」

彼女はまるで男の子に甘えるように、目の前で身をよじった。こんなことが知れたら、どんなに両親に怒られるかわからない。

「ねー、いいでしょ。ねえったら、ねえ」

彼女は手を伸ばして、私が着ているワンピースを触って、バチンとウィンクをした。

（うーっ）

私は利用できるものは利用するといった、彼女のことばを思い出した。こんなことをしちゃいけない！　しちゃいけないんだ！　と自分を叱《しか》りつつ、答えを書きながら、椅子の上でお尻をくねらせているユカリさんのほうへ、答案用紙を少しずつずらしていったのだった。

いるか療法——〈突発性難聴〉

山本文緒

朝早くに目が覚めて、それが土曜日や日曜日でなかったら、大抵私は水族館に足を運ぶ。アパートの前からバスに乗って約二十分。数年前に埋め立て地に建てられたその水族館は、休日には親子連れや若いカップルで溢《あふ》れ返る。しかしさすがに平日の午前中は空いていた。そんな時間にやって来るのは、幼児を連れた主婦か、私のような得体の知れない一人客ぐらいだ。

切符は自動販売機で買う。大人一枚八百円。高いなと毎回思うけれど、まあ普段いろいろと節約しているので、このぐらいの贅沢《ぜいたく》は自分に許そうと思う。それに映画一本見たらこの倍のお金がかかるのだから、それを思ったら安いだろう。

買った切符を入口に立っているアルバイトの女の子に渡すと、その子はパンフレットを差し出した。私は首を振ってそれを断る。何度か会ったこのアルバイトの女の子が、私のことをまだ覚えていないことに安堵《あんど》する。いつも一人で来て気味が悪い女だと思われるよりはずっと気が楽だ。

でも館内に一歩足を踏み入れれば、そんなことは忘れてしまう。斬新《ざんしん》なデザインの館内は青い闇《やみ》に包まれている。ほとんど黒に近い群青色の壁に沿って、くっきりと四角くガラスがはめ込まれている。その中はうっとりするような水色だ。湛《たた》えられた水はゆらゆらと揺れて、床に備えられた管から酸素のネックレスが昇っていく。

整然と並んでいる水槽の中にはちらちらと魚が泳いでいる。山吹色、玉虫色、深緑、浅葱色。碧《あお》い世界に小さな色が躍る。

私は水槽のひとつひとつを、ゆっくりと眺める。もう何度も来ているので、説明のプレートは熟読していた。熱帯の魚、日本の川の魚、アマゾンの魚、放電する魚。ガラスに鼻の頭をくっつけるようにして、私は水の世界を覗《のぞ》き込む。耳の中にはこぽこぽと小さな水音が張りついていて、私はいつも深海の底を歩いている錯覚を覚える。

順路に沿って私は二階への階段を上った。そして、上りきった所に立ち止まり、目の前にそびえ立つ水の壁を見上げた。

足元から天井まで、巨大なガラスに区切られたその向こうに、満々と水を蓄えた空間があった。まるで海をそのまま円柱の形にくり抜いて、そこに置いてあるようだ。

その中に、イルカが二頭泳いでいた。大きな水槽の中、彼らは私の頭の上を自由自在に跳ねていた。泳いでいるというよりは、空を飛んでいるようだ。その光景に、私は何度来ても息を飲んでしまう。

他の小さな水槽と同じようにイルカの巨大な水槽の前にも、手すりは備えつけられていない。きっとものすごい水圧に耐えられる強度のあるガラスなのだろう、そのガラスに客は頬《ほお》をつけることもできる。けれど私はイルカの力強い動きに圧倒されてか、そこまで近寄るのは何だか恐かった。

水槽の前にはゆったりと広くスペースが取られていて、弧の形に沿っていくつかベンチが置いてある。見ると二人の先客がいた。一人は七十を少し出たように見えるおじいさんで、もう一人はジーンズにトレーナー姿の男の子だ。二人とも何度かここで顔を合わせたことがあるので、常連さんと言えるだろう。

でも私達は挨拶《あいさつ》なんかしない。お互い微妙に視線をそらし、それぞれ距離を取ってベンチに座る。私は一番手前のベンチに腰を下ろし、イルカの水槽を眺めた。

二頭のイルカはオスとメスだと説明のプレートに書いてある。大きさはほぼ同じに見えるけれど、すぐに私は二頭を見分けられるようになった。簡単だ。よく見れば鼻先や尾びれの形が違うし、つるんとした肌も微妙に色が違って、片方は背中の真ん中あたりにうっすらと白い斑点《はんてん》があった。でも私には、どちらがオスでどちらがメスだかは分からない。勝手に斑点のある方を〝つぶつぶ〟、無地の方を〝プレーン〟と呼んでいた。

ここにはもう何度通っただろう。私はぼんやり考える。体調を崩して仕事を辞めてからそろそろ半年がたつ。水族館に来るようになってからは三ヵ月ほどで、週に二度ぐらいは訪れている。

具合がよくないのに、バスに二十分も乗ってここへ通う気になったのは、退屈しのぎに買った雑誌の小さな記事に〈イルカ療法〉という言葉を見つけたからだ。

それは、鬱病《うつびょう》や自閉症といった精神障害に対する治療法のひとつで、方法はただイルカと一緒に泳ぐだけだそうだ。泳げない人はライフジャケットなどを着て行う。〈イルカ療法〉を受けた人は例外なく生きる喜びを感じるようになり、自分にも社会に貢献する役割があると気づくようになる。最近ではガンや交通事故の後遺症など肉体的な病気にも試され効果をあげている、とその記事にはあった。

読んだ時は「ふーん」と思っただけだった。海でイルカと一緒に泳げたら、それはなかなかできない体験だろうし、楽しくて気持ちがいいだろう。でも、そんなことで病気が治るのなら誰も苦労はないのだ。その時私はまだ仕事を辞めたばかりだったので、何となく腹さえたって、その雑誌を最後まで読まずにゴミ箱に突っ込んだ。

けれど、凍えるような冬を抜け、空気が柔らかくなりアパートの前の桜の木に花が咲くと、自分が少し元気を取り戻してきたことを感じた。病院とコンビニに行く以外は部屋に閉じこもっている生活に飽きたこともあった。そろそろ、これからの身の振り方を考えなければならないなと思った時、その〈イルカ療法〉のことを思い出したのだ。

それを実践している医療機関を捜す気力はなかったし、自分で海に行ってイルカを捜す気力はもっとなかった。けれど、とりあえず水族館に行けば入館料だけでイルカを見ることはできる。一緒に泳いだり、つるっとした肌触りのよさそうな体には触れることはできないけれど、眺めることはできる。

幸い私のアパートの前から出ているバスに乗れば一本で水族館まで行ける。症状は相変わらずだったが、外出できないというほどでもない。試しにちょっとイルカを見に行ってみようか、という気に私はなった。

久しぶりに訪れた水族館に、私は改めてカルチャーショックを受けた。子供の頃、遠足でもっと大きな水族館を訪れている。大人になってから、半島の先にある近代的な水族館にデートで出掛けたこともある。なのに私はちっとも魚なんか見ていなかった。子供の頃はただはしゃいでいただけで、大人になってからはボーイフレンドの顔しか見ていなかった。

ここは静かだ。いや、耳の中には水音がうるさいぐらい響き続けているのだけれど、ここではそれが気にならない。平常心というものを、私は久しぶりに取り戻したような気がした。二頭のイルカが四角く区切られた青い空間を、体を弾ませて泳ぎ回る。それをただぼんやりと眺めているうちに、私は瞼《まぶた》が重くなってくるのを感じた。少しだけここで居眠りをしようか、そう思ってゆっくりと目を閉じたその時だった。

突然膝《ひざ》に、何か生暖かいものが触れた。驚きのあまり、私は飛び上がるように立ち上がってしまった。

見下ろした足元には、三歳ぐらいの子供が尻餅《しりもち》をついたまま、びっくりした顔でこちらを見上げていた。私が急に立ち上がったので、その拍子に転んでしまったのかもしれない。私もその子も、目を見張ってお互いの顔を見つめた。まずい、と私は思った。うすら寒い既視感が襲ってくる。あの時もこんな感じだった。私が絶句していると、その子の顔がみるみるうちに崩れていき、口を大きく開いて泣きだした。

母親らしい女性が慌てて近づいてくるのが見えた。両手で子供を抱き上げて、何か叱《しか》りつけるように言っている。そして私を見て複雑な表情をした。自分の子供が勝手に転んだのか、それとも私が突き飛ばしたのか、判断できないという感じだった。

その女の人が何か言った。まだ若い母親のピンクに塗られた唇が動いた。私は懸命に耳を澄ませたけれど、よく聞き取れなかった。

「すみません」

私は声に出して言った。自分でも、その声がちょうどいい大きさに発声されているのかどうかよく分からない。

「私、耳がよく聞こえないんです」

私はそう言葉にしてみた。耳鳴りがひどい。頭の中にわんわんとノイズが響いている。するとその母親は目を丸くして私の顔を見た。どうやらちゃんと伝わったようだった。彼女は大袈裟《おおげさ》に頭を下げた後、子供を追い立てるようにしてあたふたと去って行った。

私はぎくしゃくとベンチに腰を下ろした。貧血が起きたようで視界が色を失っている。鼓動が早く、掌《てのひら》には冷たい汗をかいていた。私はそこにうずくまり、目をつむって目眩《めまい》が去るのを待った。

これしきのことで情けない。そう思うと鼻の奥がつんとした。

ふと人の気配がして顔を上げると、常連の男の子の方が私の前に立って、心配そうにこちらを見下ろしていた。

「大丈夫です」

私は何とかそう言った。何だかすごく恥ずかしかった。心配してくれるのはありがたいが、できれば放っておいてほしい。

その子は困ったような表情を浮かべると、私の隣にどすんと腰掛け、持っていたディパックからノートとシャープペンシルを出し、そこに何か書きつけて私に見せた。

——耳、聞こえないんでしょ。

私はあっけに取られてその子の顔を見た。背は高いけれど、よく見るとまだ子供だ。中学一年か二年というところか。彼は続きをすらすらと書く。汚い字だ。

——声が大きいから聞こえた。何か飲むもの買って来る？

赤くなって私はうつむく。よく聞こえないせいか、どうもすごく大きな声で私は話していたようだ。

彼は私が返事をする前に立ち上がり、自動販売機でアイスコーヒーを買って来た。そして私の目眩がおさまるまでただ黙って隣に座り、私が「もう大丈夫」となるべく小さな声で言うと、彼は無表情のまま立ち上がり帰って行った。

そのそっけなさが幼くて、私は驚きながらも少しだけ笑った。


私の耳はまったく聞こえないわけではない。ただ、いつも耳の中に水が入っているような、長いトンネルに入った時のような、そんな感じの雑音が両耳の中で鳴っていて、普通の人が普通に聞いている日常の音がかき消されているのだ。

人の話は、比較的聞こえる方の左耳に向かって、ゆっくりはっきり言ってもらえば理解できる。けれど、それ以外は駄目だ。だから私は仕事を続けることができなくなった。

私は小学校の教師だった。一年前ぐらいから右耳に小さな耳鳴りが始まり、生徒に話しかけられたことに気がつかないことが何度か重なった。徐々に耳鳴りは大きくなっていき、ある日会議に出たら話が半分も聞き取れなくて愕然《がくぜん》とした。

もちろん私は耳鼻科に駆け込んだ。しかし、医者が私にくれたものは「滲出性中耳炎《しんしゅっせいちゅうじえん》」という病名と精神安定剤だけだった。そのうち治りますよと言われても私は不安で仕方なかった。

案の定、症状はいつまでたっても良くならず、私は仕事を辞めた。医者はただ首を傾《かし》げて「精神的なものかも」と言った。そんなことは言われなくても分かっていた。教師になって七年、そこそこ蓄えもある。しばらく何もせずゆっくり休んで治療に専念しようと思ったのだ。というよりは本当は、働こうとか頑張ろうとか、そういう気力がいっさい消えてしまったのだ。

最近、耳の具合は多少良くなっているような気がするが、でもそれは私が「聞こえにくい耳」に慣れただけのことかもしれない。

最初の頃は、沢山失敗をした。まだ教師をしていた頃は、目覚まし時計の音が聞こえなくて何度か寝過ごして遅刻をした。だから朝日が入って目が覚めるようにカーテンを開けて寝たり、トイレに行きたくなるように水を沢山飲んでからベッドに入ったりしていた。仕事を辞めてからも、コンセントをさしこんでないのに気がつかずに掃除機をかけていたり、換気扇を一週間も点《つ》けっぱなしにしてしまったこともあった。電話のベルも玄関のチャイムも聞こえにくいけれど、私にはもう誰からも電話など掛かってはこないし、訪ねて来る人もいないので特に不便は感じなかった。

最初は闇雲《やみくも》に恐かった外出も、慣れてくればそう大変なこともなかった。道路を渡る時はよく注意してあたりを見れば大丈夫だし、買い物もスーパーマーケットなら不便はない。

耳のことを除けば、私はだいぶ元気になっていた。元気といってもそれは、一日に四時間も五時間も泣き続けたり、「いのちの電話」に電話をしてみようかと悩んだりはしない程度のことだ。でもそれは、すごいことだと自分では思う。何しろ、食事はまとめ買いをした冷凍食品を温めるか、缶詰を開けるだけだった私が、今は野菜やお肉を買って来て煮物やお味噌汁《みそしる》なんかを作ったりするのだから。

どうせ毎日何もすることがないので、私は一日おきに部屋中の掃除をし、まめにシーツを洗ってベッドパッドを日に干した。テレビを見てもよく聞こえなくて苛々《いらいら》するだけなので、近所の図書館で小説を借りて来て読むようになった。なるべく現実離れした話、SFや歴史小説を私は好んで読んだ。

その日も私は自分で作った夕食を食べ、茶碗《ちゃわん》を洗って風呂《ふろ》に入った。まめに磨いているのでバスタブはぴかぴかで気持ちがいい。働いていた頃は、風呂の掃除がなかなかできなくて湯垢《ゆあか》のついた湯船に憂鬱《ゆううつ》な気分で浸かったものだった。今は健康で目一杯働いていた時よりも、何倍も人間らしい生活をしているように感じる。

風呂から出ると、私は顔や手足に化粧水を付けた。もう長いこと化粧もしていないので、荒れていた肌には潤いが戻っている。

真っ白なバスローブを肩に掛け、洗いたての髪をたらした私が、鏡の中でこちらを見ていた。げっそりしていた頬に少しお肉が戻った気がした。

こうやって回復していくんだな。

私はまるで初めて鏡を見たかのように、不思議な気持ちで自分の顔を見つめた。

〈イルカ療法〉の効果があったのだろうか。

私は今日助けてくれた男の子のことを思い出した。どう見ても学校をさぼっているのだろう。制服はどこかで着替えているのか、いつもジーンズ姿だった。

背丈はあってもひょろりと細く顔色が悪かった。目鼻だちも平凡だし、目立つタイプの子ではない。学校で苛《いじ》められているとか、成績が悪いとか、そういうトラブルを何かしら抱えているに違いない。一人で水族館に、それも空いてる時間を狙《ねら》って頻繁《ひんぱん》に通っているなんて、あのおじいさんにしろ私にしろ、何かの拍子で普通の人間関係からはじき出されてしまっているのだ。

明日は週末だから月曜日まで水族館には行けない。人でごった返している場所にはさすがに行きたくはない。

いや、それともしばらく水族館に行くのはやめようか、と私は思った。何となく、あの男の子に会うのが恐かった。

タオルで髪の水滴をぬぐいながら、私はそっと息を吐いた。

そして月曜日、私はやたら朝早くに目が覚めてしまい、土日のうちに掃除も洗濯も食料品の買い物も済ませてしまっていたので、迷った末に結局、水族館に出掛けた。

切符を受け取るアルバイトの女の子が、その日は私を見て小首を傾げた。会釈をしたのか、さすがに私を訝《いぶか》しく思っているのかどちらかだろう。

朝から小雨が降っていたせいか、館内には私以外に客の姿は見えなかった。私はゆっくりといつもの順路を回った。外が雨のせいか、館内はいつもよりひんやり感じられる。

一階の隅にずっと空いていた水槽があって、今日はそこにクラゲが入れられているのを発見した。新入りの水槽を、私は鼻先をつけて眺めた。半透明の白い水クラゲがふわふわと漂っている。その姿に私は見入った。これは私に似ている。ただ意味もなくふらふらして気味悪がられる、何の役にも立たない生き物。

気が済むまでクラゲを眺めてから、私は二階へ上がった。イルカの水槽の前には、大学生風のカップルと、常連のおじいさんがいたが、あの男の子の姿はなかった。さすがに月曜日だし学校へ行ったのかもしれない。

私は複雑な気持ちを抱えて、ベンチに腰掛けた。〝つぶつぶ〟と〝プレーン〟はいつものように銀の泡をまき散らしすいすいと泳ぎ回っている。私は膝の上に頰杖《ほおづえ》をつき、ぼんやりと彼らを眺めた。一時もじっとしていない。四角い空間を跳ね回っている彼らはとても楽しそうに見える。けれど、本当はどう思っているのかなんて人間には分からない。広い海を自由に泳いでいたのに捕まって、こんな狭いプールに閉じ込められて嘆いているのかもしれない。

ふと見ると、水槽の端に何かスピーカーのような物が取り付けられているのに気がついた。先週来た時には確かそんな物はなかった。立ち上がって近寄り、その小さなスピーカーの横にある説明のプレートを読んでみた。

水中にマイクを設置したのでここからイルカの声が聞こえます、というようなことが書いてあった。私は肩をすくめ、左耳をそのスピーカーに近づけてみた。何も聞こえない。イルカが鳴いていないのか、私の耳が音を拾えないのか。

水槽に近寄った私の前を、ふっと大きな物が横切って私はぎょっとした。ガラスで仕切られたすぐ目の前を〝つぶつぶ〟が泳いで行ったのだ。

もしかしたら何か言いにきたのかな、と一瞬思い、そのばかばかしい妄想に私は苦笑いを浮かべ、のろのろとベンチに戻り腰を下ろした。

それにしても、新しいクラゲの水槽といい、イルカの声が聞こえるスピーカーといい、この水族館も色々と工夫をしているようだ。

人間は努力する動物だな、と私は思った。例えばテストで七十点を取ったら、次は八十点取らなければならないのが人間だ。

私が勤めていたのは、ある私立大学の付属小学校だ。エスカレーター式に有名私立大学に進学できるせいか、入学する時の試験と面接は非常に厳しい。それ故親が金持ちで教育熱心、子供自身もはきはきした明るい子が多い。けれど、全員が中等部に進めるわけではないのだ。成績が著しく悪かったり、素行の悪い子は振り落とされる。

私は何クラスか担任を務めたけれど、どのクラスにも必ずそういう子がいた。お坊ちゃん学校の校風に馴染《なじ》めなかった子や、何かをきっかけにして学力が伸びなくなった子、そして親に反発してか、わざと勉強しなくなる子もいた。

そういう子を助けたい、などと思ってしまったことが間違いだったのだと今は思う。こうして耳が不自由になり、初めて私は、頑張れ、という言葉の残酷さを知った。

嫌なことを思い出してしまい、私は瞼を閉じた。そろそろ私も済んでしまったことは忘れて社会に復帰しなければならない。本当はもう仕事などしたくないけれど、働かずに暮らしていけるほど恵まれた人生ではないのだ。もうイルカの水槽の前から立ち上がり、最近行かなくなっていた病院に行って補聴器を着けてもらい、何か仕事を捜さなければならない。

そして、私一人がご飯を食べられるだけのお金を稼いで、クラゲのようにただふわふわと生きていこう。

そう思って瞼を開けると、目の前にこの前の男の子が立っていた。私が驚いて目を見張ると、彼は首だけ曲げて私に挨拶し、何か書かれたメモを渡してきた。

そこには「隣に座っていいですか」と書いてあった。

「全然聞こえないわけじゃないの。左は結構聞こえるから、こっちに座ってくれる？」

私がそう言うと、彼は恥ずかしそうに頭を掻《か》き、ぎごちなく隣に腰を下ろした。そして黙ったままイルカが泳ぎ回るのを目で追っていた。

何か言うのかと思っていたのに、いつまでたっても彼は何も言わなかった。きっと聞いてほしいことがあるに違いない。でも言いだせないに違いない。これが一年前の私だったら、何年生なの？ いじめにでもあってるの？ 家族の人に話をしてあげようか？ などとお節介なことを口にしていただろう。

「どっちのイルカが好き？」

でも、何か話をするきっかけを作ってあげようと思い、私は彼にそう尋ねた。一重瞼の細い両目が不思議そうにこちらを見た。

「私はつぶつぶの方が好きなの」

「え？」

「ほら、少し色の濃い方の子は背中に薄く斑点があるでしょう。あの子の方がちょっとおとなしいの。プレーンの方はやんちゃで可愛《かわい》いけど、うるさい感じもする」

この前大きな声と言われたので、私は小声でそう言った。「聞こえた？」と目を覗き込むと、彼は感心したように頷《うなず》いた。

「区別なんか、つかなかった」

「ずっと見てたのに？」

「注意力散漫だって、よく言われる。でも、つぶつぶとプレーンなんて、ヨーグルトみたいだ」

そう言って彼は無邪気に笑った。私もつられて笑ってしまう。

「あの、お願いがあるんです」

言葉を区切って、大きくはっきり話してくれるので、彼の言葉はよく聞こえた。

「手を握ってもいいですか」

「……は？」

聞き間違いかと私は思った。けれど、そのとたん彼の手が伸びてきて、私の左手をぎゅっと握った。私はどうしたらいいか分からなくて固まってしまう。痴漢、と叫んで張り倒すほど相手は大人ではないし、よしよしと頭を撫《な》でてあげるほどの子供でもない。

でも、唇を噛《か》んでうつむいている様子には、何か切羽詰まったものを感じた。

「……何か、恐くて」

もう少しで聞き逃してしまうほど小さな声だった。え？　と聞き返したとたん、彼は唐突に手を放して立ち上がった。

そしてペコンと頭を下げると、出口に向かって大股《おおまた》で歩いて行ってしまった。


アパートに帰ると、ドアの郵便受けに手紙が一通来ていた。

私はそれを無造作に取ると、差出人も見ないでその辺に放った。仕事を辞めてからたまに手紙が来る。このところ続けて来たので、もしかしたら私に何か伝えたいことがあるのかもしれない。けれど私はどうしても、別れた恋人からの手紙を読む気にはなれなかった。でも、捨ててしまう勇気もないのだ。そんな自分が情けない。

私はぺったりと床に座り込んだ。そして中学生の男の子に握られた左手を、そっと上げて眺めてみる。ここのところ凪《な》いでいた感情が、ざわざわと嫌な感じに波立つのを感じた。

恐い、と言っていた。いったい何を恐れているのだろう。最近頻繁に新聞に載る、子供の自殺の記事が頭を過《よぎ》る。無理矢理にでも理由を聞けばよかっただろうか。

昔の恋人から来た白い封筒が、視界の隅に落ちている。私は両手で耳を押さえてうずくまった。耳鳴りが気になって、吐き気さえする。

どうしたらいいか本気で分からなかった。下手に手を出したら、また同じ過ちを繰り返してしまう気がして恐かった。

私が学校を辞めたのは、耳が聞こえなくなったからではない。直接の原因は、私が生徒に体罰を加え、それが問題になって免職になったのだ。

私は五年生のクラスを受け持っていた。そして一人の問題児に手を焼いていた。教師になってから七年、私は何人かの問題児に悩まされてきたけれど、あの子ほど難しかった子はいない。

とにかく普通の子に見えるのだ。目立つほど明るい子ではないが、心配になるほどおとなしいわけでもない。一番見過ごしてしまうタイプだ。親の前ではもちろん、教師の前でもその子は〝普通の子〟を装っていた。その子が問題児だった表面的な理由は、出席日数が少なかったことと、それ故に成績も芳しくなかったことだ。

けれど、本当の問題はその子の性格にあった。虚言癖といじめだ。性格の弱い一人のクラスメートにターゲットを絞り、ねちねちと嫌がらせをするのだ。習字の道具を隠したり、靴を捨てたり、その身体的な欠点をしつこく笑ったりする。私はそれを苛められた本人から聞いて、本当かどうかその子を問いただした。

そんなことしてどういう意味があるの、あんな子に僕は興味ないよ。その子は平然と言ってのけた。本人はそう言ってしらを切るし、クラスの子供達もあまりに彼が普通なので、その子のやっていることに気がつかなかった。

調べてみると彼の両親は別居状態で、裕福な家ではあるらしいが家に帰ってもほとんどの時間を一人きりで過ごしているようだ。出席日数が足りないと中等部に上がれないと母親に連絡をしたら、私は留守がちだから、先生が気をつけてモーニングコールでもして下さいよと言われてしまった。

私はその子が憐《あわ》れに思えた。何とか彼の、淋《さび》しさ故にねじ曲がってしまった心を治してあげたかった。

でも、その子は私が近づくのを迷惑がった。何を聞いても嘘《うそ》ばかり言い、もう苛めないと約束したのに、依然としてターゲットの子から小遣いを巻き上げたりしていた。

その頃にはもう私は耳鳴りが始まっていて、苛々していたのだと思う。ある日、小テストの答案用紙を生徒に返していた。一人一人名前を呼んで、教壇に取りに来させた。私は「有田君」とその子の名前を呼んだ。無表情に彼は私の前までやって来た。

「もう少し頑張らないとね」

クラスで最低点だったので、私は励ますつもりでそう言った。答案用紙を受け取ったその子は何か呟《つぶや》いた。

人の声が聞き取りにくくなっていた私は「え？」と聞き返した。すると彼は私に手招きした。私はまだ何ともなかった左耳を彼に近づけた。

「いちいちうるせえんだよ、ババア。お前のためになんか勉強してやんねえよ」

にこにこ笑って、その子は私の耳元でそう囁《ささや》いた。そして、こう続けた。「どうせ聞こえねえんだろうけど」

きっと他の生徒達には何やら楽しそうに内緒話をしているように見えただろう。

気がついた時には、私はその子の頬を思い切り叩《たた》いていた。体中の血が沸騰し、目の前が真っ赤になった。あっけなく尻餅をついて目を丸くしているその子の襟を摑《つか》み上げ、私は再び手を上げた。

後ろで生徒達が大きな声を上げ、隣のクラスの先生が駆けつけて来るまで、私は何発その子を叩いたのか分からない。暴走してしまった感情が、自分では止められなかったのだ。

うちの学校は私立だったし、体罰には親も学校側も非常に敏感になっている時だったので、私は事情も聞かれないで、あっという間に懲戒免職となったのだ。

その時恋人だったのは、同僚の教師だった。でも彼に何ができるわけでもないし、事実何もしてはくれなかった。ただ目を伏せて、お義理のような慰めの言葉をかけ、それから静かに私から離れていった。

彼を責めようとは思っていない。そんなことより、私は自分自身が恐かった。それまで私は自分のことを、正義感の強い、どちらかというと優しい人間だと思い込んでいたのだ。子供が好きで、だから中学や高校より小学校の先生になろうと十代の頃から決めていた。なのに自分で自分の化けの皮を剝《は》がす結果になってしまった。私は私の中にある、醜い私に打ちのめされた。

善人ぶっていたから、無理がきたのだ。だから耳が聞こえなくなったのだ。私はそう解釈をした。だから自ら一人きりになり、孤独な毎日に安らぎを見いだした。他人と係わらなければ、自分の弱い面を見ないで済む。

同僚の教師だった彼からの手紙を読みたくなかったのは、きっと謝罪や慰めや、前向きに頑張ってほしいなんて台詞《せりふ》が書かれているに違いないと思ったからだ。

私は諦《あきら》めをつけたように息を吐き、立ち上がって床に落ちていた手紙を拾った。どうしたらいいか、今抱えている問題の答えがここに書いてあるわけはない。けれど私は読まずにいられなかった。

手で封筒を開け、私は中から便箋《びんせん》を取り出した。

便箋は一枚きりだった。

具合はどうですか、心配しています、手紙を読んでもらえているのかどうか分かりませんが、とにかくこれだけはお知らせします、と書き出しにあった。

そして次の行にはこう書いてあった。

有田君は、中等部に進学できることになりました。

あれから毎日通っているのに、あの中学生は現れない。でもきっともう一度、あの子はここに現れるだろうと私は思う。

イルカの水槽の前に、私は座っている。

私が暴力をふるってしまった生徒が、中等部に進学が決まったことを知って、少しだけ胸の重みが軽くなった気がした。ということは、あれからあの子は足りない出席日数を取り戻すために毎日のように学校に通ったのだ。成績だって進級できるぐらいのものが取れたのだ。だからといって私のしたことが正当化されたわけではないが。

二頭のイルカは、いつものようにただ水槽の中を泳ぎ回っている。キュキュッという、おもちゃの人形のような鳴き声が聞こえた。彼らは頭がいいらしく、わざわざ水中に取り付けられたマイクに向かって何か言っているのを私は発見した。

耳の中に溜《た》まっていた水を病院で抜いてもらったので、耳鳴りもだいぶ治まっているし、補聴器の具合は思ったよりずっといい。

私は〝つぶつぶ〟と〝プレーン〟がふざけてお互いをつつきあったり、すれ違う時に鼻先をくっつけあったりするのを見て微笑《ほほえ》んだ。

そして、あの子が来るのを待っている。聞こえる耳を準備して。

青の使者

唯川　恵

朝、起きると、水槽の中に白い腹を見せた鯉《こい》が浮かんでいて、容子は絶望的な気分になった。

二年飼っていた三匹のうちの、最後の一匹だった。

あのブルーの鯉を入れたのが間違いだったと、容子は改めて唇を噛《か》んだ。それは半月ほど前、たまたま出掛けた商店街のお祭りで売っていたものだった。

「気にいったかい？」

プラスチックで作られた水槽の中で、金魚すくいの金魚に混じって泳いでいるその珍しい魚を見つけた容子に、年老いたテキ屋が言った。

「金魚じゃないよ、鯉だ」

「本当に？」

「秋翠《しゅうすい》っていうんだ。普通は腹に朱色が入ってるんだが、全体が青ってやつはなかなか手に入らない。育ったらもっと青が濃くなるんだ。お客さん、見たことないだろう」

「ええ」

ためらいながら頷《うなず》くと、その男は満足そうに目を細めた。

「見世物用に出しているんだけど、どうだい？　買ってくれるんなら安くしとくよ」

確かにその鯉は美しいブルーをしていた。これを見たら森岡が喜ぶかもしれない、そう思った。

容子は買って、アパートに戻り、水槽に入れた。古参の紅白模様の三匹の鯉は、突然の闖《ちん》入者《にゅうしゃ》に最初は落ち着きなく水槽の中を泳ぎ回ったが、すぐに馴《な》れたようだった。

ブルーの鯉は、まだ小さく体長は十センチそこそこだ。しかし三匹の鯉と違って鱗《うろこ》は大きく、背鰭《せびれ》の基部の両側にきちんと並列している。腹の辺りにいくつか白い小さな斑点を持っていた。水槽の中を、柔らかい曲線を描きながら泳ぐ姿は、シフォンのドレスをまとったような優雅な雰囲気さえあった。

しかし残念なことに、買って幾日もたたぬうちに死んでしまった。夜店で売っているものなど、所詮、死にかけたものばかりだと聞いたことがある。ブルーという珍しさに惹《ひ》かれて買ってしまったが、騙《だま》されたことを悔やんでも仕方なかった。

おかしいと感じたのは、それから三日後の日曜のことだ。三匹のうちの一匹が、身体に粉を振りかけたような白い斑点を浮かび上がらせたのだ。頼りなく鰭を動かす仕草からも、弱っているのは明らかだった。餌《えさ》を与えても、いつものように食いつこうとしない。不審に思って、飼育の本を開いた。

「白点病……」

その症状にぴったり当てはまった。イクチオフチリアスという原虫の寄生によるものだ。今まで何事もなかったのに、どうして急にそんな病気にかかってしまったのだろう。

そして気がついた。

あの鯉だ。夜店で買ったブルーの鯉が病原体を運んで来たのだ。

案の定、見る間に残りの二匹も、身体に白い斑点を浮かび上がらせた。容子は洗面器に鯉を入れ、ペットショップに走った。

「こりゃ、ダメだね」

ショップの主人は淡々と言った。それから容子に顔を向け、少しばかり気の毒そうな顔をした。

「薬があるから、とりあえずそれで薬浴させてみるといい。水温を二十五度ぐらいにまで上げてね。でもまあ、こうなったら気休めにしかならないだろうけど」

落胆して、部屋に戻った。言われた通り、水温を上げて水槽に薬を溶かしたが、その中に放しても、白い斑点はすでに皮膚の奥深くまで浸透しているのか、鯉たちは息たえだえにエラをぱくぱくさせるばかりだった。

何てバカなことをしてしまったのだろう、と今さら悔やんでも手遅れだった。

翌日に一匹、その二日後にもう一匹、そして今日、最後の一匹も死んだ。三匹とも色彩を失い、鱗は醜くただれていた。

三匹の鯉は二年前、森岡が容子の部屋に持ち込んだものだ。それは森岡との関係が始まった時に一致する。

世の中にはどうしようもない男がいて、その男から離れられないどうしようもない女がいる。それが森岡と自分だと、容子は知っていた。

森岡は容子より七歳上の三十六歳、しかしもっと老けて見える。ずんぐりとした身体に、髪は頭頂部がかなり薄くなっていて、最悪なのは、口を開くと犬歯の隣りに金歯が見えることだった。

彼は駅前で不動産屋を経営していたが、仕事はほとんどなく、パチンコや麻雀で毎日をだらだらと過ごしていた。口が上手《うま》く、モテないくせに女にはこまめに手を出した。容子と付き合い始めてからも、何人もの女の影が現われては消えて行った。

そういった生活ができるのも、一回り年上の妻のおかげに他ならなかった。十年ほど前、未亡人となった女にうまく取り入って、森岡はその家に入り込み、今の生活を手に入れたという。

けれども金を引き出すのは妻だけでは収まらず、森岡は容子にまでせびった。容子は小さな食品販売会社で事務の仕事をしていて、大した収入があるわけではない。それを知っていながら「ちょっと手持ちがなくて」と一万か二万、やがて五万十万と少しずつ金額を重ねて、二年の間で渡した金はゆうに百万を越えていた。

容子は森岡と会うと、いつも腹が立ってならなかった。こんな男とどうして自分は付き合っているのだろう。どうしてお金を出しているのだろう。どうして部屋に入れてしまうのだろう。その怒りは容子の身体の内側に常に張りついていて、何の前触れもなく爆発した。それは森岡が部屋で呑気《のんき》にナイターを観ている時とか、幸福そうに蕎麦《そば》をすすっている時だった。

突然、容子は腹を立ててヒステリックに叫び出す。そんな時、森岡はいつも身体を小さくして謝った。

「ごめんな、ごめんな、みんなワシが悪いんや」

森岡は決して容子の怒りに、怒りで返したりはしない。かと言って、部屋から帰ろうともしない。卑屈に謝りながら、すぐにスカートの中に手を入れて来る。容子はその手を足で蹴《け》り、爪でひっかく。謝りながら、森岡の手は確実に容子の下着を剝《は》ぎ取ってゆく。そうやって、いつもセックスしてしまうのだ。

森岡は週に二度か三度の割合でこの部屋を訪れる。鯉の世話はほとんど彼がやった。鯉は自分が住む器の大きさで、成長の度合いを変えるという。十ガロンほどの水槽の中では、二十センチほどに育つのがやっとなのだろう。ろ過装置もエアポンプもセッティングされているので、容子は朝に一度、市販の餌をやるだけでよかった。

二年間、この部屋で森岡と容子がして来たことを、三匹の鯉たちは見ていたはずだった。からっぽになった水槽は、そこだけ切り取られてしまったように空虚だ。膝《ひざ》を抱えてぼんやり眺めていると、森岡と自分の関係も、すべてが幻だったような気になった。

確かに、幻かもしれない。あれだけ頻繁に訪れていた森岡からの連絡が途絶えて、すでにひと月になろうとしていた。

町の西のはずれにあるその屋敷はかなりの広さだが、板塀《いたべい》は朽ちていて、軒先の瓦《かわら》は所々欠けていた。玄関脇に徳山石らしい大きな石が置いてあり、そこにわずかに裕福さの名残りがあった。そう言えば、かつて石材店をしていたと聞いたことがある。確かに、壊れた板塀から中を窺《うかが》うと、母屋の隣りに納屋があり、そこに石切りの機械らしいものが垣間《かいま》見えた。

この家を訪ねることに迷いがなかったわけではない。できるなら妻の立場を持つ女まで巻き込みたくなかった。しかし森岡の仕事場は休業の札がかかったままになっており、携帯電話の電源も切られていた。容子にはもう、待つことが限界になっていた。

森岡が愛しいわけではなかった。あんなどうしようもない男、別れるにはいいチャンスだ。そしてどうしようもない自分も捨てる。

しかし、このまま黙って引き下がっては腹の虫が収まらなかった。引導を渡すのは自分でなければならない。何より、渡したお金だけは取り返さなければ気が済まなかった。

どこかで水の音がしている。懐かしいような響きだ。

呼び鈴を押すと、しばらくして玄関先に女が顔を出した。森岡の妻、芙美だ。グレーの綿のワンピースにベージュのレースのカーディガンを羽織った五十間近の芙美は、顔を合わしたとたん、気が滅入りそうなくらい陰気な雰囲気を持っていた。

芙美は容子を見ると、名前を尋ねることもなく「どうぞ」と家の中に招き入れた。容子のことはすでに知っているようだった。容子は黙ってそれに従った。

通された和室は廊下をいくつか折れた先にあった。まだ陽は高かったが、庇《ひさし》が長く伸びた部屋は暗く、目が馴れるまでに少し時間がかかった。濡れ縁の先にはかなりの大きさの庭が広がっていたが、手入れはほとんどされてなく、植木が雑然と茂っていた。そこから虫の音か、風に葉が擦《こす》れ合っているのか、ざわざわとした湿った音が聞こえていた。

芙美は座布団をすすめると、すぐに姿を消した。お茶でもいれにいったのだろう。ふと、濡れ縁の下辺りから水の跳《は》ねる音が聞こえ、容子は立ち上がった。思いがけず、そこに池があった。植木に隠れてよく見えないが、池は庭のかなりの広さを占めていて、縁の下まで潜り込むように広がっていた。けれども驚いたのはそのことではなかった。池の中には無数の鯉、百匹ほどもいるのではないかと思われるほど、多くが放たれていた。

そのどれもが見事な鯉だった。体長は一メートルもあろうかと思われるものばかり。朱一色、白に朱、白に朱と黒、白に黒、朱に黒、プラチナ、黄金。さまざまな色彩が、暗い池の中をゆったりと泳ぎ回っている。

「あれは銀鱗紅白、それから丹頂」

いつの間にか、芙美が背後に立っていた。彼女はいくつかの鯉を指差しながら言った。

「大正三色に緋写《ひうつ》り、別光、浅黄、山吹黄金、プラチナ黄金」

どれもこれも、大きさといい色彩といい、容子のアパートで泳いでいた鯉とはとても同じものとは思えない。

「今年の夏は暑かったでしょう。少し元気がなかったんですけど、餌を変えてからようやく発色もよくなって。さあ、こちらにどうぞ、お茶をいれましたので」

芙美に促され、容子は卓を挟んで彼女と向き合った。鯉の名を口にした時はあんなに軽やかだったのに、目の前の芙美は俯《うつむ》き加減に頭を垂れ、容子とほとんど目を合わさなかった。それは容子を避けているというより、習性なのだろう。たぶん、彼女はずっとそんなふうに生きて来たに違いない。

面倒な話は早く済ませてしまいたかった。玄関先で初めて芙美を見た時、こんな老けた女と天秤《てんびん》にかけられていたことに腹立たしさは倍増したが、見事な鯉を理由にすれば、何とか気持ちは落ち着けた。

容子は膝を整えた。

「もうご存じのようですけど、私、お宅のご主人と付き合っていました」

芙美がいっそう頭を垂れた。こういった態度をとるのは本来は逆ではないか。愛人が妻にとる仕草だ。でも、それならそれでいい。妻に開き直られる前に、話をつけてしまおう。

「ご主人が私と別れるというなら、それでいいんです。私だって、いつまでもこんな関係を続けてゆく気なんてなかったですから。ただ、貸したお金だけは返していただきます。あの人、逃げ回ってるのか、全然連絡がつかなくて、本当は奥さんのところに来るなんてしたくなかったんですけど、仕方ないでしょう。会わせてくれるなら、直接話をしますけど」

「いえ、それは……」

「だったら、話はここで済ませます。金額は百万です。本当はもっとあるんですけど、百万でいいですから、返してください。それさえ貰えば、すべてきっぱり終わりにしますから」

鯉が跳ねたようだ。その水音は容子と芙美の救いようのない距離を知らしめるように、やけに長く余韻を残した。

「森岡は出てゆきました」

芙美が呟《つぶや》くように言った。

「え？」

すぐには意味がわからず、容子は聞き返した。

「もう、ひと月になります。あの人はここにはいません」

「本当に？」

「私にはもう何もないんです。この屋敷も抵当に入ってます。庭木や庭石も、価値のありそうなものはただのひとつも私の自由にならないんです。その鯉もです。私は餌を与えて世話をするだけ。三ヵ月後には、ここを出て行かなくてはなりませんから。だから、申し訳ないのですが、あなたにお金を返してあげられないんです」

「森岡のために、すべてを？　金の切れ目が縁の切れ目ってことですか？」

「だからって、あの人を恨んではいません。あの人がいたから、こんな私でもこの十年、女でいられたんですから」

「じゃあ彼は今、どこに？」

「さあ」

「さあって」

芙美は庭に目をやった。何もかも失ってしまった女は、目に映るものに焦点を合わす気力さえないようだった。

「私は、あなたの所かと思ってました」

その言葉に、皮膚が粟立《あわだ》った。これが芙美の最大の皮肉なのだと思った。

「でも、もし、そうでないとしたら」

芙美が魚に似た薄い膜を被せたような目で容子を見た。

「ユリ……」

「え？」

「ユリという女性をご存じかしら」

その時、容子の脳裏にはひとりの女が浮かんでいた。

ユリは森岡の事務所の隣りのビルで、喫茶店のウェイトレスをしていた。森岡が姿を隠すずっと前、そこで一度待ち合わせをしたことがある。その時、森岡の目が落ち着きなく彼女を追っていることに気がついた。

どうせいつものことだと、タカをくくっていた。どんなに気にしようが、まだ二十歳そこそこのユリが森岡のような冴えない男を相手にするはずがない。

今思えば、その時以来、容子と決してその店で待ち合わせなくなったことを勘繰るべきだった。想像はひとつの結論に向かっていた。とにかく、確かめなければ気が済まなかった。

喫茶店に行くと、ユリはもう辞めていた。容子はカウンターでコーヒーを一杯飲んでから、オーナーらしい男に探りを入れてみた。

「ユリちゃんに会いたいんだけど、どうしたらいいかしら」

「さあ、もうここを辞めてひと月ばかりだし、次の働き先も聞いてませんから」

オーナーは洗ったカップを拭き、壁の食器棚に戻してゆく。

「住所はわからない？　電話番号だけでもいいけど」

オーナーはいくらか胡散《うさん》臭そうな目を向けた。

「何でそんなに知りたいんですか？」

容子は思いついたセリフを口にした。

「私、ちょっと雑誌の仕事をしているんだけど、彼女に写真のモデルになってもらえないかなって思って。ここのお店の名前を出してもいいわ、そうしたら宣伝にもなるでしょう」

オーナーはふうんと頷き、しばらく考えてからレジまで行き、手帳を広げながら戻って来た。

「まだ、そこに住んでいると思いますけど」

と前置きして、ユリの住所を読み上げた。

ユリのアパートは、白い壁と曲線の柵《さく》に囲まれた洒落《しやれ》た新築の二階建てだった。ここを斡旋したのはたぶん森岡だろうと思った。

森岡がいれば、話は早くつく。日曜日の午前中ならいる可能性は高いと思ってやって来た。いなければいないでも構わない。彼女に森岡の連絡先を尋ねるだけだ。

　ドアのチャイムを押すと、インターホンを通して疲れた感じの声が返って来た。

「誰?」

　一瞬、名乗っていいものか迷った。もし中に森岡がいたら、逃げてしまうかもしれないけれど、反射的に告げていた。

「北川って言います。北川容子です」

「新聞も宗教も間に合ってるから」

「そうじゃないの。ちょっと尋ねたいことがあって」

「なに?」

　怪訝《けげん》な声が返って来る。

「とにかく、少し時間もらえないかしら?」

　少し間があって、ドアが開いた。迷惑さを隠そうともせず、ユリが半分顔を覗《のぞ》かせた。

「何なの?」

「森岡のことよ」

「森岡?　ああ、ノブちゃん。彼がどうかした?」

　森岡の下の名前は信雄という。その呼び方は容子に確信を与えた。

「連絡を取りたいの。どこにいるか、あなた、知ってるんでしょう」

「あんた、ノブちゃんの何？」

ユリの目がからかうように細まった。容子はひどく屈辱的な気分になった。

「知ってるなら、教えて」

「ふうん」

ユリは軽く容子を見据えてから、ドアを開いた。中に入れと言うことらしい。容子はドアを右手で押さえ、部屋を覗き込んだ。十畳ばかりのワンルームだ。部屋は雑然としていた。床には服や雑誌が放り出されている。ベランダに続く窓の前にベッドがあり、布団がめくれていた。森岡の姿はないが、慌ててクローゼットの中にでも隠れたのかもしれない。

「何してるの、入ったら」

「ええ」

容子は靴を脱ぎ、部屋に上がった。上がり框《がまち》にも森岡の靴はないが、抜け目のない男だから、忘れずに持って隠れたとも考えられる。

「どうぞ」

促されて、テーブルの前に座った。ユリは容子に背を向けると、堂々と着替え始めた。パジャマを脱ぐと白い背中があり、くっきりと背骨が浮かび上がって、それはくびれた腰につながっていた。人前で着替えることを恥ずかしいと思わない。その無神経さは、ユリの自分の若さに対する絶対の自信にも思えて、容子は目をそらした。

目の前に座った時、ユリは細身のジーンズに白のタンクトップ、その上から透ける素材の淡いブルーのブラウスを羽織っていた。それはとても美しいブルーをしていた。

「あなたさ、前に私がバイトしていた喫茶店に、ノブちゃんと一緒に来たことあったわよね」

それには答えず、容子は質問を続けた。

「それで、森岡はどこ？」

「あなた、ノブちゃんの愛人？」

「居所さえ教えてくれればそれでいいの」

ユリは灰皿にいっぱいだった吸い殻をそのままばさっとゴミ箱に捨てると、煙草をくわえた。

「知らないわ」

「知らない？」

「そう、知らない」

「そんなわけないでしょう」

容子は声を荒らげて部屋の隅に目を向けた。そこには水槽があった。容子の部屋にあるのと同じものだ。中には鯉が三匹。これも、ほぼ同じ紅白模様の鯉。

「ああ、それね。確かにノブちゃんが持って来たわ。鯉を飼うのが趣味なんてダサイわね。面倒だから捨ててしまいたいんだけど、そうもいかなくて。ちょうどよかった、あなた、持って帰ってよ」

ユリは容子に背を向け、水槽を覗き込んだ。着ているブルーのブラウスが、身体の動きに添ってしなやかに揺れた。

「よかったわね、あなたたち。もらってくれる人がいて」

ユリが水槽のガラスを伸びた爪でコツコツ叩《たた》くと、鯉は餌をもらえると思ったのか、水面へと上がり、口をぱくぱくさせた。

「あなた、そんなに惚れてるの、ノブちゃんに」

水槽を覗き込んだままユリは言った。

「違うわ」

「あんな男のどこがいいの」

「違うって言っているでしょう」

激しく言い返した。惚れてなんかいない。森岡が最低の男だということは、ユリの百倍も知っている。貸したお金を返して欲しいだけ。それさえ返してもらえば、後はどこの女とどうなろうが、知ったことじゃない。

「金はなくてチンケで、前歯に金歯なんか入れちゃってるダサイ男。その上、セックスだってただナメまくるだけ。取り柄なんかひとつもない男じゃない。悪いことは言わないわ。早く手を切った方があなたのためよ」

そう言って、ユリは小馬鹿にしたように水槽を覗き込んだまま笑った。

この女はあの鯉だ。美しいブルーで人の目を惹き、その身体の中に息を止める病原菌を隠し持っている。ひどく汚らしく、まがまがしく見えた。あの時、どうしてあの鯉に目を止めてしまったのだろう。あの鯉さえ買わなければあんなことにはならなかった。死んでいった鯉たちの白い斑点が蘇《よみがえ》る。体中をかさぶたにして、目を濁らせ、醜く姿を変えていた。目についたのは、テーブルの下に転がっていた烏龍《ウーロン》茶のペットボトルだった。それはまだ手を付けてなく、持つとずっしりとした重みがあった。早く、殺してしまわなければ。そうしなければ、自分までこの鯉に病気を移されてしまう。容子は素早く立ち上がると、ボトルを振り上げた。それは重さの倍の勢いをもってユリの後頭部に落ちて行った。確かな手応えを、両手に感じた。

鈍い音の後、ユリは身体を丸め、両手で頭を抱え込んだ。短い叫び声を何度も繰り返し、足をバタバタさせた。まだ生きている。白い斑点が自分の身体に広がってゆくことを想像した。息の根を止めなければ。完全に殺してしまわなければ。

容子はユリに馬乗りになり、首に手をかけた。水の中にいるように、耳の奥でぐわんと音が鳴った。力をこめると、指と指の間に柔らかな肉がめりこんだ。爪が骨に当たり、皮膚を破る感触があった。

ユリは暴れたが、容子はそれを全身で押さえつけた。大きく見開かれた目が充血し、容子を見据えている。伸ばしたユリの手が、苦しさに容子の両腕をかきむしる。容子はいっそう力をこめた。やがてユリの手は宙をさ迷い、力なく床に落ちた。唇から血の混ざった唾液が頬《ほお》を伝って流れてゆく。それでもまだ息を吹き返しそうな気がして、容子は両手に力をこめ続けた。

ブルーの鯉はもういない。

もう、自分の身体が白い斑点に覆われる恐れはない。ここに横たわっている女は誰だろう。ブルーのブラウスを着た女。ブルーの鯉はもういない。

どのくらいの時間がたったのか、容子にはよくわからなかった。日差しが窓から長く差し込んでいる。ここに来たのは確か午前だった。もう夕方だろうか。

頭の中では、まるで二本の映画を同時に流しているように、映像が入り組んでいた。ブルーの鯉、ブルーのブラウス。白い斑点、女の白い背中。指先に疼《うず》きを感じて両手を見ると、爪の間に血と肉のかけらがめりこんでいた。

容子は立ち上がって、まず鯉に餌を与えた。よほどお腹がすいていたらしく、鯉は大きく口をあけて食いついた。爪先が水に浸り、そこにめりこんでいたものさえ鯉はたいらげた。

足元を見下ろすと、大きなブルーの鯉が横たわっている。容子は鯉たちに呟いた。

「もう大丈夫よ、悪い鯉はいないから」

そう言ったとたん、言いようもない恐怖に包まれた。おぞましさに身体が震えた。喉《のど》元に吐き気が込み上げ、トイレに駆け込んだ。自分は何をしたのだろう。便器に顔を突っ込んだ。黄色い液体がたらたらと便器を汚した。苦しさに目尻が濡れた。

胃をからっぽにしてしまうと、いくらか落ち着いた気分になった。容子は部屋に戻り、べランダのカーテンを閉めた。横たわっているブルーの鯉には目を向けないようにした。テレビの上にキーがあることに気付き、それを手にした。

部屋を出る時は用心した。部屋に入るところを誰かに見られたか覚えてなかったが、たぶん大丈夫だと思った。廊下に人影がないことを確認して素早く部屋から出ると、鍵をかけた。

森岡はどこに行ってしまったのだろう。

彼がこの部屋に戻って来て、横たわったブルーの鯉を見た時、どう思うだろう。

それを想像すると、容子は少しだけ笑った。


どうして芙美を再び訪ねる気になったのか、わからない。森岡が戻って来ない部屋は、もう自分の居場所ではなかった。あそこにあるのは空虚な水槽だけだ。いや部屋そのものが、からっぽの水槽だった。

容子はひどく疲れていた。息をするのも億劫《おっくう》なくらいだった。どうして自分がこんなに疲れているのかよくわからなかった。記憶が混沌としていて、思い出そうとすると、頭の中の画面がシャーッと音をたてて乱れた。

玄関の呼び鈴を押すと、闇から湧き出るように芙美が姿を現わした。この間と同じように、何も尋ねず「どうぞ」と容子を部屋に上げた。これもこの間と同じ、庭に面した和室だ。

「今、お茶を」

「いいえ、何にも。私、気分があまりよくないんです」

「そう、じゃあ私は鯉に餌をやっている途中だったので、済ませてしまいますね」

芙美は濡れ縁に進んだ。大きめのタッパーの中から小さく刻んだハムのようなものを池に放り投げるのが見える。鯉が勢いよく餌に食いつくらしく、水の跳ねる音がする。ここにいるのは健康な鯉ばかりだ。もうブルーの鯉はいない。容子は芙美に並んだ。

「私もやっていいですか?」

「ええ、どうぞ」

タッパーを差し出され、その中のいくつかをつまんで池に投げた。鯉が口を大きく開けて、ひしめきあうように餌を奪い合う。

「森岡の居場所はわかりました?」

芙美がひっそりとした声で尋ねた。

「いいえ」

容子は静かに首を振った。

「どこに行ってしまったのかしら」

「ええ」

「あなたのこともユリさんのことも、放り出して」

「ここの鯉はみんな元気がよくて、本当にきれい。やっぱり餌のせいなんでしょうね」

「鯉というのは、本当はとても獰猛《どうもう》な生きものなのよ。これくらい大きくなると、地ミミズや蛙や、貝さえ嚙み砕いて食べてしまうの。たぶんもっと大きなものも」

「ええ、喉の奥に鋭い歯のようなものがあるんですって」

「噛み砕く？」

「そうなんですか」

疲れはますますひどくなってゆくようだった。それが何のせいか、少しも思い出せなくても、喉元から込み上げた苦さは今も舌を痺《しび》れさせていた。この池にはブルーの鯉はいない。もう誰も、身体が白い斑点に覆われるようなことはない。

鯉たちの食欲は旺盛だ。大きなタッパーにあった餌は底をつこうとしていた。容子は手を入れ、ふと、目を止めた。肉紅色のハムに混ざって光るものがあった。最初は何かわからなかった。容子は指先でつまみ、顔を近付けた。

金歯だ。

瞬間、さあっと身体が冷たくなった。

芙美に顔を向けると、穏やかな笑みが返って来た。それは恍惚《こうこつ》とも呼べるほど幸福そうに見えた。

その時、容子は初めて、芙美がブルーのワンピースを着ていることに気がついた。

著者紹介

赤川次郎（あかがわ・じろう）
一九四八年福岡県生まれ。桐朋高等学校卒。七六年、サラリーマン生活の中で執筆した「幽霊列車」で第一五回オール讀物推理小説新人賞を受賞、ミステリー界に新風を吹き込む。以後、幅広い分野の小説を発表、ベストセラー膨大。

「回想電車」‥「小説すばる」一九八八年春季号
単行本「回想電車」九六年四月刊、九九年一〇月文庫化

浅田次郎（あさだ・じろう）
一九五一年東京都生まれ。九四年「地下鉄《メトロ》に乗って」で第一六回吉川英治文学新人賞、九七年「鉄道員《ぽっぽや》」で第一一七回直木賞、二〇〇〇年「壬生義士伝」で第一三回柴田錬三郎賞受賞。著書に「きんぴか」「蒼穹の昴」「プリズンホテル」「天切り松　闇がたり」「シェエ

ラザード」「オー・マイ・ガァッ！」「王妃の館」など。

「角筈にて」：「小説すばる」一九九六年九月号
単行本「鉄道員《ぽっぽや》」九七年四月刊、二〇〇〇年三月文庫化

綾辻行人（あやつじ・ゆきと）
一九六〇年生まれ。京都大学教育学部卒、同大学院博士後期課程修了。八七年「十角館の殺人」でデビュー。九二年「時計館の殺人」で第四五回日本推理作家協会賞受賞。「霧越邸殺人事件」「フリークス」「どんどん橋、落ちた」など著書多数。

「特別料理」：「小説すばる」一九九五年七月号（《ＹＵＩ》改題）
単行本「眼球綺譚」九五年一〇月刊、九九年九月文庫化

伊集院静（いじゅういん・しずか）
一九五〇年山口県生まれ。立教大学卒。広告代理店勤務等を経て、九一年「乳房」で第一

二回吉川英治文学新人賞、九二年「受け月」で第一〇七回直木賞、九四年「機関車先生」で第七回柴田錬三郎賞、二〇〇二年「ごろごろ」で第三六回吉川英治文学賞を受賞。短編の名手としても知られる。

「螢ぶくろ」：「小説すばる」一九九一年一月号

単行本「あづま橋」九三年一月刊、九六年三月文庫化

北方謙三（きたかた・けんぞう）

一九四七年唐津市生まれ。中央大学法学部卒。八一年「弔鐘はるかなり」でデビュー。八三年「眠りなき夜」で第四回吉川英治文学新人賞、八五年「渇きの街」で第三八回日本推理作家協会賞、九一年「破軍の星」で第四回柴田錬三郎賞を受賞。「三国志」を完結後「水滸伝」を刊行中。

「岩」：「小説すばる」一九九〇年一一月号

単行本「罅《ひび》」九七年一〇月刊、二〇〇一年四月「罅《ひび》・街《まち》の詩《うた》」と改題し文庫化

椎名誠（しいな・まこと）
一九四四年東京都生まれ。東京写真大中退。「本の雑誌」編集長。世界の辺境地区への冒険をライフワークにしている。八八年「犬の系譜」で第一〇回吉川英治文学新人賞、九〇年「アド・バード」で第一一回日本SF大賞受賞。
「猫舐祭」：「小説すばる」一九九〇年一一月号
単行本「胃袋を買いに。」九一年五月刊（文藝春秋）、集英社文庫「奇譚カーニバル」（夢枕獏編）二〇〇〇年九月刊

篠田節子（しのだ・せつこ）
一九五五年東京都八王子生まれ。東京学芸大学卒。九〇年「絹の変容」で第三回小説すばる新人賞を受賞。九六年「ゴサインタン」で第一〇回山本周五郎賞、九七年「女たちのジハード」で第一一七回直木賞を受賞。
「38階の黄泉の国」：「小説すばる」一九九一年八月号

単行本「愛逢《めであ》い月《づき》」九四年七月刊、九七年一〇月文庫化

志水辰夫（しみず・たつお）

一九三六年高知県生まれ。出版社勤務を経て八一年「飢えて狼」でデビュー、八六年「背いて故郷」で第三九回日本推理作家協会賞、第四回日本冒険小説協会大賞、二〇〇一年「きのうの空」で第一四回柴田錬三郎賞受賞。他に「裂けて海峡」「いまひとたびの」など。

「プレーオフ」…「小説すばる」一九九〇年一二月号
単行本「虹物語」九五年四月刊、九八年四月「いつか浦島」と改題し文庫化

清水義範（しみず・よしのり）

一九四七年名古屋市生まれ。愛知教育大学卒。八一年「昭和御前試合」でデビュー。八八年「国語入試問題必勝法」で第九回吉川英治文学新人賞受賞。奇抜な発想とユーモアを駆使した作品を次々と発表。著作多数。

「苦労判官大変記」：「小説すばる」一九九四年八月号
単行本「偽史日本伝」九七年四月刊、二〇〇〇年一〇月文庫化

高橋克彦（たかはし・かつひこ）
一九四七年岩手県生まれ。八三年「写楽殺人事件」で第二九回江戸川乱歩賞を受賞しデビュー。八七年「北斎殺人事件」で第四〇回日本推理作家協会賞、九二年「緋い記憶」で第一〇六回直木賞、二〇〇〇年「火怨」で第三四回吉川英治文学賞を受賞。

「梅試合」：「小説すばる」一九九七年五月号
単行本「完四郎広目手控」九八年八月刊、二〇〇一年一二月文庫化

坂東眞砂子（ばんどう・まさこ）
一九五八年高知県生まれ。奈良女子大住居学科卒業後、イタリアのミラノ工科大学などでデザインを学ぶ。九六年「桜雨」で第三回島清恋愛文学賞、九七年「山妣」で第一一六回

直木賞、二〇〇二年「曼荼羅道」で第一五回柴田錬三郎賞受賞。タヒチ在住。
「盛夏の毒」：「小説すばる」一九九四年六月号
単行本「屍《かばね》の聲《こえ》」九六年一〇月刊、九九年九月文庫化

東野圭吾（ひがしの・けいご）
一九五八年大阪市生まれ。大阪府立大学電気工学科卒。エンジニアとして勤務しながら小説を書き、八五年「放課後」で第三一回江戸川乱歩賞を受賞、その後執筆に専念。九九年「秘密」で第五二回日本推理作家協会賞を受賞。
「超たぬき理論」：「小説すばる」一九九五年八月号
単行本「怪笑小説」九五年一〇月刊、九八年八月文庫化

宮部みゆき（みやべ・みゆき）
一九六〇年東京都生まれ。八七年「我らが隣人の犯罪」で第二六回オール讀物推理小説新

人賞を受賞しデビュー。九二年「龍は眠る」で第四五回日本推理作家協会賞、「火車」で第六回山本周五郎賞、九七年「蒲生邸事件」で第一八回日本SF大賞、九八年「理由」で第一二〇回直木賞受賞。

「さよなら、キリハラさん」：「小説すばる」一九九〇年五月臨時増刊号
単行本「地下街の雨」九四年四月刊、九八年一〇月文庫化

群ようこ（むれ・ようこ）
一九五四年東京都生まれ。日大芸術学部卒。広告代理店、商品企画会社を経て、「本の雑誌社」勤務の傍ら、エッセイ「午前零時の玄米パン」を発表、注目を集める。「無印良女」「鞄に本だけつめこんで」ほか著書多数。

「キャンパスの掟」：「小説すばる」一九九三年九月号
単行本「でも女」九四年七月刊、九七年九月文庫化

山本文緒（やまもと・ふみお）
一九六二年神奈川県生まれ。神奈川大学卒。八七年コバルト・ノベル大賞佳作の「プレミアム・プールの日々」でデビュー。九九年「恋愛中毒」で第二〇回吉川英治文学新人賞を受賞。二〇〇一年「プラナリア」で第一二四回直木賞受賞。
「いるか療法」：「小説すばる」一九九六年二月号
単行本「シュガーレス・ラヴ」九七年五月刊、二〇〇〇年六月文庫化

唯川恵（ゆいかわ・けい）
一九五五年石川県金沢市生まれ。金沢短期大学情報処理学科卒。銀行勤務を経て八四年「海色の午後」でコバルト・ノベル大賞受賞。以後、恋愛小説やエッセイを発表し、二〇〇二年「肩ごしの恋人」で第一二六回直木賞受賞。
「青の使者」：「小説すばる」一九九六年九月号
単行本「めまい」九七年三月刊、二〇〇二年六月文庫化

特にことわりのないもの以外はすべて、単行本は集英社より刊行されました。現在すべての作品が集英社文庫でお読みいただけます。

本書は、「小説すばる」創刊15周年を記念して
集英社文庫が編んだ短編アンソロジーです。

集英社文庫　目録（日本文学）

わかぎゑふ　ばかのたば
わかぎゑふ　秘密の花園 それは言わない約束でしょ？
わかぎゑふ　ばかちらし
わかぎゑふ　大阪の神々
わかぎゑふ　花咲くばか娘
わかぎゑふ　大阪弁の秘密
わかぎゑふ　大阪人の掟
わかぎゑふ　大阪人、地球に迷う
わかぎゑふ　正しい大阪人の作り方
若桑みどり　クアトロ・ラガッツィ(上)(下) 天正少年使節と世界帝国
若竹七海　サンタクロースのせいにしよう
若竹七海　スクランブル
和久峻三　三つ首荘殺人事件 あんみつ検事の捜査ファイル
和久峻三　白骨夫人の遺言書 あんみつ検事の捜査ファイル
和久峻三　京都祇園祭《ぎおんまつり》宵山《よいやま》の殺人 赤かぶ検事の名推理
和田秀樹　痛快！心理学 入門編 ――なぜ僕らの心は壊れてしまうのか
和田秀樹　痛快！心理学 実践編 ――どうしたら私たちはハッピーになれるのか
渡辺一枝　「わたし」の人生《みち》 我が命のタンゴ
渡辺一枝　時計のない保育園
渡辺一枝　桜を恋う人
渡辺一枝　眺めのいい部屋
渡辺一枝　わたしのチベット紀行 智恵と慈悲に生きる人たち
渡辺淳一　白き狩人
渡辺淳一　麗《うるわ》しき白骨
渡辺淳一　桐に赤い花が咲く
渡辺淳一　遠き落日(上)(下)
渡辺淳一　公園通りの午後
渡辺淳一　わたしの女神たち
渡辺淳一　花《はな》埋《うず》み
渡辺淳一　新釈・からだ事典
渡辺淳一　シネマティク恋愛論
渡辺淳一　夜に忍びこむもの
渡辺淳一　これを食べなきゃ
渡辺淳一　新釈・びょうき事典
渡辺淳一　源氏に愛された女たち
渡辺淳一　マイ センチメンタルジャーニィ
渡辺淳一　ラヴレターの研究
渡辺淳一　夫というもの
渡辺淳一　流氷への旅
渡辺淳一　うたかた
渡辺淳一　くれなゐ
渡辺淳一　野わけ
渡辺淳一　化身(上)(下)
渡辺淳一　ひとひらの雪(上)(下)
渡辺淳一　鈍感力
渡辺淳一　冬の花火
渡辺淳一　無影燈(上)(下)

集英社文庫　目録（日本文学）

渡辺淳一　孤舟
渡辺淳一　女優
渡辺雄介　MONSTERZ
渡辺葉　やっぱり、ニューヨーク暮らし。
渡辺葉　ニューヨークの天使たち。

＊

集英社文庫編集部編　短編復活
集英社文庫編集部編　作家24人の名作鑑賞 私を変えたこの一冊
集英社文庫編集部編　怪談集 花月夜綺譚
集英社文庫編集部編　短編工場
青春と読書編集部編　COLORSカラーズ

集英社文庫

短編復活《たんぺんふっかつ》

2002年11月25日　第1刷
2014年6月7日　第18刷

定価はカバーに表示してあります。

編　者　集英社文庫編集部《しゅうえいしゃぶんこへんしゅうぶ》

発行者　加藤　潤

発行所　株式会社　集英社
東京都千代田区一ツ橋2-5-10　〒101-8050
電話　03-3230-6095（編集部）
03-3230-6393（販売部）
03-3230-6080（読者係）

印　刷　凸版印刷株式会社

製　本　凸版印刷株式会社

フォーマットデザイン　アリヤマデザインストア　　マークデザイン　居山浩二

ISBN978-4-08-747517-3 C0193